CARNETS INTIMES

DE

VICTOR HUGO

1870-1871

DU COMMENTATEUR

Textes de Victor Hugo.

PIERRES (Milieu du Monde, 1951).
SOUVENIRS PERSONNELS, 1848-1851 (Gallimard, 1952).
CRIS DANS L'OMBRE ET CHANSONS LOINTAINES (Albin Michel, 1953).

Sur Victor Hugo.

LA BATAILLE DE DIEU (Milieu du Monde, 1944).
L'HUMOUR DE VICTOR HUGO (La Baconnière, 1950).
VICTOR HUGO PAR LUI-MÊME (Le Seuil, 1951).

Histoire.

HISTOIRE DES CATHOLIQUES FRANÇAIS AU XIXe SIÈCLE (Milieu du Monde, 1947).
LAMARTINE EN 1848 (Presses Universitaires, 1948).
LA TRAGÉDIE DE QUARANTE-HUIT (Milieu du Monde, 1948).
LE COUP DU DEUX-DÉCEMBRE (Gallimard, 1951).

Histoire littéraire.

LE « JOCELYN » DE LAMARTINE (Boivin, 1936).
LES « VISIONS » DE LAMARTINE, édition critique (Belles-Lettres, 1936).
FLAUBERT DEVANT LA VIE ET DEVANT DIEU (Plon, 1939).
LAMARTINE, L'HOMME ET L'ŒUVRE (Boivin, 1940).
CONNAISSANCE DE LAMARTINE (L. U. F., 1942).
« CETTE AFFAIRE INFERNALE »; L'AFFAIRE ROUSSEAU-HUME (Plon, 1942).
UN HOMME, DEUX OMBRES; JEAN-JACQUES, JULIE, SOPHIE (Milieu du Monde, 1943).
LAMARTINE, LETTRES DES ANNÉES SOMBRES, 1853-1867 (L. U. F., 1942).
LAMARTINE, LETTRES INÉDITES, 1825-1851 (Les Portes de France, 1944).
LES ÉCRIVAINS FRANÇAIS ET LA POLOGNE (Milieu du Monde, 1945).
LAMARTINE ET LA QUESTION SOCIALE (Plon, 1946).

VICTOR HUGO EN SEPTEMBRE 1870

VICTOR HUGO

CARNETS INTIMES

1870-1871

publiés et présentés par

HENRI GUILLEMIN

GALLIMARD
5, rue Sébastien-Bottin, Paris VII\u00b0

7e édition

AVANT-PROPOS

*Nous publions ici pour la première fois d̶ ̶ ̶ ̶leur
totalité plusieurs de ces carnets intimes de Hugo qui
sont restés si longtemps secrets. A vrai di̶ ̶ de vastes
emprunts leur avaient été faits par P. Meurice, G. Simon et M*^{me} *Daubray pour leur édition des* Œuvres
complètes, *dite « de l'Imprimerie Nationale », et qui,
entreprise en 1901, n'a été achevée qu'en 1952. D'une
part, G. Simon, en 1910, rééditant* Alpes et Pyrénées
et France et Belgique *sous le titre général de* En
voyage, *y avait adjoint de nombreuses pages inédites
sur les excursions du poète dans les Ardennes, en
Hollande et sur les bords du Rhin. D'autre part, en
1913, les* Choses vues *s'augmentèrent d'importants
« extraits des carnets », 1868-1884. Les notices « his-
toriques », dans cette édition, des œuvres composées après
1856 étaient principalement constituées d'éléments fournis par les écrits intimes; enfin, bien des textes du*
Tas de Pierres *(1942) proviennent de ces albums
mystérieux.*

*Pourquoi n'a-t-on jamais voulu les admettre au
nombre des* Œuvres *de Hugo au même titre que la*
Correspondance, *ou le* Post-Scriptum de ma vie? *
Peut-être parce que ces carnets, conçus d'abord par le
poète comme de petits livres de comptes, regorgent,
pendant des années, d'indications ménagères dépour-
vues en effet de tout intérêt général; mais il est également
hors de doute que des scrupules ou des interdictions
retinrent les éditeurs : les carnets étaient trop éloquents
sur deux chapitres délicats de la vie intime de Hugo,*

*l'un qui concerne ses amours, ou pour mieux dire ses
divertissements érotiques, l'autre qui touche à cette part
étrange de son destin, sur laquelle il paraissait préfé-
rable, aussi, de faire silence et qui le révèle non pas
seulement attentif à ses rêves (cf., ici, 13 août et
10 décembre 1870, 17 août 1871), mais obsédé, mais
hanté, par ce qu'il appelait les « phénomènes inexpli-
cables ». Inopportun d'ajouter des pièces nouvelles au
dossier des « désordres » du poète, comme autant d'armes
supplémentaires fournies à la vigilance des haines toujours en éveil du côté de ceux qui ne lui pardonnent
point d'avoir lutté pour la justice; dangereux, au moins
autant, de leur laisser voir cet homme qu'ils abhorrent,
tout préoccupé de « frappements » qui le poursuivent
et de bruits énigmatiques dans sa chambre (passim),
ou de paroles qu'il lui arrive d'entendre quand il est
seul (cf., ici, 22 mars 1871). Déjà il avait été convenu
que l'on ne parlerait qu'à peine de ces expériences « spi-
rites » conduites par lui, avec quelle passion pourtant,
à Jersey, du mois de septembre 1853 au mois d'octobre
1855; et le vaste stock des procès-verbaux, dressés de
sa main, des « séances de tables » de Marine-Terrace
— avec toutes sortes de précieuses remarques inci-
dentes — fut écarté de l'édition. Pareille mesure ne se
pouvait accompagner d'une complaisance ruineuse à
l'égard des carnets et de tout ce qu'ils contiennent de
redoutable à ce sujet; car il ne s'agit point d'un incident
localisé, d'une crise passagère; Hugo cesse d'interroger
les tables après 1855, mais les « invisibles » ne le
lâchent pas, et il eût été impie envers la mémoire du
grand homme de laisser à nu ses crédulités. Le manteau
de Noé s'imposait. D'autant plus que les esprits forts,
qui ne sont point tous, tant s'en faut, du côté de la
République, auraient eu beau jeu à des gloses, triom-
phantes ou douloureusement apitoyées, sur cette « dé-
mence » de Victor Hugo dont la Croix n'avait point
manqué de faire mention, le cadavre du poète étant à
peine refroidi (23 août 1885, Hugo avait expiré la
veille : « Il était fou depuis trente ans. ») Bien assez*

déjà qu'on puisse évoquer, tout près de lui, son frère
Eugène, frappé de folie en 1822, et mort en 1837 à
Charenton. Que l'on se taise sur l'autre drame, celui
de 1863, où sombre la raison de sa fille Adèle, qui
s'enfuit cette année-là d'Hauteville-House, qu'on ramè-
nera, neuf ans plus tard, en France, semblable à un
« fantôme glacé », et que son père ira voir, de temps à
autre, dans la clinique de Saint-Mandé, « plus morte
que les morts, hélas »! La fille après le frère. Sinistre
environnement. Ne rien dire au sujet d'Adèle. La faire
oublier le plus possible. Encore un puissant motif de
tenir sous clef les carnets.

Ce que l'on va lire dans cet ouvrage, c'est le texte
complet des quatre carnets intimes où Victor Hugo prit
quotidiennement des notes pendant ces mois de 1870 et
1871 qui formèrent ce qu'il nomma « l'année terrible ».
Je n'ai supprimé, çà et là, que des indications de
dépenses courantes; rien d'autre, strictement. Un blanc,
regrettable; un vide, heureusement étroit : manquent,
dans le premier carnet, — disparues je ne sais comment
— les pages où figuraient les notes prises par le poète,
à Bruxelles, du 25 au 31 août 1870. Au texte intégral
des carnets, j'ai joint des fragments épars, les uns
tracés sur un album à dessin que Victor Hugo utilisa
en 1870 et 1871, les autres sur des feuilles volantes
dont quelques-unes, du même format, ont été reliées avec
le second carnet. Si j'ai choisi de publier les carnets
de cette période plutôt que de telle autre, c'est qu'ils sont,
de beaucoup, les plus copieux (le poète ne commença
vraiment qu'en 1859 à prendre des notes journalières,
l'ayant fait en 1846-1847, y ayant ensuite renoncé
pendant près de dix ans) et qu'ils se réfèrent à l'époque
la plus chargée d'événements que traversa Victor Hugo
après les années 1848-1851. Sous nos yeux, dans ces
pages, la déclaration de guerre, la fin de l'exil, le retour en
France, le siège de Paris, la mort de Charles, la Commune, l'expulsion de Belgique, les séjours à Vianden et à
Altwies, la naissance des pièces qui formeront l'Année
terrible, la liaison du vieil homme avec Marie Mercier.

*Gustave Simon, dans ses « extraits » de 1910 et de 1913 à l'intention d'*En voyage *et des* Choses vues, *ne se bornait point, comme c'était son droit, à des découpages, donnant tel paragraphe au public, laissant tel autre réservé. A l'intérieur même des fragments qu'il faisait mine de publier, G. Simon pratiquait des suppressions discrètes, dont un signe, du moins, semble-t-il, aurait dû nous avertir; mais point. Ici (23 septembre 1871) ce sont deux majuscules qui disparaissent :* « D. V. », *autrement dit* « Deo Volente », *autrement dit :* « Si Dieu le veut, si Dieu le permet. » *Façons cagotes, tic pieux dont il ne convenait point d'avouer qu'un homme de la taille de Hugo conservait la faiblesse. Plus loin (24 septembre 1871), c'est un détail qui saute, une confidence incorrecte, sur la chambre qu'à Reims, au moment du sacre de Charles X, en 1825, Hugo* « partageait presque » *avec la charmante Florville,* « maîtresse de Duponchel ». En 1825! *Alors que nous le croyions si sérieux! Ailleurs (27 novembre 1870), une allusion contristante à Jules Vallès nous est tout à coup dérobée. Etait-il également superflu de reproduire la note du même jour où l'on voit* « M. et Mme Paul Verlaine » *en visite chez le poète des* Châtiments? *Et si du moins ces éditeurs, qui maniaient si bien les ciseaux, avaient ajusté, avec le même soin, leurs besicles! Fâcheux de lire* « Paris est épuisé » *lorsque Hugo a clairement écrit :* « Paris est apaisé »; *et de comprendre :* « une lettre de Berne » *lorsqu'il s'agit d'une lettre que le poète vient de recevoir de son ami* « Berru »; *et d'imprimer, laissant fuir le jeu de mots,* « père conscrit », *lorsque, annonçant son intention de s'engager comme garde national, l'ancien dignitaire de la monarchie de Juillet se voyait appeler, gentiment,* « pair conscrit » *par les journaux belges.*

*

Quand je n'y serai plus, on verra qui j'étais.

Ce vers, isolé, que Victor Hugo avait jeté un jour sur un carré de papier, c'est le contraire d'un cri d'orgueil;

et pour en interpréter sans erreur l'intention, il suffit
de rappeler les prescriptions testamentaires du poète.
Tout, exactement tout ce qu'il laissait, en fait d'écrits,
tout, disait-il, y compris « les fragments d'une ligne,
ou d'un vers », tout devait — ou pouvait — être révélé.
Autorisation plénière. Quant à lui, il ne dissimulerait
rien; il ne recommandait à ses héritiers nulle pru-
dence; il ne réclamait d'eux aucun ménagement. Rien
de défendu; rien qui exigeât l'ombre. Ce que je fus, le
voilà. Tout vous est ouvert, et mes secrets avec le reste.
« D'autres ont plus souffert qui valaient mieux que
moi. »

> Est-on sûr d'avoir fait, ne fût-ce qu'à demi
> Le bien qu'on pouvait faire?
> . . . .
> Même celui qui fit de son mieux a mal fait.

Et il écrit aussi, songeant à soi-même : certains hommes,
d'un côté aspirent à « tout ce qu'il y a de pur, d'élevé,
de rayonnant, et de l'autre ils se repaissent de turpitudes ». *Ces appétits du sexe, ces convoitises du sang,*
« violences que nous fait la vie »... *Qu'il ne trompe*
personne et qu'on le voie bien, tel qu'il était, authen-
tique, avec ses fautes et ses misères, comme avec ce
qu'il eut de meilleur.

Ainsi, livrant au grand jour le texte de ces carnets,
je sais que j'ai sur moi l'acquiescement du mort et que
j'accomplis sa volonté. Et d'ailleurs n'est-il pas toujours
bon — et juste, et loyal — de n'avoir d'autre souci,
en matière d'histoire, que la vérité? Je n'accepte pas
qu'on me dise : attention! prenez garde! vous allez faire
plaisir à ceux-ci, déplaire à ceux-là, desservir peut-
être telle cause que vous aimez! Les arrière-pensées
sont la plaie de l'histoire littéraire comme de l'histoire
tout court. Une seule question dans tous les cas, qu'il
s'agisse de Jean-Jacques ou de Rimbaud, des journées
de juin ou du 2 décembre, de Lamartine ou de Victor
Hugo, une question exclusive : savoir le vrai; et une
seule règle : ce vrai, qu'attestent des documents sûrs, le

dire tout net et tout entier. Concernant Victor Hugo, en voici, des documents sûrs. N'était-ce pas lui-même, en 1863, à propos de l'Histoire, qui déclarait le temps venu, pour elle, d' « entrer dans la voie des aveux »?

Une des choses, sans doute, les plus curieuses de la présente publication est constituée par les deux textes inédits et sans date qui touchent à cette « dictature » personnelle dont Hugo, un instant, soupesa l'idée. On nous avait très soigneusement caché cela. Eh oui! Il semble bien qu'Hugo ait cru, tout de bon, quelques jours, à l'éventualité d'un pouvoir discrétionnaire qui lui serait confié à Paris. Il l'accepterait; il le voudrait à la fois « sans limites » et « sans défense »; il s'en « punirait » ensuite, même s'il avait mené sa tâche à bien, comme d'un « crime ». Naïveté d'une telle ampleur que l'on en demeure confondu. Et je veux supposer que cette hypothèse aberrante ne s'est offerte à l'esprit du poète qu'avant son retour en France, à l'heure des grandes illusions, et lorsqu'il ne devinait point toutes les combinaisons déjà prêtes, chez les réalistes à la Thiers et à la Jules Favre. Ou bien le soir du 5 septembre, lorsque sa tête sonnait encore des acclamations qui venaient d'accueillir sa rentrée dans la capitale après dix-huit années d'exil. Quoi qu'il en soit, ces lignes déconcertantes sont là, désormais. Elles comptent comme, dans les Souvenirs personnels de 1848-1851, ces vers ébauchés, fin 48, sur Louis Bonaparte, le « vengeur », et les « serres » de l'aigle qui valent mieux que les « ergots »...

Hugo parle trop d'aller se faire tuer, sans jamais pousser jusqu'aux remparts. Il est martial. Il fait l'acquisition d'un képi bleu, et même d'un capuchon de zouave, en prévision du froid de la nuit, qu'il redoute, dit-il, plus que les balles de l'ennemi. Il sollicite du général Trochu le laissez-passer nécessaire pour se rendre aux avant-postes, mais il n'y va point. On lui a « fait défense » de s'exposer à la mort, attendu que n'importe qui peut mourir pour la France, mais que Victor Hugo est le seul à pouvoir écrire les Châ-

timents, *et la suite. Il trouve ce « fait défense » des
gardes nationaux « touchant », « charmant ». Il se
laisse convaincre. Qu'on ne se hâte pas trop de rire,
néanmoins, et de tirer de cette abstention quelques
conclusions abusives. La preuve est faite aujourd'hui
— malgré Veuillot, et Biré, et de Broglie — que Victor
Hugo, avant d'être septuagénaire, n'ignora point le
courage physique, et s'exposa très littéralement à la
mort lorsqu'il estima qu'il devait le faire, le 24 juin
1848 par exemple, rue Saint-Louis, et le 2 décembre
1851, sur les boulevards.*

*Il enregistre avec complaisance ses libéralités; il
tient le compte de ce qu'il donne aux innombrables
solliciteurs dont les lettres pleuvent sur lui depuis qu'on
le sait à Paris; et il donne beaucoup, c'est exact; près
de 5.000 francs en quatre mois (du 6 septembre 1870
au 8 janvier 1871), c'est-à-dire l'équivalent d'un mil-
lion et demi d'aujourd'hui (1953), à peu près — sans
compter ses droits d'auteur dont il fait abandon, pour
toutes les lectures publiques de ses œuvres au profit
des canons de la défense et des victimes de la guerre.
Il a un carnet spécial pour ses aumônes, que Juliette
Drouet tient à jour; mais il n'omet point de transcrire,
pour lui-même, les chiffres que, sur sa demande, Juliette
lui communique. Et il le fait sans déplaisir, s'admi-
rant un peu. On répète assez, de toutes parts, qu'il
est avare! Ses fils même murmurent contre lui, alors
qu'il est avec eux, avec Charles surtout, à cause de ses
deux enfants, d'une générosité royale (le 4 février 1870,
tout à coup, un cadeau de 1.000 francs, à l'occasion
du succès de* Lucrèce Borgia; *le 18 août, de nouveau,
1.000 francs, inattendus; soit quelque 600.000 francs
d'aujourd'hui, en deux fois, et en guise de « petit surplus »). Mais Charles est un gouffre et lorsqu'il sera
mort, brusquement, son père fera de tristes découvertes
sur la gestion de son budget. Ce n'est pas ainsi que
lui-même a mené ses affaires! Si sage, si raisonnable,
n'ayant jamais une dette, économisant avec soin, pour
les siens, quand il était jeune, avec quatre enfants,*

...lant ensuite, dès qu'il eut constitué un capital, à *...amais* aller au-delà de son « revenu ». Ses dépenses, *...ris*, pavillon de Rohan, sont énormes, car il reçoit *enj...oup*; mais opulentes ses ressources, et nous en *il jo..s* le décompte de sa main. Ses seules actions *à G.. Banque* de Belgique lui rapportent, annuelle- *au ...39.000* francs de dividendes (disons 11 millions *lui ...cs 1953*) et, du 15 février au 15 septembre 1871, *...ura* perçu, en droits d'auteur et dividendes divers, *...000* francs — quelque chose, en chiffres ronds, comme 21 millions d'à présent.

Il est ami du solennel, parfois, et n'a jamais su, quand il prenait la parole en public, se défendre contre le grandiose. Je doute que les soldats blessés, dans cette ambulance qu'il visite le 11 novembre 1870, aient été aussi pénétrés d'émotion qu'il le croit, lorsqu'il s'est adressé à eux en ces termes : « Je vous salue, enfants de la France, fils de la République, élus qui souffrez pour la patrie! » Et l'on préférerait aussi qu'il n'eût point jugé bon d'affirmer : « Je ne désire plus rien sur la terre qu'une de vos blessures. » Il « désire » en tout cas, et vivement, les prévenances de ces jeunes femmes dont il relève dans ses carnets les adresses utiles, « 5, rue Frochot, au fond de la cour, au sixième », « 13, rue Tholozé, à Montmartre, au premier, la porte à gauche », « 60, rue Saint-Laurent, au troisième, la porte au fond »; ne lui prêtons point, du reste, en dépit de sa tête blanche, je ne sais quels pouvoirs herculéens. Une lecture minutieuse de tous les carnets dont j'ai pu exa- miner le texte nous éclaire sur les exigences souvent purement contemplatives, ou tactiles à peine, du vieil- lard, et ses performances amoureuses, à tout prendre, sont en nombre très modéré pendant les dernières années de son exil (un peu plus d'une demi-douzaine par an, en moyenne, entre 1865 et 1870); ces chiffres, d'ailleurs, s'accroîtront beaucoup, de manière assez surprenante, avec l'âge; mais les carnets de 1870-1871, à la diffé- rence des précédents, n'offrent point de ces listes réca- pitulatives qui, pour les années antérieures, nous dis-

pensent de toute hésitation. Deux élues privilégiée[s]
parmi ce troupeau de biches, et presque une troisièm[e]
cette dernière étant Mlle Amélie Désormeaux, qui [ne]
se laissa point ignorer des contemporains; les de[ux]
autres s'appelèrent Constance Montauban et M[...]
Mercier, la première plus longuement connue du p[oète]
que la seconde. Et Louise Michel — Viro majo[r...]
que nous n'aurions pas cru de ces complaisantes [...]
figure, à l'improviste. Et pourquoi pas, après tou[t,]
s'il est vrai que des personnes d'une société aussi choi-
sie que Mme Philippe André, du château de Roth,
près Vianden, ou Mme de Latte, épouse d'un « auditeur militaire » à Gand, ont, à la première occasion,
elles aussi, on le verra, abandonné au galant vieillard
leurs lèvres, et un peu davantage ?

Comme il se défie de Juliette, le pauvre vieil homme
dominé par la convoitise, comme il a peur de lui faire
du mal, comme il essaie, gauchement, de lui cacher ses
« turpitudes »! Elle a soixante-quatre ans en 1870;
depuis longtemps il ne la prend plus dans ses bras;
mais il la chérit, d'une profonde tendresse; il ne veut
pas qu'elle soit malheureuse à cause de lui; et puisqu'il est incapable de renoncer au plaisir, du moins,
le plus possible, qu'elle ignore ses indignes rencontres.
Et les prénoms de femmes, dans les carnets, se méta-
morphosent comme ils peuvent, en de rassurants noms
propres masculins : « Zoé » devient « Zolé », « Maria »,
« Mariat », « Marthe » se mue en « Marthel », et une
« Anna » prend, par surcharge, les traits du sanglant
Johannard; le salaire de ces femmes nues se déguise
en « secours » à des infortunés; « pros. », écrit même,
une fois, notre poète, souhaitant que Juliette, si son
inquiète indiscrétion va jusqu'à ouvrir le carnet, lise
sans faillir sous cette abréviation le terme de « proscrit »
(l'artifice a beaucoup servi à Hugo pour les notations
de cette espèce, chaque année, à Bruxelles), alors que
ce n'est pas ainsi tout à fait que le mot s'achève, dans
sa pensée. Quant à Constance Montauban, elle revêt
sous sa plume quantité d'apparences successives, tan-

t « Stancemont », *tantôt* « Tauban », *tantôt, noble-*
ent, « Monte-Albano ».

Le grand-père voisine avec l'aegipan. Ses petits-
ants le ravissent, et il les adore; il note leurs progrès;
ue avec eux; il les comble de présents; il fait faire
eorges, le 4 septembre 1870 (Georges a eu deux ans
mois d'août), sa première prière. Le grand-père
a joint les mains et Georges a répété après lui :
Mon Dieu, veillez sur ceux qui m'aiment et que j'aime.
Soyez béni. » 4 *septembre. Vingt-septième anniver-*
saire. Le 4 septembre 1843, la chère, la « *douce* » *Léo-*
poldine — dix-neuf ans — s'engloutissait dans la mort,
à Villequier. Le père n'oublie pas la date affreuse; cette
année-là, 1870, moins que jamais, à cause des événe-
ments qui s'accomplissent : il s'adresse à la disparue,
mais qui est là, il n'en doute pas, comme un « *ange* »,
et il lui demande : « *Veille et prie!* » *Et l'année suivante,*
4 *septembre 1871 :* « *Ton anniversaire, ma fille bien-*
aimée! » *Entre les deux dates, un deuil de plus, d'une*
aussi brutale et atroce soudaineté que le deuil de jadis.
Charles, quarante-cinq ans, a été foudroyé, dans la
rue à Bordeaux, par une apoplexie. « *Quel désespoir!*
[...] *Si je ne croyais pas à l'âme, je ne vivrais pas une*
heure de plus » *(13 et 14 mars 1871). Sombre vie,*
c'est vrai, que celle de Hugo, « *dure et funèbre* », *sous*
sa surface éblouissante. Encore ne sait-il pas, en 1871,
que son second fils, dans deux ans, lui sera, à son tour,
arraché.

*

Ce ne sera point non plus, j'imagine, un des élé-
ments les moins instructifs de ces pages que les infor-
mations qu'elles nous apportent, au jour le jour, sur
les sentiments de Hugo à l'égard de la Commune. Il
y a chez lui, c'est indéniable, une méconnaissance des
problèmes économiques et sociaux dans la réalité de
leur structure. Hugo reste un jacobin, du même type
intellectuel à peu près que ce Ledru-Rollin qu'il n'ai-

*mait pas, mais avec plus de chaleur humaine, une plus
sérieuse participation affective aux souffrances des
opprimés. La Commune le scandalise; son ami Jules
Simon (de son vrai nom Jules Suisse) est ministre
chez Thiers; Lefèvre et Lockroy, autres bourgeois amis
de l'ordre sous un vocabulaire captieux, dénoncent
auprès de lui les « excès » des rouges; la destruction de
la Colonne l'atteindra, lui, le fils du général Hugo,
comme un effroyable attentat à nos « gloires ». Et puis
Delescluze est à l'Hôtel de Ville et Delescluze est quelqu'un qui lui fait horreur. Il a quitté Paris dès le
22 mars, appelé, c'est vrai, par des obligations impé-
rieuses à Bruxelles; mais il pourrait au bout de huit
jours regagner Paris; il se garde bien de le faire, et
s'il tient l'Assemblée pour « féroce », la Commune lui
paraît « idiote » (11 avril). A l'abbé Michon il confie :
« il faut se tenir comme sur une lame de couteau entre
les folies de l'Hôtel de Ville et les folies de Versailles ».
Pourtant, il a compris ce qui se mêlait de désespoir au
soulèvement des pauvres; il a décrit, deux ans plus
tôt, dans l'Homme qui rit, la pyramide sociale et sait
sur quelles iniquités, sur quelles asphyxies, repose le
bonheur des repus. « Le satisfait, écrivait-il alors, c'est
l'inexorable », et il va voir au travail ces « inexorables »,
dès le 21 mai, et leur ordre « à l'état flagrant ». Hugo
n'est pas de la race des Renan et des Taine. Avec une
bassesse inconsciente d'elle-même et qui révèle le fond
d'un être, Renan se targuera d'avoir pu, chez Brébant,
ignorer quant à lui les rigueurs du siège, et se conserver précieusement les pieds chauds et le ventre plein;
puis il écrira sa* Réforme intellectuelle et morale de
la France *où la canaille se voit assigner, au chenil, la
place dont il n'est pas bon, on vient de le lui prouver
comme il faut, qu'elle bouge. Quant à M. Taine, Flaubert discernera d'un coup d'œil, dans ses* Origines de
la France *contemporaine si soucieuses de rappeler
au pays « les véritables bases de toute société », « la peur
violente qu'il a eue de perdre ses rentes » (lettre du
9 juillet 1878). Non, Hugo n'est pas de cette race. Il*

2

*est riche — d'une fortune qu'il a gagnée tout seul et sans
spoliation d'autrui; son génie l'a placé « parmi ceux
qui jouissent », mais il est « avec ceux qui souffrent ».
Et à peine assiste-t-il aux premiers déploiements de
la répression versaillaise et de la terreur blanche qu'il
offre asile publiquement, dans sa maison, aux vaincus
traqués. Louis Blanc, Schœlcher le désapprouvent. Tant
pis! Et partent de sa plume, coup sur coup, ces grandes
pièces frémissantes, admirables, que l'Année terrible
ne recueillera pas toutes, et qui s'appellent* les Fusillés,
la Prisonnière passe, A ceux qu'on foule aux pieds,
et les poèmes VI, VII, XXI de la « Corde d'Airain »
dans Toute la Lyre :

La bête fauve sort de la bête de somme
. . . .
Etonnez-vous après, ô semeurs de tempêtes
Que ce souffre-douleur soit votre trouble-fête!

*L'exécration intarissable qui, depuis près d'un siècle,
chez les « gens de bien », poursuit les pas et la mémoire
de Victor Hugo, c'est là, devant nous, qu'elle prend son
origine. On lui eût passé sa résistance au coup d'Etat
de Louis Bonaparte, et bien plus aisément encore ses
colères anticléricales. Mais, défendant les communards
contre les fureurs possédantes, Hugo a touché à l'Arche.
Inadmissibles, inexpiables, un ton comme le sien, et
ces remarques sans bienveillance sur « le meurtre pour
le bon motif », et cette observation déplacée :*

Oui, l'on a sauvé l'ordre et l'Etat, et je crois
Que c'est pour la cinquième ou la sixième fois.

*Et cette traduction trop directe de la pensée des hon-
nêtes gens :*

Donc nous nous défendons; c'est juste; Diogène
Rageant de voir dîner Trimalcion, le gêne.

*« Ecrivez votre prochain livre en allemand! » criera
dans le* Figaro *Barbey d'Aurévilly, indigné, au poète
de l'*Année terrible, *cette « élégie enflammée, violente,*

*hypocrite et comminatoire sur les malheurs et les puni-
tions de la Commune »; « abominables concetti d'un
queue-rouge déguisé en prophète »; ça c'est de Sarcey,
dans le Gaulois; et M. Edmond About, dans le Soir,
déchirera de son mieux ce Victor Hugo « millionnaire
par la générosité des badauds et par sa propre avarice », monstrueuse « cymbale de charlatan ».*

 *Cependant, où qu'il fût, sous le déchaînement des
haines, et le cœur plein de souvenirs en deuil, Hugo
demeurait cet homme parmi les choses qui regardait,
qui écoutait, vulnérable plus qu'aucun autre à leur
poignante comparution. Le 21 octobre 1870, c'est la
diane dans Paris qui le bouleverse : « On entend d'abord,
près de soi, un roulement de tambours, puis une sonnerie de clairon. [...] Puis le silence se fait. Au bout de
vingt secondes, le tambour recommence, puis le clairon,
chacun répétant sa phrase, mais plus loin. Puis cela
se tait. Un instant après, plus loin, même chant du
tambour et du clairon, déjà vague, mais toujours net.
Puis, après une pause, la batterie et la sonnerie
reprennent, très loin. Puis encore une reprise, à l'extrémité de l'horizon, indistincte, et pareille à un écho.
Le jour paraît [...] »; 3 mai 1871, Bruxelles; Charles
est mort : « A minuit, le rossignol. En même temps,
j'entendais Jeanne endormie dire en rêvant : « Papa »;
25 août 1871, en rentrant d'une excursion : « Lune.
Vallée mystérieuse. Lueur extraordinaire. Flamme qui
s'éteint, comme si l'on soufflait dessus, dans un lieu
inaccessible, à la lisière d'un bois. J'ai pensé au mot
d'Hamlet à Horatio »; 25 septembre 1871, Reims :
« J'écris ceci [...] avec le soleil levant et la cathédrale
devant les yeux [...] J'écoute les cloches. Elles sont deux
qui dialoguent, une grosse et une petite. La grosse dit :
— Oh! que je t'aime! La petite répond : — Oh! que
non! »*

       Henri GUILLEMIN.

CARNETS INTIMES

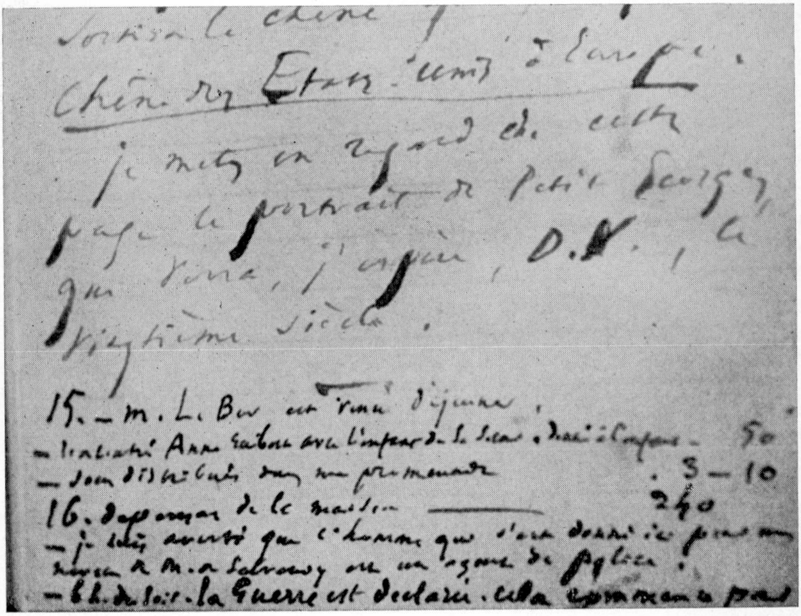

PAGE DU CARNET INTIME DE HUGO
(14, 15, 16 JUILLET 1870)

16 juillet. 6 h. du soir.

La guerre est déclarée. Cela commence par la Prusse et la France.

Le concile vient de déclarer le pape infaillible.

17 juillet.

Il y a trois jours, le 14 juillet, pendant que je plantais dans mon jardin de Hauteville-House le chêne des Etats-Unis d'Europe [1], au même moment la guerre éclatait en Europe et l'infaillibilité du pape éclatait à Rome.

Dans cent ans, il n'y aura plus de guerre, il n'y aura plus de pape, et le chêne sera grand.

18 juillet.

Charles et mes hôtes [2] mettent aujourd'hui à exécution leur projet de faire le tour de l'île d'étape en étape. Malgré le temps incertain, nous partirons tous à 5 heures dans une wagonnette (prix de 5 h. à 10 h. : 7 sh = 8 frs. 40). Nous allons, première étape, à l'*Hôtel du Gouffre*. Nous y dînons. Ils y couchent. Après le dîner, nous revenons coucher chez nous, Julie [3], J. J. [4] et moi, et nous rentrons à 10 heures.

Avant le dîner, nous sommes allés voir le *port au quatrième étage*.

19 juillet.

La wagonnette est venue à midi et demie nous
prendre à Hauteville-House et nous avons été, ces
deux dames et moi, avec Georges et Jeanne [1], retrouver tout notre monde à l'*Hôtel du Gouffre.* Nous y
avons déjeuné tous ensemble, puis Jeanne et Georges
sont retournés à la ville, et nous avons été dîner à
Cobo, à l'*Hôtel Aldridge,* mais comme il n'y avait
pas de chambre pour coucher, nous sommes tous
revenus le soir à Hauteville-House.

20 juillet.

J'ai su que mes enfants et mes hôtes voulaient
tirer ici demain un feu d'artifice pour ma fête. Je
les ai priés de n'en rien faire, vu les événements et
les massacres probables qu'ils vont entraîner. On
est convenu de consacrer l'argent du feu d'artifice
(2 livres) à une pierre pour le tombeau de Kesler [2].
J'ajouterai ce qu'il faudra.

– A 3 heures, la wagonnette est venue nous prendre
et nous sommes tous partis pour Plainmont. J'ai revu
la maison *visionnée* [3]. Nous avons dîné à l'*Hôtel Dur-
man* et nous sommes rentrés à Hauteville-House à
10 heures du soir.

Un petit garçon jouait dans le pré autour de la
maison visionnée. Interrogé par Miss Joss, il a dit :
« *c'est une maison très redoutaie. On y voit du fè (feu)
la nuit* ».

– Brouillard toute la journée. Pas de poste.

21 juillet.

Ma fête [4]. Georges et Jeanne m'ont apporté chacun un bouquet.

– Gratification à Mariette [5], pour ma fête, 5 frs.

– J'ai donné à M. Duverdier mon crayon rouge.

22 juillet.

Mme Engelson ¹ est venue déjeuner. Je l'ai invitée
à dîner.

– J'ai écrit ce matin la *Lettre aux femmes de Guernesey* ² pour qu'elles fassent de la charpie.

– Suicide de M. Prévost-Paradol, en Amérique ³.

– L'emplâtre du clou que j'ai eu, ce mois-ci, à la
cuisse gauche, est tombé. La cicatrice est faite.

23 juillet.

Hier soir, Charles et tous mes hôtes, plus Julie,
sont partis à 10 heures pour Plainmont, voulant voir,
la nuit, la maison visionnée. Ils ont emporté une
échelle et une lanterne. Arrivés à la maison, ils ont
appliqué l'échelle à une fenêtre, ont allumé la lanterne, et sont entrés, d'abord M. Duverdier, puis
Charles, Miss Joss et M. Busnach. Ils ont trouvé
l'intérieur blanchi à la chaux, le plancher du premier étage troué, les charpentes partout comme
neuves. Aucune végétation dans l'intérieur; des gra-
vats amoncelés; pas de toiles d'araignées, pas de
chauves-souris, pas d'oiseaux de nuit; aucune trace
de suie ni de fumée dans l'âtre. Le conduit de la
cheminée bouché.

Ils sont rentrés à une heure à la ville.

24 juillet.

Nous sommes allés passer le dimanche au Moulin
Huet. On s'y est baigné et on y a dîné sous la baraque.
Nous étions de retour à 10 heures du soir.

25 juillet.

Jeanne a sa première dent. Gratification à la
nourrice : 5 frs.

– Donné le plus de linge que j'ai pu pour les
blessés de la guerre qui va commencer.

26 juillet.

A une heure, visite de M. Tupper [1]. Je serais
impliqué, avec les princes d'Orléans, dans un complot
contre la vie de l'empereur. Il y a ici un nommé Blon-
del, français, dont je nourris les enfants à mon dîner
du lundi, et un nommé Laforgue, le prétendu parent
de Salvandy, qui m'auraient dénoncé. Ce Laforgue
dit avoir reçu, à Paris, de l'argent de M. Conti, et,
à Bruxelles, de l'argent du général Fleury; on l'a
envoyé à Londres. Là, il aurait demandé des secours
aux d'Orléans qui l'auraient envoyé rue Langham
n° 6. On lui aurait offert 10.000 francs pour aller à
Rouen embaucher vingt-quatre repris de justice, les
armer de revolvers et les échelonner, six par six, sur
le passage de l'empereur et de l'impératrice. Jallais [2]
serait du complot, et j'en serais, ayant donné de
l'argent à Jallais. J'ai ri.

27 juillet [3].

Ces dames ont fait hier de la charpie dans le jardin.
Il tomba à terre quelques petits chiffons. Ce matin,
au soleil levant, un oiseau est venu, a choisi un brin
de fil et l'a emporté pour son nid.

28 juillet [4].

Nouvelles du soir : Pierre Dupont est mort;
Mme Ratazzi [5] est morte. Tout ce que j'ai connu
d'elle indiquait une charmante femme [6].

29 juillet.

Fermain bay. Nuit d'Young. Alice Cole, poëles,
charbon [7].

— Je reçois une lettre de Constantinople avec timbre-poste à l'effigie du sultan Abdul-Aziz. Grande innovation chez les Turcs : plus de turban; une couronne de lauriers. Le sultan se fait César.

30 juillet.

Mme Ratazzi n'est pas morte. La nouvelle est démentie.

31 juillet.

Mon petit Georges ne m'appelle ni *Bon Papa* ni *Grand Papa;* il a trouvé pour moi ce nom : *Papapa.*
— Patte [1], poële, suisse [2].

1er août.

Fermain bay. Young. Suisse.
— Patte. Les saints [3].

3 août.

Fermain bay.

4 août.

Départ fixé à ce matin. L. Y. [4].

Nuit du 4 au 5 août.

Ce matin, à 4 h. 1/2, pendant que je dormais, le portrait de M. Bertin aîné (que Victor avait placé au-dessus de la table qui est au chevet du lit où je couche) est tombé brusquement, la corde de suspension s'étant cassée. Le verre s'est brisé. S'il avait été au-dessus du lit, j'eusse pu être tué.
— La duchesse de St. Albans et lady Diana Beauclerck [5] sont revenues, et parties pour Serk.

6 août.

Arrivée de M. Rimmel, accompagné d'un ami allemand, le docteur Pick. Je les invite pour tout le temps de leur séjour. Au dessert, M. Rimmel a distribué à ces dames des sachets-surprises et des cassettes contenant chacune trois flacons de parfum.

7 août.

La nouvelle arrive d'un grave échec subi par l'armée française à Wissembourg [1].

8 août.

Aujourd'hui, petite fête pour Petit Georges et Petite Jeanne. Je les déclare maître et maîtresse de la maison. Je donne à Georges une épée avec cette inscription : *Pro Pace et Libertate;* je donne à Jeanne une poupée représentant l'ancien costume de Guernesey. Je donne à Charles mon dessin de *Jehan Frollo* et de *Gavroche,* plus le petit livre portugais intitulé *Napoléon III, Pie IX et Victor Hugo.* Je donne à sa femme le grand album de vues de Bade. A Julie, les *Odes et Ballades* elzévir; à J. J. le recueil illustré intitulé *Sérénades à Guernesey;* à M. Duverdier mon dessin de Cavaignac contemplé par l'abbé Fayet [2]; à M. Rimmel, mes poésies complètes d'Elzévir; à M. le docteur Pick, les *Misérables,* illustrés; à chacune des six domestiques, 5 frs.

— A 4 h. 1/2, on les a mis tous les deux sur leurs petites chaises hautes, couvertes de feuilles et de fleurs, avec un petit dais de fleurs au-dessus de leurs têtes, tous deux couronnés de fleurs, avec un petit sceptre de fleurs à la main. Ils étaient ravis, ces pauvres doux anges [3].

9 août.

Les journaux arrivent. La guerre tourne à la catastrophe. Nouvelles foudroyantes. Trois batailles perdues coup sur coup, dont une grande, par Mac-Mahon ; 8.000 français prisonniers, 30 canons, 6 mitrailleuses, 2 drapeaux pris. Paris en état de siège.

Je vais serrer tous mes manuscrits dans les trois malles et me mettre en mesure pour être à la disposition de mon devoir et des événements.

Charles et tous mes hôtes partent aujourd'hui pour Jersey. A Jersey, il y a le télégraphe, et Charles sera toujours immédiatement renseigné. Il m'écrira d'heure en heure, s'il le faut. Julie part avec eux, emmenant Sénat [1]. Il ne reste près de moi que petite Jeanne, avec sa nourrice Marie.

— Nous avons dîné seuls, J. J. et moi. Après le dîner, J. J. m'a lu les journaux.

— J'ai fait dresser mon lit dans le cabinet de toilette du premier étage, afin de coucher le plus près possible de Petite Jeanne.

10 août.

M. Louis Koch est arrivé ce matin chez sa tante [2]. Il passera avec nous plusieurs jours.

— Jeanne a dit aujourd'hui pour la première fois : *Papa.*

11 août.

Jeanne a un peu crié et souffert cette nuit, à cause de ses dents.

— Depuis hier, je me suis mis à ranger mes manuscrits pour les remettre dans les malles au cas où les événements me forceraient à partir subitement pour la France [3].

La nourrice pleure. Sa poche est trouée et elle a perdu quelque argent. Je la console en lui donnant 10 frs.

12 août.

Jeanne a eu cette nuit je ne sais quel songe qui
l'a fait crier et pleurer, tout en dormant, elle qui
sourit toujours en rêve. Cet ange voit-il ce que font
les hommes?

13 août.

Cette nuit, j'ai vu en rêve Louis Bonaparte. Il était
dans l'arrière-boutique de Madame Levert, l'amie de
Blanqui, à Bruxelles. Il était en noir, avec le ruban
de la Légion d'Honneur. Il sortait; je rentrais; nous
avons causé.

— J'ai mis dans la grande malle (l'énumération
commence par ce qui est au fond et finit par ce qui
est au-dessus) :

1º Le dossier *Philosophie. Commencement d'un livre*[1].
2º Le dossier contenant mon journal 1846-1848 [2].
3º Tous les rouleaux bleus, ficelés.
4º *La Pitié Suprême.*
5º *La Mer et le Vent* [3].
6º *L'Archipel de la Manche* [4].
7º *L'Ane.*
8º *La Fin de Satan* (ce qui en est fait).
9º Le dossier contenant *Le Théâtre en Liberté,* plus
    La Forêt mouillée.
10º *Les Quatre Vents de l'Esprit* [5].
11º Le poème *Dieu* (tout le dossier).
12º *La Légende des Siècles* (la suite); tout le dossier.
13º Actes et discours de l'exil (à compléter avec
    L'Homme [6]).
14º Le dossier *Comédie* [7].
15º Le poème non terminé et provisoirement inti-
    tulé *Religion* [8].
16º *Les Châtiments,* tome II, inédit [9].
17º Le dossier contenant les matériaux des trois
    recueils projetés : *La Croissance de la Cons-
    cience, Les Profondeurs, Toute l'Ame* [10].

18º Le dossier *Epîtres* [1].

19º Les albums de voyages et les choses ajournées.

20º Le manuscrit de ce qui est écrit de mon *Histoire du 2 décembre*.

21º Beaucoup de dossiers vers et prose. Ebauches. A trier.

22º Le manuscrit d'*Angelo* avec l'acte inédit.

23º Les pièces justificatives *(Histoire du 2 décembre)*.

Farrel est venu, à 2 heures, chercher cette malle et l'a portée à la Old Bank avec la cassette portant mon nom, mais appartenant à Mme Drouet. Les deux caisses ont été placées, en ma présence, dans la casemate de la banque, la cassette numérotée 73 et la malle aux manuscrits numérotée 116.

– Comptons partir lundi 15 août avec Charles, qui viendra de Jersey nous rejoindre, pour Bruxelles, par Londres.

J'ai pris à la banque : or français .   12.000 frs.
                        or anglais. .   62.5.

J'ai encore en dépôt, en compte courant, 9.198 frs. 60 que je puis tirer à vue.

– Mme Chenay est revenue ce matin de Jersey avec Sénat.

– La malle moyenne, recouverte de toile, avec serrure et cadenas, contient, en commençant l'énumération par le fond :

1º Les deux paquets bleus ficelés (copies).

2º *La Mer et le Vent* (copie).

3º Un dossier contenant *Mille francs de récompense, L'Intervention* [2], *La Grand'Mère* (copies).

4º Un dossier contenant la copie de plusieurs des manuscrits qui sont dans la grande malle.

5º Un dossier intitulé *Copies en double*.

6º Copie d'une partie de mon travail non terminé sur *Le Rhin*.

7º Un petit dossier *Vers et Prose*.

8º Deux autres dossiers de copies (en partie faites par Didine [3]).

9º Copie du manuscrit *Philosophie* [1] qui est dans la grande malle.

10º *Les Choses de l'Infini* [2] (avec la copie).

11º Dossier contenant (avec la copie) une partie de mon *Histoire du 2 décembre,* manuscrit que j'ai noté à tort comme complet dans la grande malle.

12º Sous ce dossier, il y a une sorte de grande chemise en papier gris recouvrant tous les documents pour le *2 décembre.*

13º A joindre aux *Œuvres oratoires.*

14º Liasse de dossiers très importants : *Histoire contemporaine, Faits personnels* [3].

15º *Faits contemporains. Chambre des Pairs* [4].

16º Dossier à trier, à classer, à revoir. Important.

17º *Explication* (sur la vie et la mort [5]).

18º Non trié.

19º *La peine de mort* [6].

20º Empire II; histoire; faits.

21º Dossier intitulé *Idées au courant de la plume* [7].

22º Dossier de choses dictées par le trépied [8]; inédites; à revoir.

23º Dossier intitulé *Chambre des Pairs* [9].

24º Dossier intitulé *Choses quelconques de l'exil.*

25º Dossier non trié (vers et prose).

26º Petit dossier intitulé *Inconvénient de lire des choses inédites (Les Pauvres Gens* [10] *).*

27º Dossier bleu; à trier.

28º Autre dossier bleu, plus gros, *vers et prose;* à trier.

29º Important. Relire et trier.

30º *Dieu;* dossier supplémentaire.

31º *Comédie.* Important; à joindre au grand dossier.

32º *Vers et prose;* à relire et trier; important.

33º *Tiroir vidé* (autre chose encore dans le dossier [11]).

34º Dossier triple à trier; *vers et prose.*

35º Petit dossier sur lequel est écrit : *A garder.*

36º Ancien dossier non trié. *Très important.*

37º Belgique. Waterloo. 1861.

38° Gros dossier daté 22 mai 1864 *(William Shakes-peare)*.

39° Dossier du chapitre *Londres*, à faire (le Londres de la reine Anne [1]).

40° Dossier *93* [2].

41° Autre dossier utile pour *93*.

42° Questions sociales [3].

43° Science de l'air [4].

44° Voyages. Choses à garder.

45° Deux cahiers : copies du voyage et de l'album de 1839.

46° Six petits carnets de notes.

14 août.

Outre mes manuscrits anciens, les non reliés comme les reliés, je mets dans la grande armoire de la chambre de Victor [5] :

1° Le dossier du banquet de Bruxelles, 1862 [6].

2° Beaucoup de mes dessins, achevés ou ébauchés, notamment ce que j'appelle *Mes figurines*.

3° Plusieurs albums de voyage, et autres.

4° La collection de *L'Homme*, cartonnée.

5° Des dessins et des eaux-fortes de Jules Laurens.

6° Les costumes faits pour mes drames par Bou-langer, Delacroix, Dévéria, Châtillon, etc.

7° Les photographies à moi envoyées par Mme M. C.

8° Un dossier contenant des lettres de moi.

9° Un dossier contenant des liasses sous le titre : *Questions contemporaines* (choses inédites [7]).

10° Un dossier relatif aux *Misérables*.

11° Un dossier *Choses à classer et à garder*.

12° Choses de famille.

13° Journaux utiles à conserver.

14° Des liasses de lettres.

15° Un dossier Affaires traitées (éditeurs, théâtres).

16° Dossier Cuba. Dossier slave et autres pièces [8].

17° Les copies de l'*Epée, Mangeront-ils? Welf, cas-*

tellan d'Osbor; n'étant plus à temps de les
mettre dans les malles, je les place dans l'armoire, sous le *Bug Jargal* relié.
18° Enfin, je mets dans l'armoire le papier blanc.

– Comptant partir demain 15 août pour Bruxelles,
par Londres, j'emporte :

1. Or anglais (24 1/2 souverains) . .   612 frs. 50
2. Or français (cousu dans mon gilet).   11.000
3. Or français, dans mon porte-monnaie, environ   400
4. Argent anglais, argent français,
   florins hollandais (monnaie) . .   147,50

J'ai, en réserve, mon compte courant de la Banque
de Guernesey (9.198 frs.) et mon compte courant de
la Banque Nationale (reliquat : environ 1.200 frs.).

15 août.

Fort vent de terre (S.-E.).
A 9 heures, arrive le packet *Brittany*, par lequel
nous allons partir. Charles, Alice et Georges sont à
bord avec Duverdier, plus Philomène [1]. Nous serrons
la main aux personnes qui nous entourent, Mme Engelson, Isca, M. Talbot, M. Le Bar, etc. Nous montons
dans le packet, avec M. Louis Koch et Jeanne avec
la nourrice, et Suzanne [2] et Mariette. Nous partons
à 9 h. 1/2.
– Six *first-cabin* (9.18) = 247 frs. 50.
– Beau temps. Vent de terre. Mme Engelson m'a
donné une boîte d'un médicament italien contre le
mal de mer, que je distribue à tout le monde.
– On a le mal de mer tout de même.
– A 11 h. 35, très près d'Aurigny.
– Nous arrivons à Southampton à 7 h. 1/2. Douane.
Je retrouve le jeune douanier de l'an dernier qui m'a
adressé des vers et n'a pas voulu ouvrir mes malles.
Je lui serre la main et j'invite à dîner ce douanier
qui est poète.

– Nous descendons à l'*Hôtel de la Providence* où je suis allé l'an dernier.

– Le bruit court que les Prussiens ont pris Metz, et le bruit court qu'ils ne l'ont pas pris. Deux télégrammes contradictoires.

– Charles est parti pour Londres, avec son groupe, par le train du soir de 8 h. 1/2. Il me laisse Jeanne. Nous nous retrouverons demain à *Charing-Cross Hotel*.

16 août.

Nous partons pour Londres à 3 h. après-midi.

– Nous arrivons à la station Waterloo à 6 h. Nous y trouvons Charles et tout le groupe.

– Nous avons dîné tous les six, Charles, Alice, Duverdier, Louis Koch, J. J. et moi.

17 août.

Lever à 5 h.; déjeuner à 6.

– Six *first-class* pour Bruxelles par Douvres et Ostende : 295 frs. 50.

– Arrivée à Douvres à 9 h. 30.

– Nous nous embarquons sur la *Marie-Henriette*, bateau neuf, très bon; vent d'ouest; beau temps. Départ de Douvres à 10 h.

– Belle traversée. Arrivée à Ostende à 2 h. 1/2. Le train express vient de partir.

– Nous partons à 6 h. pour Bruxelles. Nous y arrivons à 9 h. 1/2. J. J., M. Louis Koch, avec Mariette et Suzanne, descendent à l'*Hôtel de la Poste*. Je m'en vais place des Barricades [1].

– Je déjeunerai chez Charles. J'invite Charles, Alice, Georges et Jeanne, M. Duverdier et M. Koch à dîner tous les jours à l'*Hôtel de la Poste*. Mariette couchera et mangera avec Suzanne à l'*Hôtel de la Poste*, et viendra tous les jours place des Barricades faire mon service personnel.

18 août.

J'ai repris mes habitudes. Je prends mon bain
froid et je travaille avant déjeuner. J'habite, cette
année, la chambre de Victor.

– J'ai mis dans l'assiette de Charles, au moment
où il s'est mis à table pour dîner, un rouleau d'or
de 1.000 frs. avec ce billet : « *Mon Charles, je te prie
de me permettre de payer le passage de Petite Jeanne.
Papapa. 18 août 1870.* »

19 août.

Nous sommes allés à la chancellerie française pour
demander des passeports [1]. Je venais de recevoir une
lettre de Meurice réclamant ma présence à Paris.
Quand j'ai dit mon nom, le chef de bureau est allé
chercher le chancelier, le chancelier est venu et est
allé chercher le ministre. Le ministre n'y était pas.
A sa place est venu le chargé d'affaires qui est
M. La Boulaye (je l'ai su plus tard). J'ai dit au
chargé d'affaires que je rentrais en France pour faire
à Paris mon devoir de citoyen, mais que je protestais
contre le passeport imposé par l'empire et que je ne
connaissais pas l'empire. Il a été fort poli et m'a dit :
« – *Avant tout, je salue le grand poète du siècle* », et
m'a demandé d'attendre jusqu'au soir et qu'il m'en-
verrait mes passeports chez moi.

– Le soir, en rentrant, je ne les ai pas trouvés.

20 août.

Ce matin à 8 h. le chargé d'affaires est venu en personne m'apporter mes passeports, avec force excuses
du retard.

– M. Louis Koch s'offre à aller à Paris en éclaireur
pour s'entendre avec nos amis sur le moment utile
de mon arrivée. Je lui donne une lettre pour Meurice.

Il sera à Paris ce soir à 9 heures et verra immédiatement mes amis et nous informera du résultat par
le télégraphe. Si nous devons partir tout de suite
(lundi 22), il écrira : « *Amenez les enfants* »; si nous
devons attendre, il écrira : «*N'amenez pas les enfants*»,
à l'adresse de « *Mme Philomène Pernet, place des
Barricades, 4* ».

— Nous conduisons M. Koch à la gare du Midi, sa
tante et moi; nous lui serrons la main et nous conti-
nuons notre promenade au bois de la Cambre.

— 4 heures. Au moment où nous rentrons à l'*Hôtel
de la Poste*, Alice m'apporte un télégramme de Victor,
à elle adressé, signé « *François Foucher* » et disant :
« *Ajournez absolument le départ.* »

21 août.

Ce matin arrive le télégramme confirmatif, sous la
formule convenue avec M. Louis Koch : « *Lettres
reçues. N'amenez pas les enfants* », — plus une lettre
de Meurice [1] et une de Victor contenant les mêmes
raisons que mes propres lettres, avec lesquelles elles
se sont croisées.

— J'envoie à M. Louis Koch ce télégramme :
« *Dépêche reçue. Qu'un des trois tâche de venir. Ce
serait utile.* »

— A 5 heures, nous avons été tous ensemble voir
les vitraux de Sainte-Gudule.

22 août [2].

Cette nuit, vers 2 heures, trois forts frappements
doubles à mon chevet.

23 août.

Cette nuit, Petit Georges s'est réveillé en criant
et en pleurant; il venait de faire un rêve qui le faisait
sangloter.

– Acheté, passage Saint-Hubert, deux figurines
chinoises dont une à quatre cornes et à barbe rouge,
curieuse; un bourreau, ou un dieu (20 frs.).

– Les journaux de Bruxelles annoncent que je vais
partir pour combattre sous les murs de Paris. L'un
d'eux m'appelle le *Pair* [1] *conscrit*.

J'ai remarqué aujourd'hui, dans les démolitions
pour l'assainissement de la Senne, entre la rue de
l'Ecuyer et la rue Fossé-aux-Loups, une vieille tour
encore debout, que la destruction des maisons envi-
ronnantes a mise à nu. Elle était cachée et masquée
par le pâté d'édifices qui la submergeait et qui a
disparu. C'est une tour de l'ancienne enceinte de
Bruxelles. Elle faisait probablement partie de la porte
de Laecken, qui était là. Elle est du XIVe siècle, avec
pignon-escalier du XVe. Il serait stupide de la démolir.
Si je n'étais pas absorbé par de plus graves soucis,
j'élèverais la voix en faveur de cette pauvre vieille
tour.

24 août.

J'ai été, dans les démolitions de la rue de l'Ecuyer,
dessiner la porte de Laecken. J'ai fait dire par Berru
au bourgmestre de Bruxelles, M. Anspach, qu'il
importait de conserver cette tour.

*[Manquent ici dans le carnet
les pages où étaient inscrites
les notes du 25 au 31 août 1870]* [2].

1er septembre.

Charles part ce matin avec MM. Claretie, Proust [3],
Frédérix [4], pour Virton. On se bat en ce moment près
de là, à Carignan. Ils verront ce qu'ils pourront de
la bataille. Alfred [5] s'est joint à eux. Ils reviendront
demain.

– Ils sont partis après déjeuner. J. J. et moi, nous
dînons chez Berru [6] aujourd'hui.

2 septembre.

Charles et nos amis ne sont pas revenus aujour-
d'hui.

Un jeune poète de Nivelles est venu m'apporter
des vers.

3 septembre.

Hier, après la bataille décisive perdue, Louis Bonaparte, fait prisonnier dans Sedan, a rendu son épée
au roi de Prusse. Il y a un mois juste, le 2 août, à
Sarrebrück, il jouait à la guerre.

Maintenant, sauver la France, ce sera sauver l'Europe.

Des crieurs de journaux passent, portant d'énormes
affiches où on lit : « *Napoléon III prisonnier.* »

– Neuf heures. Réunion des proscrits, 15, Grand'-
Place, à laquelle j'assiste ainsi que Charles (revenu
à 5 h. 1/2). Question : drapeau tricolore ou drapeau
rouge?

4 septembre.

Mon doux ange [1], veille et prie. Je nous mets sous
tes ailes.

– J'ai fait faire aujourd'hui à Georges, ses petites
mains jointes, sa première prière, ainsi conçue : « *Mon
Dieu, veillez sur ceux qui m'aiment et que j'aime. Soyez
béni.* »

– La déchéance de l'empereur est proclamée. A
une heure, réunion des proscrits chez moi.

– A trois heures, reçu un télégramme de Paris,
ainsi conçu : « *Amenez immédiatement les enfants* »
(signé : Émile Allix), ce qui veut dire : « *Venez.* »

– MM. Claretie et Proust ont dîné avec nous. Pendant le dîner, est arrivé un télégramme signé « *François Victor* » nous annonçant un gouvernement provisoire : Jules Favre, Gambetta, Thiers [2].

5 septembre.

A 6 h. du matin, on m'apporte un télégramme,
signé Barbieux [1], me demandant l'heure de mon arrivée à Paris. Je fais répondre par Charles que j'arriverai à 9 heures du soir.

Nous emmènerons les enfants.

Nous partirons par le train de 2 h. 35.

Le gouvernement provisoire (journaux) se compose
de tous les députés de Paris, moins Thiers.

Huit première classe Paris : 272 frs.

A midi, comme j'allais partir, un jeune homme,
un Français, m'a abordé sur la place de la Monnaie
et m'a dit : « – *Monsieur, on me dit que vous êtes
Victor Hugo ? – Oui. – Soyez assez bon pour m'éclairer.
Je voudrais savoir s'il est prudent d'aller à Paris en
ce moment.* » Je lui ai répondu : « – *Monsieur, c'est
très imprudent, mais il faut y aller.* »

Nous sommes entrés en France à 4 heures. Profonds respects du commissaire de police, à la frontière. Dans les gares où s'arrêtait le train, on m'a
reconnu presque partout, et l'on criait : « *Vive Victor
Hugo !* »

A Tergnier, à six heures et demie, nous avons dîné
d'un morceau de pain, d'un peu de fromage, d'une
poire et d'un verre de vin. Claretie a voulu payer,
et m'a dit : « – *Je tiens à vous donner à dîner le jour
de votre rentrée en France.* »

Chemin faisant, j'ai vu dans un bois un campement
de soldats français, hommes et chevaux mêlés. Je leur
ai crié « *Vive l'armée !* » et j'ai pleuré. Nous rencon-
trions à chaque instant des trains de soldats allant
à Paris. Vingt-cinq convois de troupe ont passé dans
la journée. Au passage d'un de ces convois, nous
avons donné aux soldats toutes les provisions que
nous avions, du pain, des fruits et du vin. Il faisait
un beau soleil, puis, le soir venu, un beau clair de
lune.

Nous sommes arrivés à Paris à neuf heures trente-cinq. Une foule immense m'attendait. Accueil indes-criptible. J'ai parlé quatre fois. Une fois du balcon d'un café, trois fois de ma calèche. En me séparant de cette foule, toujours grossie, qui m'a conduit jusque chez Paul Meurice, 26, rue de Laval, avenue Frochot, j'ai dit au peuple : « – *Vous me payez en une heure vingt ans d'exil.* »

On chantait la *Marseillaise* et le *Chant du Départ.* On criait : « *Vive Victor Hugo!* » A chaque instant, on entendait dans la foule des vers des *Châtiments.* J'ai donné plus de dix mille poignées de main. Le trajet de la gare du Nord à la rue de Laval a duré deux heures. On voulait me mener à l'Hôtel de Ville. J'ai crié : « – *Non, citoyens! Je ne suis pas venu ébranler le gouvernement provisoire de la République, mais l'appuyer.* » On voulait dételer ma voiture. Je m'y suis opposé. Une femme a tenu tout le temps la bride d'un des chevaux. Un homme en blouse m'a dit les vers qui sont dans mon jardin :

> *Venez tous faire vos orges,*
> *Messieurs les petits oiseaux,*
> *Chez Monsieur le Petit Georges.*

Il a crié : « *Vive le Petit Georges!* » Et la foule a crié : « *Vive le Petit Georges!* »

Un bataillon de soldats passait sur le boulevard. Les soldats se sont arrêtés et m'ont présenté les armes. Je leur ai dit : « – *Vous êtes toujours les premiers soldats du monde. Jamais l'armée française n'a été plus héroïque; l'Europe, émue, vous admire. [Dans cette effroyable guerre, la victoire est pour la Prusse, mais la gloire est pour la France* [1]*.]* »

Nous sommes arrivés chez Meurice à minuit. J'y ai soupé avec mes compagnons de route, plus Victor. Mme Meurice m'a loué et meublé un appartement analogue au sien. Je me suis couché à deux heures du matin.

6 septembre.

Au point du jour, j'ai été réveillé par un immense orage. Eclairs et tonnerre.

– Innombrables visites. Innombrables lettres.

Rey [1] est venu me demander si j'accepterais d'être d'un triumvirat ainsi composé : Victor Hugo, Ledru-Rollin, Schœlcher. J'ai refusé. Je lui ai dit : « – *Je suis presque impossible à amalgamer.* »

Je lui ai rappelé nos souvenirs. Il m'a dit : « – *Vous rappelez-vous que c'est moi qui vous ai reçu quand vous arrivâtes à la barricade Baudin?* » Je lui ai dit : « – *Je me rappelle si bien que voici...* » Et je lui ai dit les vers qui commencent la pièce (inédite) sur la barricade Baudin (*Châtiments*, t. II) [2] :

> *La barricade était livide dans l'aurore,*
> *Et comme j'arrivais elle fumait encore.*
> *Rey me serra la main et dit : Baudin est mort...*

Il a pleuré.

– Nous avons pris nos arrangements à l'*Hôtel Navarin*. Charles s'y est installé avec sa femme et ses enfants. Nous y dînerons tous les jours ensemble. Meurice m'invite à déjeuner chez lui.

7 septembre.

Au petit jour, je ne dormais pas, frappements mystérieux à mon chevet. Cinq ou six coups répétés tout près de mon oreille.

– Sont venus Louis Blanc, d'Alton-Shée [3], Banville, etc. Les dames de la Halle m'ont apporté un bouquet (donné 20 frs.).

8 septembre.

Je suis averti qu'on prétend vouloir m'assassiner. Haussement d'épaules.

– J'ai écrit ce matin ma *Lettre aux Allemands* [1].
Elle paraîtra demain.

– Ont dîné avec moi, MM. Claretie et Proust! ce
soir, MM. Ed. Lockroy [2] et Louis Koch.

– Visite du général Cluseret [3].

– A dix heures, j'ai été au *Rappel* corriger l'épreuve
de ma *Lettre aux Allemands.*

9 septembre.

Visite du général Montfort [4]. Les généraux me
demandent des commandements; on me demande des
audiences; on me demande des places. Je réponds :
« – *Je ne suis rien.* »

– Visite de Pierre Véron [5]. Secours à Luthereau [6]
(20 frs.). Au citoyen Castagnier, proscrit, 20 frs.

– Vu le capitaine Féval, mari de Fanny, la sœur
d'Alice. Il arrive de Sedan. Il était prisonnier de
guerre. Renvoyé sur parole.

– M. et Mme Laferrière [7] ont dîné avec nous.

Tous les journaux publient mon *Appel aux Allemands.*

10 septembre.

D'Alton-Shée et Louis Ulbach [8] ont déjeuné avec
nous. Après le déjeuner, nous sommes allés place de
la Concorde. Un registre est aux pieds de la statue
de Strasbourg couronnée de fleurs. Chacun y vient
signer le remerciement public. J'y ai écrit mon nom.
La foule m'a tout de suite entouré. L'ovation de
l'autre soir allait recommencer. Je suis vite remonté
en voiture, entouré des cris : « *Vive Victor Hugo!* »

– Secours à Marriat, boucher, rue Frochot, 3.
n. 5 frs. [9].

– Toujours foule. Parmi les personnes venues chez
moi, Cernuschi [10].

11 septembre.

Visite d'un sénateur des Etats-Unis, M. Wichow. M. Washburn, le ministre américain, le charge de me demander si je croirais utile une intervention *officieuse* de sa part auprès du roi de Prusse. Je le renvoie à Jules Favre.

– J'ai invité Emile Allix [1] à dîner.

12 septembre.

Toujours foule chez moi. Entre autres visites, Frédérick Lemaître.

– J'ai invité Louis Koch à dîner tous les jours.

13 septembre.

Aujourd'hui, revue de l'armée de Paris. Je suis seul dans ma chambre. Les bataillons passent dans les rues en chantant la *Marseillaise* et le *Chant du Départ*. J'entends ce cri immense :

> *Un Français doit vivre pour elle,*
> *Pour elle un Français doit mourir.*

J'écoute, et je pleure. Allez, vaillants! J'irai où vous irez.

– Vu Enjolras (L. Michel). *n.* [2]
– Paul Foucher [3] est venu déjeuner.

Visite du consul général des Etats-Unis et du sénateur Wichow.

– Julie m'écrit de Guernesey que le gland planté par moi le 14 juillet a germé. Le chêne des Etats-Unis d'Europe est sorti de terre le 5 septembre, jour de ma rentrée à Paris.

14 septembre.

J'ai reçu la visite du Comité de la Société des Gens de lettres me priant de la présider; — de M. Jules

Simon, ministre de l'Instruction publique; — du colonel Piré, qui commande un corps franc, etc.

J'ai invité à dîner M. Ed. Lockroy.

16 septembre.

Il y a aujourd'hui un an, j'ouvrais le Congrès de la Paix à Lausanne. Ce matin, j'écris l'*Appel aux Français* [1] pour la guerre à outrance contre l'invasion.

– Sec. à Mlle Constance Montauban. Osc. 5 frs.

– En sortant, j'ai aperçu au-dessus de Montmartre le ballon captif destiné à surveiller les assiégeants.

17 septembre.

Mon *Appel aux Français*, daté du 17 septembre, est dans les journaux.

Toutes les forêts brûlent autour de Paris.

Charles a visité les fortifications et revient content.

– J'ai déposé au bureau du *Rappel* 2.088 frs. 30, produit d'une souscription pour les blessés faite à Guernesey, envoyé par M. H. Tupper, consul de France.

– J'ai déposé au bureau du *Rappel* un bracelet et des boucles d'oreilles en or, envoi anonyme d'une femme pour les blessés. A l'envoi était jointe une petite médaille de cou en or pour Jeanne.

– Jules Simon. D'Alton-Shée. Hetzel.

– Secours à Berthet, pros. [2], 9, boulevard Pigalle. *n.* 2 frs.

18 septembre.

Vu Enjolras [3] (une heure de voiture, 2 frs. 50).

19 septembre.

Secours pour un blessé : 10 frs.

– Vu Mme Godot [4]. Poële.

– Sec. à C. Montauban [1]. Hébé *n.* 10 frs.
– Donné à un mobile pauvre : 4,50.

20 septembre.

Charles et sa petite famille ont quitté hier l'*Hôtel
Navarin* et sont allés s'installer 174, rue de Rivoli.
Charles et sa femme continueront, ainsi que Victor,
de dîner tous les jours avec moi.

Depuis hier, Paris est attaqué.

Louis Blanc, Gambetta, ministre de l'Intérieur,
Jules Ferry, membre du Gouvernement, sont venus
me voir ce matin.

Je suis allé à pied, avec J. J., à l'Institut pour
signer la déclaration de l'Institut pour les monuments
de Paris [2]. Le secrétariat étant fermé, j'ai pris chez
le portier une feuille de papier où j'ai écrit :

J'adhère à la déclaration de l'Institut de France.

VICTOR HUGO.

Paris, 20 septembre 1870.

– J'ai acheté sur le Pont-Neuf une charge en plâtre
représentant Guillaume porté par Bismark (30 c.).

21 septembre.

Ce soir la foule, mêlée de soldats et de gardes
mobiles, observait au coin de la rue des Martyrs, au
cinquième étage d'une haute maison, des allées et
venues de lumières qui semblaient des signaux. Il y
avait des cris de colère. On a été au moment de
fouiller la maison.

L'entrevue de Jules Favre avec Bismark a avorté.

– Observation. Le ministre de Belgique, auquel
Charles s'était adressé, a répondu que, depuis cinq
jours, il était sans communication avec Bruxelles et
qu'il lui était impossible de transmettre en Belgique
les bons de la Banque, signés par moi. En consé-

quence, j'ai brûlé ces bons et j'ai rendu à Charles les
500 frs. qu'il m'avait remis.

22 septembre.

Secours à quelqu'un qui se dit homme de lettres
et qui, je crois, ne l'est pas; mais il faut qu'il mange
aujourd'hui. 5 frs.

— Rendu sa visite à Gambetta.

Secours à Marriat [1], chemisier, 2 frs.

23 septembre [2].

Depuis cinq heures du matin, forte canonnade du
côté de Saint-Denis.

— Non; c'est au fort de Bicêtre.

— Emile Taffari, rue du Cirque, 21, au sixième,
nº 1. Osc. [3].

— Louis Blanc et le général *** sont venus m'annoncer une victoire.

24 septembre.

Récapitulation des secours donnés par moi depuis
le 5 septembre, jour de ma rentrée à Paris (maximum
pour chaque secours : 10 frs.) : 1.885 frs.

— Sec. à Const. Montauban, 10 frs.

— Rencontré Félix Pyat [4], rue Vivienne. Un homme
à barbe grise, que je ne reconnaissais pas du tout,
s'est arrêté devant moi et m'a dit : « — *Monsieur Victor Hugo...* », et il a repris : « — *Citoyen Victor Hugo...* »;
puis, après une pause : « — *Pardon; je vous manque
de respect; Victor Hugo.* » Puis il s'est nommé; c'était
Félix Pyat. Nous avons causé longtemps et, je crois,
utilement.

25 septembre [5].

J'ai déjeuné chez Paul Foucher avec Paul Meurice
et M. Odilon Barrot.

– Ce soir, Jules Claretie, accompagné d'Emmanuel des Essarts [1], est venu m'apporter une abeille d'or qu'il a détachée aux Tuileries, du manteau impérial. Il a écrit sur l'enveloppe ce vers des *Châtiments :*

Envolez-vous de ce manteau !

– Cette nuit, aurore boréale.

26 septembre.

La pièce *Saint-Arnaud* a paru dans le *Rappel*. Elle fera partie de l'édition complète des *Châtiments* que va publier Hetzel.

– Ce matin, J. J. quitte l'*Hôtel Navarin* et va s'installer où est Charles, pavillon de Rohan, rue de Rivoli, 172. Sa dépense fixe, par jour, sera de 24 frs.

– Dépense de la semaine à l'*Hôtel Navarin :* 404 frs. 50.

– J'ai eu à dîner Gustave Flourens [2], qui est colonel des mobiles et commande 10.000 hommes, et son aide-de-camp, qui est capitaine. Le dîner a été mauvais. J'ai grondé l'aubergiste.

27 septembre.

M. Victor Bois, oncle d'Alice, un des plus habiles organisateurs de la défense de Paris, vient de mourir presque subitement. Il dînait avec moi il y a trois jours.

– Revu, après vingt ans, A. Piteau. *Toda* [3].

– Secours à Luthereau, 20 frs.

– Sec. à Zolé Tholozé [4], 0 fr. 50.

– Sec. à Louis [5] Lallié. *n.* 2 frs.

28 septembre.

Visite de Jourdan, rédacteur en chef du *Siècle,* – de Nefftzer, rédacteur en chef du *Temps,* – de

Francis Riaux, rédacteur en chef de *la Presse,* – de
Pierre Véron, rédacteur en chef du *Charivari.*
– Elabre Tholozé [1]. *n.* Sec. 5 frs.

29 septembre [2].

A partir d'aujourd'hui, je renonce aux deux œufs
crus que j'avalais le matin. Il n'y a plus d'œufs dans
Paris. Le lait aussi manque.
– On a enterré hier l'excellent Victor Bois.
– Petite Jeanne a aujourd'hui un an.

30 septembre [3].

J'ai écrit ce matin ma *Lettre aux Parisiens* [4]. Elle
sera datée : *2 octobre* et paraîtra dimanche.
– Toujours foule chez moi.
– Eugène [5], 6 *bis,* rue Neuve-des-Martyrs; *n.* sec.
3 frs.

1er octobre.

A C. Montauban. Sec. 10 frs.

2 octobre.

Mon allocution *aux Parisiens* est dans les journaux.
Visite de M. D. de B. qui m'a rappelé que je lui
avais sauvé la vie en juin 1848.
Nous avons fait le tour de Paris par le chemin de
fer de ceinture. Etaient avec nous Victor, M. et
Mme Paul Meurice, M. Mme et Mlle Duverdier; Charles
et Alice dînaient chez Jules Simon. Notre circuit
autour de Paris a duré trois heures, de 2 h. 3/4 à
5 h. 3/4. Rien de plus intéressant. Paris se démolis-
sant lui-même pour se défendre est magnifique. Il
fait de sa ruine sa barricade.
Toul et Strasbourg sont pris.

3 octobre.

Visite de Mlle Eugénie Quinault [1].

— Deux délégués du XIe arrondissement sont venus m'offrir la candidature. J'ai refusé.

Je n'accepte pas la candidature de clocher. J'accepterais avec dévouement la candidature de la ville de Paris. Je veux le vote, non par arrondissement, mais par scrutin de liste.

J'ai été au ministère de l'instruction publique voir Mme Jules Simon en grand deuil de son vieil ami Victor Bois. Georges et Jeanne étaient dans le jardin. J'ai été jouer avec eux.

Nadar est venu ce soir me demander mes lettres pour un ballon qu'il va faire partir après-demain. Il emportera mes publications [2].

Mon adresse *Aux Allemands* est réaffichée partout dans Paris. On ignore par qui.

Tous les journaux, y compris le *Journal Officiel*, publient mon adresse *Aux Français* et mon adresse *Aux Parisiens.*

— Une grande affiche annonce des cours populaires pour les femmes, faits par Mme Enjolras.

4 octobre.

J'écris à Julie par le ballon de Nadar.

— Ma photographie populaire se crie dans les rues. Je l'achète (25 c.).

5 octobre.

Le ballon de Nadar appelé *le Barbès*, qui emporte mes lettres, etc., est parti ce matin; mais, faute de vent, a dû redescendre. Il partira demain. On dit qu'il emportera Jules Favre et Gambetta.

Hier soir, le consul général des Etats-Unis, général Meredith, est venu me voir. Il a vu le général américain Burnside qui est au camp prussien. Les prussiens auraient respecté Versailles. Ils craignent d'attaquer Paris. Cela, du reste, est visible.

– Mme Olympe Audouard [1]. Pointe de seins. Osc.

                                        6 octobre.

El. Binard. Osc.

                                        7 octobre.

Acheté un képi.

– Ce matin, en errant sur le boulevard de Clichy, j'ai aperçu, au bout d'une rue entrant à Montmartre, un ballon. J'y suis allé. Une certaine foule entourait un grand espace carré, muré par les falaises à pic de Montmartre. Dans cet espace se gonflaient trois ballons, un grand, un moyen et un petit. Le grand, jaune, le moyen, blanc, le petit, à côtes, jaune et rouge.

On chuchotait dans la foule : « – *Gambetta va partir !* » J'ai aperçu, en effet, dans un gros paletot, sous une casquette de loutre, près du ballon jaune, dans un groupe, Gambetta. Il s'est assis sur un pavé et a mis des bottes fourrées. Il avait un sac de cuir en bandoulière. Il l'a ôté, est entré dans le ballon, et un jeune homme, l'aéronaute, a attaché le sac aux cordages, au-dessus de la tête de Gambetta.

Il était dix heures et demie. Il faisait beau. Un vent du sud faible. Un doux soleil d'automne. Tout à coup, le ballon jaune s'est enlevé avec trois hommes dont Gambetta. Puis le ballon blanc, avec trois hommes aussi, dont un agitait un drapeau tricolore. Au-dessous du ballon de Gambetta pendait une flamme tricolore. On a crié : « – *Vive la République !* »

Les deux ballons ont monté, le blanc plus haut que le jaune, puis on les a vus baisser. Ils ont jeté du lest, mais ils ont continué de baisser. Ils ont disparu derrière la butte Montmartre. Ils ont dû descendre plaine Saint-Denis. Ils étaient trop chargés, ou le vent manquait.

Le départ a eu lieu, les ballons sont remontés.

– Nous sommes allés, elle [1] et moi, visiter Notre-Dame, qui est supérieurement restaurée. On entre dans le chœur en donnant 50 centimes par personne pour les blessés. Nous avons vu les reliquaires, les chapes, les chasubles, plus le manteau de couronnement de Napoléon Ier et la chasuble du pape. Elle est blanche. Le manteau de Napoléon est en velours rouge avec larges écussons d'or.

Nous avons été voir la tour Saint-Jacques. Comme notre calèche y était arrêtée, un des délégués de l'autre jour (XIe arrondissement) a accosté la voiture et m'a dit que le XIe arrondissement se rendait à mon avis, trouvait que j'avais raison de vouloir le scrutin de liste, me priait d'accepter la candidature dans les conditions posées par moi, et me demandait ce qu'il fallait faire si le gouvernement se refusait aux élections. Fallait-il l'attaquer de vive force? On suivrait mes conseils. J'ai répondu que la guerre civile ferait les affaires de la guerre étrangère, et livrerait Paris aux prussiens. Je lui ai dit de venir dimanche à midi, chez moi, me parler.

– J. J. enrhumée, a consulté un médecin homéo-pathique, M. Love, 9, rue d'Aumale. Ce médecin se trouve être le fils (probablement naturel) du général Love (bâtard lui-même du duc d'York) qui m'a expulsé de Jersey [2]. Nous avons causé. Il est répu-blicain. Consultation : 5 frs.

En rentrant, j'ai acheté des joujoux pour mes petits. A Georges, un zouave dans sa guérite, à Jeanne, une poupée qui ouvre et ferme les yeux.

– J'ai reçu de J. J. la récapitulation de ce que j'ai donné en secours depuis mon arrivée à Paris. Total : 2.525 frs.

8 octobre.

– J'ai reçu une lettre de M. L. Colet, de Vienne (Autriche), par la voie de Normandie. C'est la première lettre du dehors que je reçois depuis que Paris est cerné.

Il n'y a plus de sucre à Paris que pour dix jours. Le rationnement pour la viande a commencé aujourd'hui. On aura un tiers de livre par tête et par jour.

Incidents de la Commune ajournée. Mouvement fiévreux de Paris. Rien d'inquiétant, d'ailleurs. Le canon prussien gronde en basse continue. Il nous recommande l'union.

Le ministre des finances, M. Ernest Picard, me fait *demander une audience,* tels sont les termes, par son secrétaire, M. G. Pallain. J'ai indiqué lundi matin 10 octobre.

– Sec. à Const. Montauban, malade; 10 frs.

9 octobre.

Cinq délégués du IXe arrondissement sont venus, au nom de l'arrondissement, me « *faire défense de me faire tuer, vu que tout le monde peut se faire tuer et que Victor Hugo tout seul peut faire ce qu'il fait* ».

10 octobre.

M. Ernest Picard, ministre des finances, est venu me voir. Je lui ai demandé un décret immédiat pour libérer tous les prêts du Mont-de-Piété au-dessous de 15 francs (le décret actuel faisant des exceptions absurdes, le linge par exemple). Je lui ai dit que les pauvres ne pouvaient pas attendre. Il m'a promis le décret pour demain.

On n'a pas de nouvelles de Gambetta. On commence à être inquiet. Le vent le poussait au Nord-Est, occupé par les prussiens.

– Secours à Mme Ve Moreau, 1 Dalaux, Montrouge.
Genua [1]. 5 frs.

– J'ai vu cette nuit en songe, Kesler; il gardait le
silence.

11 octobre.

Bonnes nouvelles de Gambetta. Il est descendu à
Epineuse, près Amiens.

Hier soir, après les agitations de Paris, en passant
près d'un groupe amassé sous un réverbère, j'ai
entendu ces mots : « – *Il paraît que Victor Hugo et
les autres...* » J'ai continué ma route et n'ai pas écouté
le reste, ne voulant pas être reconnu.

– J'ai été voir Mlle Louise Bertin [2]. Pendant que
j'y étais, Mme Edouard Bertin est venue et leur
neveu, M. Say [3].

– J'ai eu à dîner Vacquerie, P. de Saint-Victor,
M. et Mme Ernest Lefèvre [4]; après le dîner je leur ai
lu les vers qui ouvriront l'édition française des *Châtiments : Au moment de rentrer en France*, Bruxelles,
31 août 1870.

– Il commence à faire froid.

12 octobre.

D'Alton-Shée; C. Montauban.

– Barbieux, qui commande un bataillon, nous a
apporté le casque d'un soldat prussien tué par ses
hommes. Ce casque a beaucoup étonné Petite Jeanne.
Ces anges ne savent encore rien de la terre.

13 octobre.

– Le décret que j'ai demandé pour les indigents
est ce matin, 13 octobre, au *Journal Officiel*.

M. Pallain, secrétaire du ministre, que j'ai rencontré aujourd'hui en sortant du Carrousel, m'a dit
que ce décret coûterait 800.000 francs.

Je lui ai répondu : « – *800.000 francs? Soit! Otés
aux riches. Donnés aux pauvres.* »

J'ai revu aujourd'hui, après tant d'années, Théophile Gautier. Je l'ai embrassé. Il avait un peu peur.
Je lui ai dit de venir dîner avec moi.

– Visite de Mlle Amélie Désormeaux [2].

14 octobre.

– Le château de Saint-Cloud a été brûlé hier par
nos bombes du Mont-Valérien.

J'ai été chez Claye corriger les dernières épreuves
de l'édition française des *Châtiments* qui paraît mardi.
Emile Allix m'a apporté un boulet prussien ramassé
par lui derrière une barricade, près de Montrouge,
où ce boulet venait de tuer deux chevaux. Ce boulet
pèse vingt-cinq livres. Georges, en jouant avec, s'est
pincé le doigt dessous, ce qui l'a fait beaucoup crier.

Aujourd'hui, anniversaire d'Iéna!

15 octobre.

Je suis allé à l'imprimerie Claye. Il faut un carton
pour une grosse faute d'impression : « *galons d'or* »
pour « *galons faux* ».

Nous nous sommes promenés, J. J. et moi, quai
Malaquais, rue de Seine, rue Saint-André-des-Arts,
quai Saint-Michel.

16 octobre.

Il n'y a plus de beurre. Il n'y a plus de fromage.
Il n'y a presque plus de lait ni d'œufs.

– J'écris à M. Barbieux que j'accepte, pour les
Quatre Vents de l'Esprit le remplacement de M. Lacroix par la société du *Rappel* [3].

– Il se confirme qu'on donne mon nom au boulevard Haussmann. Je n'ai pas été voir [4].

17 octobre.

Demain, on lance, place de la Concorde, un ballon
poste qui s'appelle le *Victor Hugo*[1]. J'envoie par ce
ballon une lettre à Londres.

– Sec. à C. Montauban, *malade*[2] : 10 frs. Hébé.
Tunique bleue.

18 octobre.

On m'a distribué, en passant sur le boulevard,
l'adresse, sur une carte, d'un magasin de machines à
coudre, Bienaimé et Cie, boulevard Magenta, 46.
Derrière la carte, il y a mon portrait.

La publication de l'édition française des *Châtiments*
ne pourra avoir lieu que jeudi 28.

J. J. est venue me chercher. Nous sommes allés
voir les Feuillantines. La maison et le jardin de mon
enfance ont disparu. Une rue passe dessus.

19 octobre.

M. Goudchaux est venu m'apporter à signer les
exemplaires des *Châtiments* que je donne.

Louis Blanc est venu dîner avec moi. Il m'a
apporté à signer une déclaration des anciens représentants. J'ai dit que je ne la signerais qu'autrement
rédigée.

20 octobre.

Visite du Comité des gens de lettres.

Aujourd'hui on a mis en circulation les premiers
timbres-poste de la République de 1870.

Les *Châtiments* (édition française) ont paru ce
matin à Paris.

Les journaux annoncent que le ballon *Victor Hugo*
est allé tomber en Belgique. C'est le premier ballon-
poste qui a franchi la frontière.

– J'ai eu à dîner M. Vacquerie, Mme E. Lefèvre et Th. Gautier.

21 octobre.

On dit qu'Alexandre Dumas est mort le 13 octobre au Havre, chez son fils. Il avait de grands côtés d'âme et de talent. Sa mort m'a serré le cœur.

Louis Blanc et Brives [1] sont venus me reparler de la Déclaration des représentants. Je suis d'avis de l'ajourner.

Rien de charmant, le matin, comme la diane dans Paris. C'est le point du jour. On entend d'abord, tout près de soi, un roulement de tambours, puis une sonnerie de clairons, mélodie exquise, ailée et guerrière. Puis le silence se fait. Au bout de vingt secondes, le tambour recommence, puis le clairon, chacun répétant sa phrase, mais plus loin. Puis cela se tait. Un instant après, plus loin, même chant du tambour et du clairon, déjà vague, mais toujours net. Puis, après une pause, la batterie et la sonnerie reprennent, très loin. Puis encore une reprise, à l'extrémité de l'horizon, mais indistincte et pareille à un écho. Le jour paraît, et l'on entend ce cri : « – *Aux armes!* » C'est le soleil qui se lève et Paris qui s'éveille.

L'édition des *Châtiments* tirée à 3.000 est épuisée en deux jours. J'ai signé ce soir un second tirage de 3.000.

– Sec. à Marthel [2], rue Laferrière, ancienne rue Saint-Georges, au 4e, 12. (Je crois que c'est l'ancienne maison.... [3]) 2 frs.

– Dépense de la semaine au pavillon de Rohan : 449 frs. 25.

22 octobre.

Petite Jeanne a imaginé une façon de bouffir sa bouche en levant les bras en l'air qui est adorable.
Les cinq mille premiers exemplaires de l'édition

parisienne des *Châtiments* m'ont rapporté 500 francs
que j'envoie au *Siècle* et que j'offre à la souscription
nationale pour les canons dont Paris a besoin [1].

Les anciens représentants Mathé et Gambon sont
venus me demander de faire partie d'une réunion
dont les anciens représentants seraient le noyau. La
réunion est impossible sans moi, m'ont-ils dit. Mais
je vois à cette réunion plus d'inconvénients que
d'avantages. Je crois devoir refuser.

– J'ai mis dans la main de Georges et dans celle de
Jeanne cinq francs pour la nourrice (10 frs.).

– Nous mangeons du cheval sous toutes les formes [2].
J'ai vu à la devanture d'un charcutier cette annonce :
« *Saucisson chevaleresque.* »

23 octobre.

Le 17e bataillon me demande d'être le premier
souscripteur *à un sou* pour un canon. On recueillera
300.000 sous. Cela fera 15.000 francs et l'on aura une
pièce de 24 centimètres portant 8.500 mètres, égale
aux canons Krupp.

Le lieutenant Maréchal apporte, pour recueillir
mon sou, une coupe d'onyx égyptienne datant des
Pharaons, portant gravés la lune et le soleil, la
grande Ourse et la *Croix du Sud* (?) [3] et ayant pour
anses deux démons cynocéphales. Il a fallu pour
graver cette coupe le travail de la vie d'un homme.
J'ai donné mon sou. D'Alton-Shée, qui était là, a
donné le sien, ainsi que M. et Mme Meurice, et
Mariette et Clémence [4]. Le 17e bataillon voulait appeler ce canon le *Victor Hugo*. Je leur ai dit de l'appeler
Strasbourg. De cette façon, les prussiens recevront
encore des boulets de Strasbourg.

Nous avons causé et ri avec ces officiers du 17e bataillon. Les deux génies cynocéphales de la coupe
avaient pour fonctions de mener les âmes aux enfers.
J'ai dit : « *– Eh bien, je leur confie Guillaume et Bismarck!* »

Visite de M. Edouard Thierry [1]. Il vient me demander *Stella* [2] pour une lecture pour les blessés au
Théâtre-Français. Je lui propose tous les *Châtiments*
au choix. Cela l'effare. Et puis je demande que la
lecture soit pour un canon.

Visite de M. Charles Floquet [3]. Il a une fonction à
l'Hôtel de Ville. Je lui donne la mission de dire au
gouvernement d'appeler le Mont-Valérien le *Mont-
Strasbourg*.

Visite du général Le Flô [4]. J'étais sorti.

— Sec. à C. Montauban, qui demeure maintenant 8,
impasse Saint-Benoît, 10 frs.

24 octobre.

Mlle Blanchecotte [5], 11, rue Cujas; osc.

— Mlle Amélie Désormeaux. Son tuteur la [.....] [6]
cinq fois par jour; maladie nerveuse; fait du noir; a
pour médecin le Dr Alph. Baudin, cousin du représentant Baudin.

— Mme Ad. Rival [7]. Osc. Suisse.

— Diverses députations reçues.

25 octobre.

M. Pasdeloup. Le Comité des gens de lettres.

Lecture publique des *Châtiments* pour avoir un
canon qui s'appellera le *Châtiment*. Nous la préparons.

Le brave Rostand, que j'ai rudoyé un jour et qui
m'aime parce que j'avais raison, vient d'être arrêté
pour indiscipline dans la garde nationale. Il a un petit
garçon de six ans, sans mère, et qui n'a que lui. Que
faire? Le père étant en prison, je lui ai dit de m'envoyer son petit au pavillon de Rohan. Il me l'a
envoyé aujourd'hui. L'enfant me coûtera (prix fait
par l'hôtel) cinq frs. par jour.

— Hier soir et ce soir, aurores boréales.

26 octobre.

Mlle Ernestine Gaubert. Saint-Vallier [1]. Suisse.
Mlle Duguerret [2].

Visite de mon vieil ami Ed. Bertin.

— Sur la demande d'Hetzel, j'ai autorisé un nouveau tirage (3e) des *Châtiments*, à 2.000 exemplaires.
Cela fait, en tout, 8.000 ex. jusqu'à présent.

27 octobre.

Secours à Mme Vve Beurot, 10 frs.

Le Comité des gens de lettres. M. Pasdeloup.

— A 6 h. 1/2, Rostan, mis en liberté, est venu chercher chez moi son petit Henri. Grande joie du père
et du fils.

— J. J. nous a admirablement chanté *Patria* [3], au
dessert.

28 octobre.

Sec. à Justin [4] Jullian, rue Saint-Laurent, 60, au
3e, la porte au fond; a un fils de vingt ans, perdu.
Poële; 10 frs.

— Mlle Lia Félix est venue me voir, puis Mlle Duguerret.

Edgar Quinet est venu me voir.

J'ai eu à dîner Schœlcher et le commandant Farcy,
qui a donné son nom à sa canonnière. Après le dîner,
nous sommes allés, Schœlcher et moi, à huit heures
et demie, chez Schœlcher, 16, rue de la Chaise. Nous
avons trouvé là Edgar Quinet, Ledru-Rollin, Mathé,
Gambon, Lamarque, Brives. Je voyais pour la première fois Ledru-Rollin [5]. Nous avons lutté de parole
fort courtoisement sur la question d'un club à fonder,
lui pour, moi contre. Nous nous sommes serré la
main. Je suis rentré à minuit.

29 octobre.

Visite du Comité des gens de lettres, de Frédérick
Lemaître, de M. Berton [1], de Mlle Favart [2], de
Mme Ad. Rival (garter [3]), pour un troisième canon,
qui s'appellerait le *Victor Hugo*. Je résiste au nom.

– M. Lafontaine. Mlle Amélie Désormeaux (osc.)
Mlle Thurel.

– M. Hetzel m'a apporté, à valoir sur mon compte
des *Châtiments*, 1.500 frs.

– J'ai autorisé un nouveau tirage (quatrième) de
trois mille exemplaires des *Châtiments*, ce qui fera en
tout onze mille exemplaires (pour Paris seulement).

30 octobre.

J'ai reçu la lettre de la Société des gens de lettres
me demandant d'autoriser une lecture publique des
Châtiments dont le produit donnera à Paris un canon
qu'on appellera le *Victor Hugo*. J'ai autorisé. Dans
ma réponse, écrite ce matin, je demande qu'au lieu
de *Victor Hugo* on appelle le canon *Châteaudun*. La
lecture se fera à la Porte-Saint-Martin.

M. Berton est venu. Je lui ai lu l'*Expiation* qu'il
lira. M. et Mme Meurice et d'Alton-Shée assistaient
à la lecture.

La nouvelle arrive que Metz a capitulé et que
l'armée de Bazaine s'est rendue.

– F. Riaux [4]. Châtillon [5].

– Sec. à C. Montauban, 20 frs.

– Mme Gueymard est venue chez moi, pavillon de
Rohan, et m'a chanté *Patria*. [J. J. chante mieux
qu'elle [6].] Je lui ai donné quelques indications.

La lecture des *Châtiments* est affichée. M. Raphaël
Félix [7] est venu m'informer de l'heure de la répétition demain. Je loue pour cette lecture une bai-
gnoire de cinq places, que j'offre à ces dames (35 frs.).

Ce soir en rentrant, rue Drouot, j'ai rencontré

devant la mairie M. Chaudey [1], qui était du Congrès
de la Paix à Lausanne et qui est maire du VIe arrondissement. Il était avec M. Philibert Audebrand [2].
Nous avons causé de la prise de Metz.

31 octobre.

Echauffourée à l'Hôtel de Ville. Blanqui, Flourens
et Delescluze veulent renverser le pouvoir provisoire
Trochu-Jules Favre. Je refuse de m'associer à eux.
Prise d'armes. Foule immense. On mêle mon nom à
des listes de gouvernement. Je persiste dans mon
refus.

– Ont dîné avec moi Schœlcher, Louis Blanc,
Charles Blanc, Jules Claretie et Louis Koch.

Flourens et Blanqui ont tenu une partie des
membres du gouvernement prisonniers à l'Hôtel de
Ville toute la journée.

– A minuit, des gardes nationaux sont venus me
chercher pour aller à l'Hôtel de Ville, *présider*,
disaient-ils, *le nouveau gouvernement*. J'ai répondu
que je blâmais cette tentative, et j'ai refusé d'aller à
l'Hôtel de Ville. A trois heures du matin, Flourens
et Blanqui ont quitté l'Hôtel de Ville et Trochu y
est rentré.

On va élire la Commune de Paris.

1er novembre.

Nous ajournons à quelques jours la lecture des
Châtiments qui devait se faire aujourd'hui mardi à
la Porte-Saint-Martin.

Louis Blanc vient ce matin me consulter sur la
conduite à tenir pour la Commune.

Unanimité des journaux pour me féliciter de
m'être abstenu hier.

2 novembre.

Le gouvernement demande un *Oui* ou un *Non*.
Louis Blanc et mes fils sont venus en causer.

3 novembre.

Les frappements recommencent. Cette nuit, triple coup très fort à mon chevet. (Ma chambre est tout à fait isolée à un rez-de-chaussée sur un petit jardin clos de toutes parts.)

On dément le bruit de la mort d'Alexandre Dumas.

– Visite de Mlle Séphar, actrice; voudrait jouer *Marion Delorme*.

– Sec. à Mme Jullian, *n.* 5 frs.

4 novembre.

On est venu me demander d'être maire du IIIe, puis du XIe arrondissement. J'ai refusé.

J'ai été à la répétition des *Châtiments* à la Porte-Saint-Martin. Etaient présents Frédérick Lemaître, Mmes Marie Laurent, Lia Félix, Duguerret.

– Le fils (?)[2] de Casimir Delavigne est venu me voir.

– Sec. à Zoé Glaber, à Montmartre, 13, rue Tholozé (au 1er, la porte à gauche), 10 frs.

5 novembre.

Aujourd'hui a lieu la lecture publique des *Châtiments* pour donner un canon à la défense de Paris.

J. J. a déjeuné avec nous.

Les IIIe, XIe et XVe arrondissements me demandent de me porter pour être leur maire. Je refuse.

– Sec. à Marie Chauffour, ouvrière sans travail. *Entorse*[3], 5 frs.

6 novembre.

Récapitulation des sommes données par moi (en petites sommes) depuis le 5 septembre : 2.895 frs.

– Sec. à C. Monte Albano[4]. 10 frs.

– Mérimée est mort à Cannes. Dumas n'est pas mort, mais est paralytique.

7 novembre.

Le 24ᵉ bataillon m'a fait une visite, et me demande un canon.

8 novembre.

Le Comité des gens de lettres. — Mˡˡᵉ Séphar — Mˡˡᵉ Amélie Desormeaux (osc.) — Mˡˡᵉ Favart — Mˡˡᵉ Roselia Rousseil [1]; *Le Revenant* [2] (osc.).

— Hier soir, en revenant de rendre sa visite au général Le Flô, j'ai passé pour la première fois sur le pont des Tuileries, bâti depuis mon départ de France.

— Nous avons dîné seuls, J. J. et moi.

9 novembre.

La recette nette produite par la lecture des *Châtiments* à la Porte-Saint-Martin pour le canon que j'ai nommé *Châteaudun* a été de 7.000 francs; l'excédent a payé les ouvreuses, les pompiers et l'éclairage, seuls frais qu'on ait prélevés.

On fabrique en ce moment à l'usine Cail des mitrailleuses d'un nouveau modèle dit modèle Gattlir.

Petite Jeanne commence à jaboter.

La deuxième lecture des *Châtiments* pour un autre canon se fera au Théâtre-Français.

— Mᵐᵉ Lia Félix. M. Maubant.

— Sec. à Mᵐᵉ Veuve Godot, 10 frs.

— A un passant qui m'a demandé de quoi dîner : 3 frs.

10 novembre [3].

Il tombe de la neige.

— Osc. A. Desormeaux. R. Rousseil.

11 novembre.

J'autorise Pasdeloup à faire dire à son concert, dimanche, par M. Taillade[1], *Les Volontaires de l'An II*.

J'autorise Mlle Rousseil à dire, pour le canon, *Le Revenant*.

J'autorise Noël Parfait à dire, au bénéfice de *Châteaudun*, *Les Pauvres Gens*.

J'abandonne pour ces trois représentations tout droit d'auteur.

— J'autorise M. Lafontaine à dire *L'Hymne aux Transportés* pour le canon offert par le 134e bataillon.

— Lacressonnière. Mlle Rousseil. *Toussaint*[2] Parfait.

12 novembre.

Mlle Périga[3] est venue répéter chez moi *Pauline Roland*, qu'elle lira à la deuxième lecture des *Châtiments* affichée pour demain à la Porte-Saint-Martin. J'ai pris une voiture, j'ai reconduit Mlle Périga chez elle, et je suis allé à la répétition de la lecture de demain au théâtre. Il y avait Frédérick Lemaître, Berton, Maubant, Taillade, Lacressonnière, Charly, Mmes Marie Laurent, Lia Félix, Rousseil, M. Raphaël Félix et les membres du Comité de la Société des gens de lettres.

Après la répétition, les blessés de l'ambulance de la Porte-Saint-Martin m'ont fait prier par Mme Laurent de les venir voir. J'ai dit : « — *De grand cœur!* » et j'y suis allé.

Ils sont couchés dans plusieurs salles, dont la principale est l'ancien foyer du théâtre à grandes glaces rondes, où j'ai lu, en 1831, *Marion Delorme* aux acteurs, M. Crosnier étant directeur (Mme Dorval et Bocage assistaient à cette lecture).

En entrant, j'ai dit aux blessés : « — *Vous voyez*

*un envieux. Je ne désire plus rien sur la terre qu'une
de vos blessures. Je vous salue, enfants de la France,
fils préférés de la République, élus qui souffrez pour
la patrie! »*

Ils semblaient très émus. J'ai pris la main à tous.
Un m'a tendu son poignet mutilé. Un n'avait plus
de nez. Un avait subi le matin même deux opérations
douloureuses. Un tout jeune avait reçu, le matin
même, la médaille militaire. Un convalescent m'a
dit : « – *Je suis franc-comtois. – Comme moi* », ai-je
dit. Et je l'ai embrassé. Les infirmières, en tabliers
blancs, qui sont les actrices du théâtre, pleuraient.

En m'en allant, j'ai laissé, pour l'ambulance,
100 francs.

13 novembre.

Sec. à Benoît Const. [1] 15 frs.
J'ai eu à dîner M. et Mme Paul Meurice, Vacquerie
et Louis Blanc. On a dîné à six heures à cause de la
lecture des *Châtiments*, la deuxième, qui commençait
à sept heures et demie, à la Porte-Saint-Martin. Loge
offerte par moi à Mme Paul Meurice pour la deuxième
lecture des *Châtiments*.

Je suis rentré à l'Hôtel de Rohan avec J. J.,
souffrante, et Victor qui a un lumbago [2].

14 novembre [3].

La recette des *Châtiments*, hier soir, a été (sans la
quête) de 8.000 francs. J'ai nommé le premier canon
Châteaudun; le deuxième s'appelle *Les Châtiments.*

Bonnes nouvelles. Le général d'Aurelle de Pala-
dines a repris Orléans et battu les prussiens. Schœlcher est venu me l'annoncer.

15 novembre.

Sec. à Marie Chauffour, *n.* 5 frs.
Malvina de Ch., rue Frochot, 5, au 6e, *pucelle*

d'Orléans; osc. Je la recommande au ministre des Finances.

– Une veuve, vieille; je la recommande au maire du VIIIe arrondissement qui est M. Carnot.

– Visite de M. Arsène Houssaye avec Henri Houssaye, son fils. Il va faire dire *Stella* chez lui au profit des blessés.

M. Valois est venu m'annoncer que le produit des deux lectures des *Châtiments* était de 14.500 francs. En ajoutant 500 francs, on aurait trois canons. Je donne, pour commencer ces 500 francs, 100 francs.

Parce qu'il y a trois canons produits par les deux lectures des *Châtiments* à la Porte-Saint-Martin, la Société des gens de lettres désire que le premier étant nommé par moi *Châteaudun,* le second s'appelle *Châtiment* et le troisième *Victor Hugo.* J'y ai consenti.

– M. Destrem [1].

– Je donne de l'ouvrage à une ouvrière sans travail; gilets, ceintures, etc. Je paierai ce qu'elle voudra.

– M. Pierre Véron m'ayant envoyé (six exemplaires) le beau dessin de Daumier représentant l'empire foudroyé par *Les Châtiments,* j'ai été le voir (rue des Pyramides, 4); je n'ai trouvé que sa mère et sa femme.

– Le soir, foule chez moi.

16 novembre [2].

Secours à un ancien représentant, 50 frs.

J'autorise le 92e bataillon à faire dire, à la Porte-Saint-Martin, une pièce des *Châtiments,* plus la chanson *Patrie,* pour la fonte d'un canon.

– J'autorise Mlle Thurel à faire dire les mêmes pièces à l'Odéon pour les malades.

Baroche, dit-on, est mort; à Caen.

M. Edouard Thierry refuse de laisser jouer le cinquième acte d'*Hernani* à la Porte-Saint-Martin pour les victimes de Châteaudun et pour le canon du 24e bataillon. – Curieux obstacle que M. Thierry.

17 novembre [1].

Visite du Comité des gens de lettres (MM. J. Claretie, Altaroche, Muller, Germond-Lavigne, Ducuing, Celliez, Em. Gonzalès, Valois, Lapointe, etc.). Le Comité vient me demander d'autoriser une troisième lecture des *Châtiments* à l'Opéra pour avoir un quatrième canon.

– Après le dîner, Mme Ugalde [2] est venue me chanter *Patrie*. Il y avait M. Mme et Mlle Duverdier, E. Allix, et deux officiers des carabiniers parisiens qui organisent la représentation pour les blessés où Mme Ugalde chantera.

– Mlle Hériart, de la part de M. Sardou.

18 novembre.

Visite de M. Ed. Thierry au sujet de la lettre de M. Got [3] et des deux représentations pour *Châteaudun* et le canon du 24e bataillon.

Je mentionne ici une fois pour toutes que j'autorise qui le veut à dire ou à représenter tout ce qu'on veut de moi, sur n'importe quelle scène, pour les canons, les blessés, les ambulances, les ateliers, les orphelinats, les victimes de la guerre, les pauvres, et que j'abandonne tous mes droits d'auteur sur ces lectures ou ces représentations.

Je décide que la troisième lecture des *Châtiments* sera donnée gratis pour le peuple à l'Opéra.

– Le soir, sont venus Th. Gautier et Ch. Asselineau [4].

19 novembre.

Mme Laurent est venue me dire *Les Pauvres Gens*, qu'elle dira demain à la Porte-Saint-Martin, au profit d'un canon.

– Dépense de la semaine au Pavillon de Rohan : 533 frs.

20 novembre [1].

– Hier soir, aurore boréale.

La *Grosse Joséphine* n'est plus ma voisine. On vient de la transporter au bastion 41. Il a fallu vingt-six chevaux pour la traîner. Je la regrette. La nuit, j'entendais sa grosse voix, et il me semblait qu'elle causait avec moi. Je partageais mes amours entre *Grosse Joséphine* et Petite Jeanne.

Petite Jeanne dit maintenant très bien *papa* et *maman*.

Aujourd'hui, revue de la garde nationale.

– Sont venus ce matin d'Alton-Shée, Valois et Riaux (affaire Got; Théâtre-Français; lecture des *Châtiments*, etc.).

– Secours à Stancemont [2], 15 frs.

21 novembre.

Sont venues me voir Mme Jules Simon et Mmes Adèle Rival et Sarah Bernhardt.

Il y a eu foule chez moi après le dîner.

Il paraît que Veuillot m'a insulté [3].

– Petite Jeanne commence à se traîner très bien à quatre pattes.

22 novembre.

Incident A. D. [4] 11 h. du soir, avenue Frochot.

– M. Burty [5] m'a apporté la tête de mort dont j'ai besoin pour mon dessin du château de cartes.

23 novembre.

Jules Simon m'écrit que l'Opéra me sera donné pour le peuple (lecture gratis des *Châtiments*) le jour que je fixerai. Je désirais dimanche, mais, par égard pour le concert que les acteurs et employés de l'Opéra donnent dimanche soir à leur bénéfice, je désigne lundi.

— Sont venus, Mlle du Chèzeau, Mlle Lia Félix, Mlle Favart, le Comité des gens de lettres et Frédérick Lemaître qui m'a baisé les mains en pleurant.

— Mes enfants étant absents, nous avons dîné seuls. Après le dîner sont venus Mme et Mlle Duverdier, Guérin [1], Paul Foucher, Paul Verlaine, Léon Valade.

— Il a plu, ces jours-ci. La pluie effondre les plaines, embourberait les canons, et retarde la sortie. Depuis deux jours, Paris est à la viande salée. Un rat coûte huit sous.

24 novembre.

Je donne l'autorisation au Théâtre-Français de jouer demain vendredi 25, au bénéfice des victimes de la guerre, le cinquième acte d'*Hernani* par les acteurs du Théâtre-Français et le dernier acte de *Lucrèce Borgia* par les acteurs de la Porte-Saint-Martin; plus, de faire dire, en intermède, des extraits des *Châtiments*, des *Contemplations* et de *La Légende des Siècles*.

Mlle Favart est venue ce matin répéter avec moi *Booz endormi*. Puis nous sommes allés ensemble au Français pour la répétition de la représentation de demain. Elle a très bien répété doña Sol. Mme Laurent *(Lucrèce Borgia)* aussi. Pendant la répétition est venu M. de Flavigny. Je lui ai dit : « — *Bonjour, mon cher ancien collègue.* » Il m'a regardé, puis, un peu ému, s'est écrié : « — *Tiens! c'est vous!* » Et il a ajouté : « — *Que vous êtes bien conservé!* » Je lui ai répondu : « — *L'exil est conservateur.* »

J'ai renvoyé la loge que le Théâtre-Français m'offrait pour la représentation de demain et j'en ai loué une que j'offre à Mme Paul Meurice.

Après le dîner est venu le nouveau préfet de police, M. Cresson. M. Cresson était un jeune avocat il y a vingt ans. Il défendit les cinq meurtriers du général Bréa. Ces hommes furent condamnés à mort. M. Cresson vint me trouver. Je demandai la grâce de ces malheureux à Louis Bonaparte, alors président de la République. Sur les cinq, j'en sauvai trois. M. Cresson, aujourd'hui préfet de police, m'a rappelé tous ces faits [1].

Puis il m'a parlé de la lecture gratuite des *Châtiments* que j'offre lundi 28 au peuple à l'Opéra. On craint une foule immense, tous les faubourgs, plus de quatre-vingt mille hommes et femmes. Trois mille entreront. Que faire du reste? Le gouvernement est inquiet. Il craint l'encombrement, beaucoup d'appelés, peu d'élus, une collision, un désordre. Le gouvernement ne veut rien me refuser. Il me demande si j'accepte cette responsabilité. Il fera ce que je voudrai. Le préfet de police est chargé de s'entendre avec moi.

J'ai dit à M. Cresson : « – *Consultons Vacquerie et Meurice, et mes deux fils qui sont là.* » Il a dit : « – *Volontiers.* » Nous avons tenu conseil à nous six. Nous avons décidé que les trois mille places seraient distribuées dimanche, veille de la lecture, dans les mairies des vingt arrondissements, à quiconque se présenterait, à partir de midi. Chaque arrondissement aura un nombre de places proportionné au prorata de sa population. Le lendemain, les trois mille porteurs d'entrées (à toutes places) feront queue à l'Opéra, sans encombrement et sans inconvénient. Le *Journal Officiel* et des affiches spéciales avertiront le peuple de toutes ces dispositions, prises dans l'intérêt de la paix publique.

25 novembre.

Mlle Lia Félix est venue me répéter *Sacer esto* [2] qu'elle dira lundi au peuple.

M. Tony Révillon [3], qui parlera, est venu me voir avec le Comité des gens de lettres.

Le 134e bataillon, officiers en tête, est venu me

demander d'autoriser lundi soir, à la Porte-Saint-Martin, la lecture de *Sacer esto* par Mlle Héricourt, au bénéfice des pauvres de l'arrondissement.

Le XVIIIe arrondissement me demande *Les Châtiments* pour sa bibliothèque populaire; je les envoie.

Une députation d'américains des Etats-Unis vient m'exprimer son indignation contre le gouvernement de la République américaine et contre le président Grant, qui abandonne la France. « – ...*à laquelle la République américaine doit tant* », ai-je dit. « – *Doit tout* », a repris un des américains présents.

On entend beaucoup de canonnade depuis quelques jours. Elle redouble aujourd'hui.

Napoléon le Petit va paraître, édition parisienne, conforme à celle des *Châtiments*. Hetzel m'a envoyé ce matin des exemplaires.

– Mlle Marguerite Héricourt [1]. *Osc.*

26 novembre.

Mme Meurice veut avoir des poules et des lapins pour la famine future. Elle leur fait bâtir une cahute dans mon petit jardin. Le menuisier qui la construit vient d'entrer dans ma chambre et m'a dit : « – *Je voudrais bien toucher votre main.* » J'ai pressé ses deux mains dans les miennes.

– Récapitulation des sommes données par moi depuis le 5 septembre, en petites sommes de 5, 10 et 15 frs., tant au pavillon de Rohan que rue Frochot : 3.265 frs.

27 novembre.

J'autorise le 7e bataillon à faire dire, pour payer l'équipement des compagnies de marche, *Le Revenant*, par Mlle Rousseil.

J'autorise la mairie de Montmartre à faire dire par Mlle Rousseil *Pour les Pauvres*, pour les pauvres.

– Le cinquième acte d'*Hernani* et le troisième acte

de *Lucrèce Borgia*, joués hier au Théâtre-Français, avec des vers de moi et *Patria* pour intermède, ont produit, au profit des victimes de la guerre, au delà de 6.000 frs.

– Mlle Suzanne Lagier est venue me chanter la musique faite par M. Darcier sur *Petit, petit* [1]. Elle chante ces strophes dans toutes les réunions populaires.

– Visite de Mlle Vanney. M. Taillade est venu pour que je lui lise l'*Expiation* qu'il lira lundi au peuple, à l'Opéra.

– Sec. à Mme Martin, rue Neuve-des-Martyrs, 4. *n*. 2 frs.

– L'Académie me donne signe de vie. Je reçois l'avis officiel qu'elle tiendra désormais une séance extraordinaire le mardi.

– On fait des pâtés de rats. On dit que c'est bon. Un oignon coûte un sou. Une pomme de terre coûte un sou.

– Jules Simon nous a dit hier soir que le préfet de police Kératry avait communiqué au gouvernement le dossier de Jules Vallès où il y avait les reçus de l'argent que la police de Bonaparte avait payé au président et au secrétaire du comité électoral qui portait Jules Vallès contre Jules Simon. C'est par générosité que Jules Simon, adversaire électoral de Jules Vallès, n'a pas exigé la publication de ces reçus [2].

– Sec. à Tauban [3], 15 frs.

– Dépense de la semaine au Pavillon de Rohan : 499 frs. 75.

– Le soir, sont venus M. et Mme E. Lefèvre, M. et Mme Paul Verlaine, M. Valade, M. Mme et Mlle Duverdier.

– On dit des pièces des *Châtiments* à tous les spectacles. C'est affiché partout. Le mot *Châtiments* couvre les murs. Ce soir, on crie dans les rues *Napoléon le Petit*.

On a renoncé à me demander l'autorisation de dire

mes œuvres sur les théâtres. On les dit partout sans
me demander la permission. On a raison. Ce que
j'écris n'est pas à moi. Je suis une chose publique.

28 novembre.

Noël Parfait vient me demander de venir au
secours de Châteaudun. De tout mon cœur, certes.

Les Châtiments ont été dits gratis au peuple, à
l'Opéra. Foule immense. On a jeté une couronne
dorée sur la scène. Je la donne à Georges et à Jeanne.
La quête faite par les actrices, dans des casques
prussiens, pour les canons a produit, en gros sous,
1.521 frs. 35.

Emile Allix nous a apporté un cuissot d'antilope
du Jardin des Plantes. C'est excellent.

— Hetzel est venu le soir et m'a remis, à valoir sur
mes comptes pour *Les Châtiments* et *Napoléon le
Petit*, 3.900 frs.

— Cette nuit aura lieu la trouée.

29 novembre.

Toute la nuit, j'ai entendu le canon.

— Marie Chauffour a rapporté le gilet de flanelle
fait par elle (2 frs. 50); je lui en donne à faire un
second. Poële. *n.*

— Sec. à Richau, 5, rue Frochot, au fond de la
cour, au sixième, 5 frs.

— Les poules ont été installées aujourd'hui dans
mon jardin.

Le soir, foule chez moi.

La sortie a un temps d'arrêt. Le pont jeté par
Ducrot sur la Marne a été emporté, les prussiens
ayant rompu les écluses.

30 novembre.

Toute la nuit, le canon. La bataille continue.

Ce matin, comme je sortais pour mon *passus mille*[1],

un colporteur vendait *Napoléon le Petit* sur le boulevard Rochechouart et la foule criait autour de lui :
« *Vive Victor Hugo!* » ce qui a fait que j'ai rebroussé
chemin.

Hier, à minuit, en m'en revenant du pavillon de
Rohan par la rue de Richelieu, j'ai vu, un peu au-
delà de la Bibliothèque, la rue étant partout déserte,
fermée, noire et comme endormie, une fenêtre s'ouvrir au sixième étage d'une très haute maison et une
très vive lumière, qui m'a semblé être une lampe à
pétrole, apparaître, disparaître, rentrer et sortir à
plusieurs reprises; puis, la fenêtre s'est refermée,
et la rue est redevenue ténébreuse. Etait-ce un signal?

– On entend le canon sur trois points autour de
Paris, à l'est, à l'ouest et au sud. Il y a, en effet, une
triple attaque contre le cercle que font les prussiens
autour de nous, La Roncière à Saint-Denis, Vinoy à
Courbevoie, Ducrot sur la Marne. La Roncière aurait
fait mettre bas les armes à un régiment saxon et
balayé la presqu'île de Gennevilliers; Vinoy aurait
détruit les ouvrages prussiens au-delà de Bougival.
Quant à Ducrot, il a passé la Marne, pris et repris
Montmesly, et il tient presque Villiers-sur-Marne.
Ce qu'on éprouve en entendant le canon, c'est un
immense besoin d'y être.

Ce soir, Pelletan me fait dire, par son fils, Camille
Pelletan, de la part du gouvernement, que la journée
de demain sera décisive.

– Sec. à Marthel, 15 r. Clausel, au 2e. p. age [1].
n. 5 frs.

                                   1er décembre.

Il paraîtrait que Mlle Louise Michel serait arrêtée.
Je vais faire ce qu'il faudra pour la faire mettre
immédiatement en liberté. Mme Meurice s'en occupe.
Elle est sortie pour cela ce matin.

D'Alton-Shée est venu me voir.

– Sec. à Mme Matil. *Genussin* [2], *n.* 10 frs.

– On fonde, boulevard Victor-Hugo, un orphelinat *Victor Hugo*. Le Comité m'en offre la présidence d'honneur. Donné à l'orphelinat 100 frs.

– Nous avons mangé de l'ours.

– J'écris au préfet de police pour faire mettre en liberté Mlle Louise Michel.

On ne s'est pas battu aujourd'hui. On s'est fortifié dans les positions prises.

2 décembre.

Mlle Louise Michel est en liberté. Elle est venue me remercier.

Hier soir, M. Coquelin est venu chez moi dire plusieurs pièces des *Châtiments*.

Il gèle. Le bassin de la fontaine Pigalle est glacé.

– La canonnade a recommencé ce matin au point du jour.

– Onze heures et demie. La canonnade augmente.

– Flourens m'a écrit hier et Rochefort aujourd'hui. Ils reviennent à moi.

Excellentes nouvelles ce soir. L'armée de la Loire est à Montargis. L'armée de Paris a repoussé les prussiens du plateau d'Avron. On lit les dépêches à haute voix aux portes des mairies.

La foule a crié : « *Bravo! Vive la République! Victoire!* »

Voilà le 2 décembre lavé.

– Elle [1] s'est foulé le pouce. J'espère que ce ne sera rien. Emile Allix l'a pensé.

– Mlle Louis David. Osc. Genussin.

3 décembre.

Le général Renault, blessé au pied d'un éclat d'obus, est mort.

J'ai dit à Schœlcher que je voulais sortir avec mes fils si les batteries de la garde nationale dont ils font partie sortaient au-devant de l'ennemi. Les dix batteries ont tiré au sort. Quatre sont désignées. Une d'elles est la dixième batterie. Nous serons ensemble au combat. Je vais me faire faire un capuchon de zouave. Ce que je crains, c'est le froid de la nuit.

– J'ai fait les ombres chinoises à Georges et à Jeanne. Jeanne a beaucoup ri de l'ombre et des grimaces du profil; mais, quand elle a vu que c'était moi, elle a pleuré et crié. Elle avait l'air de me dire : « – *Je ne veux pas que tu sois un fantôme!* » Pauvre doux ange! Elle pressent peut-être la bataille prochaine.

Hier nous avons mangé du cerf : avant-hier, de l'ours; les deux jours précédents, de l'antilope. Ce sont des cadeaux du Jardin des Plantes.

Ce soir, à onze heures, canonnade. Violente et courte.

– Sec. à Mme Vve Godot, poële, 10 frs.

– A Mme Vve Moreau, rue Darau, 22, Montrouge, 2 frs.

– Dépense de la semaine au Pavillon de Rohan : 731 frs.

4 décembre.

On vient de coller à ma porte une affiche indiquant les précautions à prendre *en cas de bombardement.* C'est le titre de l'affiche.

Temps d'arrêt dans le combat. Notre armée a repassé la Marne.

Petite Jeanne va très bien à quatre pattes et dit très bien *papa.*

– La foulure du pouce va mieux. Elle nous a chanté *Patria* et *Mai dans les bois.*

– J'ai fait prévenir Schœlcher que je sortirais avec celui de mes deux fils qui serait désigné au sort pour aller à l'ennemi.

5 décembre.

Je viens de voir passer, à vide et allant chercher son chargement, un magnifique corbillard drapé por-

tant un *H* entouré d'étoiles, en argent sur velours
noir. Un romain rentrerait. Je sortirai.

Gautier est venu dîner avec moi; après le dîner
sont venus Banville et Coppée.

– Sec. à Marie Chauffour, poële, 5 frs.

                                   6 décembre [1].

Mauvaises nouvelles. Orléans nous est repris.
N'importe. Persistons.

– Toujours foule chez moi.

– Mlle Louise David. Osc. genussin, poële.
Il neige.

                                   7 décembre.

Vilain [2] – Mlle Rousseil. Osc. Garter.

– J'ai eu à dîner Th. Gautier, Th. de Banville,
François Coppée. Après le dîner, Asselineau. Je leur
ai lu *Floréal* et *L'Égout de Rome.*

                                   8 décembre.

La Patrie en danger [3] cesse de paraître. Faute de
lecteurs, dit Blanqui.

M. Maurice Lachâtre, éditeur, est venu me faire
des offres pour mon prochain livre. Il m'a envoyé
son *Dictionnaire* et *L'Histoire de la Révolution* par
Louis Blanc. Je lui donne *Napoléon le Petit* et *Les
Châtiments.*

                                   9 décembre [4].

Cette nuit, je me suis réveillé et j'ai fait des vers [5].
En même temps, j'entendais le canon.

Mariette, en arrivant ce matin, m'a dit que Petite
Jeanne avait jeté un grand cri, vers minuit. Mariette
s'est levée et est allée, pieds nus, écouter à la porte
de la nursery. L'enfant s'est rendormie.

M. Bowles vient me voir. Le correspondant du
Times qui est à Versailles lui écrit que les canons
pour le bombardement de Paris sont arrivés. Ce sont
des canons Krupp. Ils attendent des affûts. Ils sont
rangés dans l'arsenal prussien de Versailles, écrit cet
anglais, l'un à côté de l'autre *comme des bouteilles
dans une cave.*

— Sec. à Mme Veuve Matil, 5 frs.
— J'ai été voir Mlle Louise Bertin.

10 décembre.

Cette nuit, rêve sinistre. *M. Ferdinand*[1].
— Sec. à Mlle Marie Chauffour, 5 frs.
— Dépense de la semaine au Pavillon de Rohan :
614 frs.
— Sec. à Banc, 15 frs.
Le soir, Gautier.

11 décembre.

Rostan est venu me voir. Il a le bras en écharpe.
Il a été blessé à Créteil. C'était le soir. Un soldat
allemand se jette sur lui et lui perce le bras d'un coup
de baïonnette. Rostan réplique par un coup de
baïonnette dans l'épaule de l'allemand. Tous deux
tombent et roulent dans un fossé. Les voilà bons amis.
Rostan baragouine un peu l'allemand. « — *Qui es-tu ?
— Je suis wurtembourgeois. J'ai vingt-deux ans. Mon
père est horloger à Leipsick.* » Ils restent trois heures
dans ce fossé, sanglants, glacés, s'entr'aidant. Rostan
blessé a ramené son blesseur, qui est son prisonnier.
Il va le voir à l'hôpital. Ces deux hommes s'adorent.
Ils ont voulu s'entre-tuer, ils se feraient tuer l'un
pour l'autre. — Otez donc les rois de la question.
Visite de M. Rey. Le groupe de Ledru-Rollin est
en pleine désorganisation. Plus de parti ; la République. C'est bien.
Verglas.

12 décembre [1].

Il y a aujourd'hui dix-neuf ans que j'arrivais à
Bruxelles.

13 décembre.

Paris est depuis hier soir éclairé au pétrole.
— Sec. à Mme Veuve Matil, 10 frs.
— Canonnade violente ce soir.

14 décembre.

Mlle Marguerite Héricourt (Doña Sol). Osc.
— Dégel. Canonnade.
Le soir, nous avons feuilleté *Les Désastres de la
guerre* de Goya, apportés par Burty; c'est beau et
hideux.

15 décembre.

Emmanuel Arago, ministre de la justice, est venu
me voir et m'annoncer qu'on avait de la viande
fraîche jusqu'au 15 février, et que désormais on ne
ferait plus à Paris que du pain bis. On en a pour
cinq mois.

Emile Allix m'a apporté une médaille frappée à
l'occasion de mon retour en France. Elle porte d'un
côté un génie ailé avec *Liberté. Egalité. Fraternité.*
De l'autre, cet exergue : *Appel à la démocratie uni-
verselle*, et au centre : *A Victor Hugo la Patrie
reconnaissante. Septembre 1870.*

Cette médaille se vend populairement et coûte
cinq centimes. Elle a un petit anneau de suspension.

— Le soir, on a fait de la musique. Mlle Dalsème
a chanté un morceau de *La Juive* et *Le Stabat Mater*
de Rossini. J'aime mieux celui de Pergolèse.

16 décembre.

Mᵐᵉˢ Blanchecotte. . . . . ⎫
Rousseil . . . . ⎬
Raucourt¹ . . . . ⎬ Osc.
Périga . . . . ⎬
L. David . . . . ⎭

— J'autorise Mˡˡᵉ Raucourt à dire, le 18, *Le Manteau impérial* au bénéfice des compagnies de marche.
— Pelleport est venu ce soir. Je l'ai chargé d'aller
voir de ma part Flourens qui est à Mazas et de lui
porter *Napoléon le Petit*.

17 décembre.

Mᵐᵉ Borghèse². M. Taillade.
— Sec. à Stancemont³, 15 frs.
— Après le dîner, Mᵐᵉ Borghèse est venue pour que
Mᵐᵉ Drouet lui chante *Patria*.
— *L'Electeur libre* nous somme, Louis Blanc et moi,
d'entrer dans le gouvernement, et affirme que c'est
notre devoir. Je sens mon devoir au fond de ma
conscience.
J'ai vu passer sous le pont des Arts la canonnière
l'*Estoc*, remontant la Seine. Elle est belle et le gros
canon a un grand air terrible.

18 décembre.

D'Alton-Shée est venu.
— J'écris à Julie Chenay par le ballon monté.
— Sec. à Marie Chauffour, 5 frs.
J'ai fait la lanterne magique à Petit Georges et
à Petite Jeanne.
— M. Pierre Véron m'a envoyé le cliché du beau
dessin de Daumier sur *Les Châtiments*.

19 décembre.

Mlle Marguerite Héricourt, *La Nuit du 4, Sacer
esto.* Osc. Garter.

— Mme Godot, Mlle Quinault. Berthe. M. Stapfer [1].
Mmes Edwige et Elomire.

Mon droit d'auteur pour *Stella*, dite par Mme Favart,
à une représentation du 14e bataillon, s'est élevé à
130 francs. Mon agent dramatique a touché mon
droit malgré mes instructions. Je lui donne l'ordre
de le payer à la caisse de secours du bataillon.

M. Hetzel m'écrit : « *Faute de charbon pour faire
mouvoir les presses à vapeur, la fermeture des impri-
meries est imminente.* » J'autorise pour *Les Châtiments*
un nouveau tirage de trois mille, ce qui fera en tout
jusqu'ici, pour Paris, vingt-deux mille, et pour *Napoléon le Petit* un nouveau tirage de deux mille, ce qui
fait en tout pour *Napoléon le Petit* dix mille (pour
Paris).

— Le soir, foule.

20 décembre.

Le capitaine de garde mobile, Breton, destitué
comme lâche par la dénonciation de son lieutenant-
colonel, demande un conseil de guerre et d'abord à
aller au feu. Sa compagnie part demain matin. Il me
prie d'obtenir pour lui du ministre de la guerre la
permission d'aller se faire tuer. J'écris pour lui au
général Le Flô. Je pense que le capitaine Breton
sera demain à la bataille.

— Mlle Périga, Mlle Rousseil, Mlle Séphar. M. Stapfer.

— J'envoie à Adèle, par Rothschild, 750 frs [2].

21 décembre.

Cette nuit, j'ai entendu, à trois heures du matin,

le clairon des troupes allant à la bataille. Quand sera-ce mon tour?

– M#le# Héricourt (Marguerite). Osc.

– Après le dîner, foule.

22 décembre.

M#lle# A. du Chézeau.

La journée d'hier a été bonne. L'action continue. On entend le canon de l'est à l'ouest.

Petite Jeanne commence à parler très longtemps et très expressivement. Mais il est impossible de comprendre un mot de ce qu'elle dit. Elle rit.

Léopold [1] m'a envoyé treize œufs frais, que je ferai manger à Petit Georges et à Petite Jeanne.

Louis Blanc est venu dîner avec moi. Il venait de la part d'Edmond Adam [2], de Louis Jourdan [3], de Cernuschi et d'autres me dire qu'il fallait que lui et moi allassions trouver Trochu et le mettre en demeure ou de sauver Paris ou de quitter le pouvoir. J'ai refusé. Ce serait me poser en maître de la situation, et, en même temps, entraver un combat commencé qui peut-être réussira. Louis Blanc a été de mon avis, ainsi que Meurice, Vacquerie et mes fils qui dînaient avec nous.

23 décembre.

Sec. à M#me# Adèle de Lavernière, 17, rue Richelieu, 10 frs.

M. de Bornier [4].

M#lle# Louise David. poêle.

Henri Rochefort est venu dîner avec moi. Je ne l'avais pas vu depuis Bruxelles l'an dernier (août 1869). Georges ne reconnaissait plus son parrain. J'ai été très cordial. Je l'aime beaucoup. C'est un grand talent et un grand courage. Nous avons dîné gaiement, quoique tous très menacés d'aller dans les forteresses prussiennes si Paris est pris. Après Guernesey, Spandau. Soit.

J'ai acheté aux magasins du Louvre une capote grise de soldat pour aller au rempart. 19 francs.

Toujours beaucoup de monde le soir chez moi. Il m'est venu aujourd'hui un peintre nommé Le Genissel, qui m'a rappelé que je l'avais sauvé du bagne en 1848. Il était insurgé de juin.

Forte canonnade cette nuit. Tout se prépare pour une bataille [1].

24 décembre.

Il gèle. La Seine charrie.
– Sec. à Const., 15 frs.
– Paris ne mange plus que du pain bis.

25 décembre.

Forte canonnade toute la nuit.

J'ai fait plusieurs dons à la vente pour les victimes de la guerre, qui a lieu aujourd'hui : un exemplaire des *Châtiments*, papier de Hollande (il n'y en a que cinquante), le livre *Les Enfants*, illustré, *Napoléon le Petit*, douze exemplaires de mes *Lettres aux Allemands*, *aux Français*, *aux Parisiens* et divers autographes.

– L'irlandais O'Flynn a crié aux mobiles : « – *Y en a-t-il cent qui veulent me suivre? Cinquante? Vingt-cinq? Un seul?* » Ils ne bougeaient pas. Il a chargé seul sur les prussiens en criant : « – *A bas la Prusse! Vive la France!* » Les prussiens, voyant un homme seul, ne l'ont pas tué. O'Flynn est revenu épargné et furieux.

– Sec. à Marie Chauffour, 5 frs.

– Une nouvelle du Paris d'à présent : il vient d'arriver une bourriche d'huîtres; elle a été vendue 750 francs.

A la vente pour les pauvres, où Alice et Mme Meurice sont marchandes, un dindon vivant a été vendu 250 francs.

La Seine charrie.

— Dépense de la semaine au Pavillon de Rohan :
590 frs.

26 décembre.

Louis Blanc vient, puis M. Floquet. On me presse
de nouveau de mettre le gouvernement en demeure.
De nouveau je refuse.

M. Louis Koch a acheté 25 francs un exemplaire
du *Rappel* à la vente destinée aux pauvres. L'exemplaire des *Châtiments* a été payé 300 francs par
M. Cernuschi.

27 décembre.

Violente canonnade ce matin.

— Mlle Amélie Désormeaux, Cosette qui a trouvé
et perdu son Marius.

— Mme Taffari[1].

— Sec. à Rostan (77, rue de la Butte-Chaumont),
40 frs.

— J'ai eu à dîner Mme Ugalde, M. Bochet, M. Busnach. J. J. a chanté, *Adieu, patrie, S'il est un charmant garçon, Mai dans les bois,* et Mme Ugalde,
Patria. La canonnade de ce matin, c'étaient les prussiens qui attaquaient. Bon signe. L'attente les ennuie.
Et nous aussi. Ils ont jeté dans le fort de Montrouge
dix-neuf obus qui n'ont tué personne.

J'ai reconduit Mme Ugalde chez elle, rue Chaba-
nais, puis, je suis rentré me coucher. Le portier m'a
dit : « — *Monsieur, on dit que cette nuit il tombera des
bombes par ici.* » Je lui ai dit : « — *C'est tout simple,
j'en attends une.* »

28 décembre.

Mlle Marguerite Héricourt. Poële. Sec. 50 frs.

29 décembre.

Canonnade toute la nuit. L'attaque prussienne semble vaincue [1].

– Th. Gautier a un cheval. Ce cheval est arrêté [2]. On veut le manger. Gautier m'écrit et me prie d'obtenir sa grâce. Je l'ai demandée au ministre [3].

– Il est malheureusement vrai que Dumas est mort. On le sait par les journaux allemands. Il est mort le 5 décembre, au Puys, près Dieppe, chez son fils.

– On me presse de plus en plus d'entrer dans le gouvernement. Le ministre de la justice, Em. Arago, est venu me demander à dîner. Nous avons causé. Louis Blanc est venu après le dîner. Je persiste à refuser.

Outre Emmanuel Arago, et mes habitués du jeudi, H. Rochefort est venu dîner, avec Blum [4]. Je les invite à dîner tous les jeudis, si nous avons encore quelques jeudis à vivre. Au dessert, j'ai bu à la santé de Rochefort.

La canonnade augmente. Il a fallu évacuer le plateau d'Avron.

30 décembre.

D'Alton-Shée est venu ce matin. Le général Ducrot demanderait à me voir.

Les prussiens nous ont envoyé depuis trois jours plus de douze mille obus.

Hier, j'ai mangé du rat, et j'ai eu pour hoquet ce quatrain :

> *O mesdames les hétaïres,*
> *Dans vos greniers je me nourris;*
> *Moi qui mourais de vos sourires,*
> *Je vais vivre de vos souris.*

A partir de la semaine prochaine, on ne blanchira plus le linge dans Paris, faute de charbon.

J'ai eu à dîner le lieutenant Farcy, commandant de la canonnière.

Froid rigoureux. Depuis trois jours, je sors avec mon caban et mon capuchon.

Poupée pour Petite Jeanne (8 frs.). Hottée de joujoux pour Georges (30 frs.).

Les bombes ont commencé à démolir le fort de Rosny. Le premier obus est tombé dans Paris. Les prussiens nous ont lancé aujourd'hui six mille bombes.

Dans le fort de Rosny, un marin travaillant aux gabionnages portait sur l'épaule un sac de terre. Un obus vient et lui enlève le sac. « – *Merci*, dit le marin, *mais je n'étais pas fatigué.* »

– On me dit que le roi de Prusse a déclaré que, s'il me faisait prisonnier, il me ferait mourir dans la forteresse de Spandau.

– Boîte de soldats de plomb pour Petit Georges, 2 frs. 50.

– J'espère sauver le pauvre cheval de Th. Gautier.

– Alexandre Dumas est mort le 5 décembre. En feuilletant ce carnet, j'y vois que c'est le 5 décembre qu'un grand corbillard, portant un H, a passé devant moi rue Frochot.

Ce n'est même plus du cheval que nous mangeons. C'est *peut-être* du chien? C'est *peut-être* du rat? Je commence à avoir des maux d'estomac. Nous mangeons de l'inconnu.

M. Valois est venu de la part de la Société des gens de lettres me demander ce que je veux qu'on fasse des 3.000 francs de reliquat que laissent les trois lectures des *Châtiments*, les canons fournis et livrés. J'ai dit de verser ces 3.000 francs intégralement à la caisse de secours pour les victimes de la guerre, entre les mains de Mme Jules Simon.

– Sec. à C. Montauban, 30 frs.

1ᵉʳ janvier.

Louis Blanc m'adresse dans les journaux une lettre sur la situation.

Stupeur et ébahissement de Petit Georges et de Petite Jeanne devant la hotte de joujoux. La hotte déballée, une grande table en a été couverte. Ils touchaient à tous et ne savaient lequel prendre. Georges était presque furieux de bonheur. Charles a dit : « – *C'est le désespoir de la joie* [1] ! »

J'ai faim. J'ai froid. Tant mieux. Je souffre ce que souffre le peuple.

Décidément, je digère mal le cheval. J'en mange pourtant. Il me donne des tranchées. Je m'en suis vengé, au dessert, par ce distique :

Mon dîner m'inquiète et même me harcèle,
J'ai mangé du cheval et je songe à la selle.

Les prussiens bombardent Saint-Denis.

2 janvier [2].

Daumier et Louis Blanc ont déjeuné avec nous. J'ai invité à dîner pour ce soir d'Alton-Shée et son fils, Louis Blanc, Daumier, M. et Mᵐᵉ Paul Foucher.

Louis Koch a donné à sa tante pour ses étrennes deux choux et deux perdrix vivantes.

Ce matin nous avons déjeuné avec de la soupe au vin.

On a abattu l'éléphant du Jardin des Plantes. Il a pleuré. On va le manger.

Les prussiens continuent de nous envoyer six mille bombes par jour.

3 janvier.

Le chauffage de deux pièces au Pavillon de Rohan coûte aujourd'hui 10 frs. par jour.

Le club montagnard demande de nouveau que Louis Blanc et moi soyons adjoints au gouvernement pour le diriger. Je refuse.

4 janvier.

Reçu d'Hetzel, à valoir sur *Napoléon le Petit* et *Les Châtiments* : 1.500 frs.

Il y a en ce moment douze membres de l'Académie française à Paris, dont Ségur, Mignet, Dufaure, d'Haussonville, Legouvé, Cuvillier-Fleury, Barbier, Vitet.

Lune. Froid vif. Les prussiens ont bombardé Saint-Denis toute la nuit.

De mardi à dimanche, les Prussiens nous ont envoyé vingt-cinq mille projectiles. Il a fallu pour les transporter deux cent vingt wagons. Chaque coup coûte 60 francs; total : 1.500.000 francs. Il y a eu une dizaine de tués. Chacun de nos morts coûte aux prussiens 150.000 francs.

— Nous avons dîné seuls tous les deux, avec Petit Georges.

5 janvier.

Le bombardement s'accentue de plus en plus. On bombarde Issy et Vanves.

Le charbon manque. On ne peut plus blanchir le linge, ne pouvant le sécher. Ma blanchisseuse m'a fait dire ceci par Mariette : « — *Si M. Victor Hugo, qui est si puissant, voulait demander pour moi au gouvernement un peu de poussier, je pourrais blanchir ses chemises.* »

— J'étais aux Feuillantines, un obus est tombé près de moi [1].

— Outre mes convives ordinaires du jeudi, j'ai eu à dîner Louis Blanc, Rochefort, Paul de Saint-Victor et Louis Koch. Mme Jules Simon m'a envoyé du fromage de Gruyère. Luxe énorme. Nous étions treize à table.

– Premières personnes tuées dans Paris par le bombardement : quatre rue Gay-Lussac, deux près du Val-de-Grâce.

6 janvier.

Au dessert, hier, j'ai offert des bonbons aux femmes et j'ai dit :

> *Grâce à Boissier, chères colombes,*
> *Heureux, à vos pieds nous tombons ;*
> *Car on prend les forts par les bombes,*
> *Et les faibles par les bonbons.*

– Les parisiens vont, par curiosité, voir les quartiers bombardés. On va aux bombes comme on irait au feu d'artifice. Il faut des gardes nationaux pour maintenir la foule. Les prussiens tirent sur les hôpitaux. Ils bombardent le Val-de-Grâce. Leurs obus ont mis le feu cette nuit aux baraquements du Luxembourg pleins de soldats blessés et malades, qu'il a fallu transporter, nus et enveloppés comme on a pu, à la Charité. Barbieux les y a vus arriver vers une heure du matin.

Seize rues ont déjà été atteintes par les obus.

7 janvier.

Dépense de la semaine au pavillon de Rohan : 665 frs. 25.

Sec. à Stancemont, 15 frs.

La rue des Feuillantines, percée là où fut le jardin de mon enfance, est fort bombardée.

Ma blanchisseuse, n'ayant plus de quoi faire du feu et obligée de refuser le linge à blanchir, a fait à M. Clemenceau, maire du IXe arrondissement, une demande de charbon, en payant, que j'ai apostillée ainsi : « *Je me résigne à tout pour la défense de Paris, à mourir de faim et de froid, et même à ne pas changer de chemise. Pourtant je recommande ma blanchisseuse à*

M. le maire du IXe arrondissement. » – Et j'ai signé.
Le maire a accordé le charbon.

8 janvier [1].

Camille Pelletan nous a apporté du gouvernement
d'excellentes nouvelles : Rouen et Dijon repris,
Garibaldi vainqueur à Nuits et Faidherbe à Bapaume.
Tout va bien.

On mangeait du pain bis, on mange du pain noir.
Le même pour tous. C'est bien.

Les nouvelles d'hier ont été apportées par deux
pigeons.

Une bombe a tué cinq enfants dans une école rue
de Vaugirard.

– Ont déjeuné avec nous Victor, Vacquerie, d'Alton-Shée, Châtillon.

– Récapitulation de ce que j'ai donné depuis mon
arrivée à Paris, en sommes de 5, 10 et 15 frs. :
4.965 frs. En outre, la somme de mes droits d'auteur
sur les lectures des *Châtiments*, etc., sur tous les
théâtres et dans toutes les salles de Paris, somme
dont j'ai fait l'abandon, dépasse 25.000 frs.

Les représentations et les lectures ont dû cesser,
les théâtres n'ayant plus de gaz pour l'éclairage et de
charbon pour le chauffage.

Mort de Prim [2]. Il a été tué à Madrid d'un coup de
pistolet le jour où le roi de sa façon, Amédée, duc de
Gênes, entrait en Espagne.

Le bombardement a été furieux aujourd'hui. Un
obus a troué la chapelle de la Vierge à Saint-Sulpice
où ma mère a été enterrée et où j'ai été marié [3].

– J'ai été voir Mlle Louise Bertin.

10 janvier [4].

Bombes sur l'Odéon.

Envoi d'un éclat d'obus par Chifflard [5]. Cet obus,
tombé à Auteuil, est marqué H. Je m'en ferai un
encrier.

11 janvier.

Envoyé une couverture à Mme Lanvin [1]. Petit Georges a envoyé un joujou au petit Lanvin.

12 janvier [2].

Mlle Raucourt; osc. Mme de Givodan.

Le pavillon de Rohan me demande, à partir d'aujourd'hui, 8 francs par tête pour le dîner, ce qui avec le vin, le café, le feu, etc., porte le dîner à 13 francs par personne.

Nous avons mangé ce matin un beefsteak d'éléphant.

Ont dîné avec nous Schœlcher, Rochefort, E. Blum, et tous nos convives ordinaires du jeudi. Nous étions encore treize. Après le dîner, Louis Blanc, Paul Foucher, Pelletan.

13 janvier.

Un œuf coûte 2 frs. 75. La viande d'éléphant coûte 40 frs. la livre. Un sac d'oignons, 800 frs.

– Mlle Louise David.

– Mlle Marguerite Héricourt, 14, square Montholon; osc.

– Mme Bouclier [3].

Ed. Lockroy, qui part cette nuit pour les avant-postes avec le bataillon qu'il commande, est venu dîner chez moi.

– J. J. a passé la journée à chercher un autre hôtel. Rien n'est possible. Tout est fermé.

– Dumas n'est pas mort. Sa fille, Mme Marie Dumas, écrit qu'il se porte bien.

Dépense de la semaine au pavillon de Rohan (y compris un carreau cassé (4 frs.) : 701 frs. 50.

J'ai eu à dîner mon neveu Léopold Hugo. Après le dîner, foule chez moi [4].

[14 *janvier*] [1].

Un mot d'une femme pauvre sur le bois fraîche-
ment abattu : « – *Ce malheureux bois vert ! On le met au
feu ; il ne s'attendait pas à ça ; il pleure tout le temps !* »

Le pape dit de l'abbé Dupanloup : « – *L'évêque
d'Orléans a un chemin de fer dans la tête.* »

– Sec. à Montau [2], 15 frs.

15 janvier, 2 heures.

Bombardement furieux en ce moment.

Je fais les vers *Dans le Cirque* [3]. Après le dîner, je
les ai lus à mes convives du dimanche. Ils me
demandent de les publier. Je les donne aux journaux.

16 janvier.

Mes vers *Dans le Cirque* ont paru.

17 janvier.

Le bombardement depuis trois jours n'a discon-
tinué ni jour ni nuit.

Petite Jeanne m'a grondé de ne pas la laisser jouer
avec le mouvement de ma montre.

Tous les journaux reproduisent les vers *Dans le
Cirque*. Ils pourront être utiles.

Louis Blanc est venu ce matin. Il me presse de me
joindre à lui et à Quinet pour exercer une pression
sur le gouvernement. Je lui ai répondu : « – *Je vois
plus de danger à renverser le gouvernement qu'à le
maintenir.* »

– Marie Chauffour. Osc. 3 photogr. 10 frs.

18 janvier.

Visite du Comité des gens de lettres.
Mlle O. Audouard. Osc.

L'ouvrière M. Chauffour rapporte les gilets, 10 frs.
M. Krupp fait des canons contre les ballons.

– Il y a un coq dans mon petit jardin. Hier Louis
Blanc déjeunait avec nous. Le coq chanta. Louis
Blanc s'arrête et me dit : « – *Ecoutez. – Qu'est-ce?*
– Le coq chante. – Eh bien? – Entendez-vous ce qu'il
dit? – Non. – Il dit : Victor Hugo! » Nous écoutons,
nous rions. Louis Blanc avait raison. Le chant du coq
ressemblait beaucoup à mon nom.

J'émiette aux poules notre pain noir. Elles n'en
veulent pas.

Ce matin, on a commencé une sortie sur Montretout. On a pris Montretout. Ce soir les prussiens
nous l'ont repris [1].

20 janvier.

Sec. à la Vve Matil (4 enfants); poële, suisse, osc.
– Mᵐᵉ Vve Godot; osc., poële.

– L'attaque sur Montretout a interrompu le bombardement.

Un enfant de quatorze ans a été étouffé dans une
foule à la porte d'un boulanger.

21 janvier.

Louis Blanc vient me voir. Nous tenons conseil.
La situation devient extrême et suprême. La mairie
de Paris demande mon avis.

– Sec. à C. Tauban. Aristote [2], 15 frs.

– Louis Blanc a dîné avec nous. Après le dîner,
sorte de conseil auquel a assisté le colonel Laussedat.

– Dépense de la semaine au pavillon de Rohan :
760 frs. 55.

22 janvier.

Les prussiens bombardent Saint-Denis.

– D'Alton-Shée. Mˡˡᵉ Périga. Tas de papiers brûlés.
Dumas fils écrit que son père est mort.

Manifestation tumultueuse à l'Hôtel de Ville. Trochu se retire. Rostan vient me dire que la mobile bretonne tire sur le peuple. J'en doute. J'irai moi-même s'il le faut.

J'en reviens. Il y a eu attaque simultanée des deux côtés. J'ai dit à des combattants qui me consultaient : « — *Je ne reconnais pour français que les fusils qui sont tournés du côté des prussiens.* »

Rostan m'a dit : « — *Je viens mettre mon bataillon à votre disposition. Nous sommes cinq cents hommes. Où voulez-vous que nous allions?* » Je lui ai demandé : « — *Où êtes-vous en ce moment?* » Il m'a répondu : « — *On nous a massés du côté de Saint-Denis qu'on bombarde. Nous sommes à la Villette.* » Je lui ai dit : « — *Restez-y. C'est là que je vous eusse envoyés. Ne marchez pas contre l'Hôtel de Ville; marchez contre la Prusse.* »

23 janvier.

Hier soir, conférence chez moi. Outre mes convives du dimanche, Rochefort et son secrétaire Mourot avaient dîné avec moi.

Sont venus le soir Rey et Gambon [1]. Ils m'ont apporté, avec prière d'y adhérer, l'un le programme affiche de Ledru-Rollin (assemblée de 200 membres), l'autre, le programme de l'Union républicaine (50 membres). J'ai déclaré n'approuver ni l'une ni l'autre des deux solutions.

Chanzy est battu. Bourbaki réussit. Mais ni l'un ni l'autre ne marchent sur Paris. Enigme dont je crois entrevoir le secret. Bêtise ou trahison.

Un inventeur vient de m'apporter un projet de bouclier-barricade en fer pour les troupes en ligne de bataille.

Le bombardement semble interrompu.

24 janvier.

Ce matin, Flourens est venu. Il m'a demandé conseil. Je lui ai dit : « – *Nulle pression violente sur la situation.* »

25 janvier.

Société des gens de lettres. — Mlle Eugénie Quinault; osc. — Mlle Louise David; osc.

– On dit Flourens arrêté. Il l'aurait été en sortant de me voir.

J'ai fait manger deux œufs frais à Georges et à Jeanne.

M. Dorian est venu ce matin voir mes fils au pavillon de Rohan. Il leur a annoncé la capitulation imminente. Affreuses nouvelles du dehors. Chanzy battu, Faidherbe battu, Bourbaki refoulé.

26 janvier.

Mme de Rathstein (1845) [1]. M. d'Estrem [2]. Le Comité des gens de lettres.

– Sec. à Eve Marguerite. *n.* de Strasbourg. 2 frs. (16, rue Saint-Georges, au second [3]).

27 janvier.

Schœlcher est venu m'annoncer qu'il donnait sa démission de colonel de la légion d'artillerie.

On est encore venu me demander de me mettre à la tête d'une manifestation contre l'Hôtel de Ville. J'ai refusé. Toutes sortes de bruits courent. J'invite tout le monde au calme et à l'union.

28 janvier.

Bismarck, dans les pourparlers de Versailles, a dit à Jules Favre : « – *Comprenez-vous cette grue d'impératrice qui me propose la paix?* »

— Louis Blanc a déjeuné avec nous.

— Mlle Amélie Désormeaux. *n.* poële.

— Sec. à Banconstant [1], 15 frs.

Le froid a repris.

Ledru-Rollin demande à s'entendre avec moi (par Brives).

— Petite Jeanne est un peu souffrante. Doux petit être!

Léopold me contait ce soir qu'il y avait eu dialogue à mon sujet entre le pape Pie IX et Jules Hugo, mon neveu, frère de Léopold, mort camérier du pape [2]. Le pape avait dit à Jules en le voyant : « — *Vous vous appelez Hugo? — Oui, Saint-Père. — Vous êtes parent de Victor Hugo? — Son neveu, Saint-Père. — Quel âge a-t-il?* (c'était en 1857). *— Cinquante-cinq ans. — Hélas! il est trop vieux pour revenir à l'Eglise!* »

Charles me dit que Jules Simon et ses deux fils ont passé la nuit à dresser des listes de candidats possibles pour l'Assemblée nationale.

— Cernuschi se fait naturaliser citoyen français.

29 janvier.

L'armistice a été signé hier. Il est publié ce matin. Assemblée nationale. Sera nommée du 5 au 18 février. S'assemblera à Bordeaux.

— Petite Jeanne va un peu mieux. Elle m'a presque souri.

— Plus de ballon. La poste. Mais les lettres non cachetées. Il neige. Il gèle.

30 janvier.

Petite Jeanne est toujours abattue et ne joue pas.

— Mlle Louise Périga. Osc.

— Louise David. Osc.

— Mlle Périga m'a apporté un œuf frais pour Jeanne.

31 janvier.

Petite Jeanne est toujours souffrante. C'est un petit catarrhe de l'estomac. Le docteur Allix dit que cela durera encore quatre ou cinq jours.

Gratification à Marie, la nourrice, 5 frs.

— Mon neveu Léopold est venu dîner avec nous. Il nous a apporté des conserves d'huîtres.

1er février.

Mlle Raucourt. Osc.

— Petite Jeanne va mieux. Elle m'a souri.

2 février.

Vve Godot. J'écris à Julie par lettre non cachetée.

Le nouveau journal de Rochefort, le *Mot d'Ordre*, a paru aujourd'hui. Les élections de Paris remises au 8 février.

— Mlle Louise David. Osc.

— M. d'Alton-Shée-Rostan.

Je continue à mal digérer le cheval. Maux d'estomac. Hier je disais à Mme Ernest Lefèvre, dînant à côté de moi :

De ces bons animaux la viande me fait mal,
J'aime tant les chevaux que je hais le cheval.

— Petite Jeanne continue d'aller mieux, mais sa nourrice est une voleuse. Je la garderai malgré ça. Alice veut la renvoyer. Grave complication. L'enfant peut en souffrir.

4 février.

Le temps s'adoucit. Dépense de la semaine au pavillon de Rohan : 675 frs. 50.

Le soir, foule chez moi. Proclamation de Gambetta.

5 février.

La *Tribune des Progressistes* m'a nommé son président honoraire et me prie d'accepter.

La liste des candidats des journaux républicains a paru ce matin. Je suis en tête.

Bancel [1] est mort.

– Petite Jeanne ce soir est guérie de son rhume. Gratification à Marie, la nourrice, 5 frs.

J'ai eu mes convives habituels du dimanche. Nous avons eu du poisson, du beurre et du pain blanc.

6 février.

Bourbaki, battu, s'est tué [2]. Grande mort.

Ledru-Rollin recule devant l'Assemblée. Louis Blanc est venu ce soir me lire ce désistement.

7 février.

Nous avions trois ou quatre boîtes de conserves que nous avons mangées aujourd'hui.

8 février.

Aujourd'hui scrutin pour l'Assemblée nationale. Paul Meurice et moi avons été voter ensemble, rue Clauzel. Je pense que Louis Blanc sera nommé le premier [3], en tête de la liste des représentants de Paris.

Après la capitulation signée, en quittant Jules Favre, Bismarck est entré dans le cabinet où ses deux secrétaires l'attendaient, et a dit : « – *La bête est morte.* »

J'ai rangé mes papiers en prévision du départ. Petite Jeanne est très gaie.

10 *février*.

Mme Préval. Suisse.

11 *février*.

(Nuit du 10 au 11, rêve, Julie Chenay. Spont. arrêté à temps) [1].

Le scrutin se dépouille très lentement.

Notre départ pour Bordeaux est remis au lundi 13.

— Visite de Mlle Rousseil. Osc.

Bouquet apporté par les dames de la Halle bien que je ne sois pas encore nommé; 10 frs.

12 *février*.

J'ai vu hier pour la première fois *mon* boulevard. C'est un assez grand tronçon de l'ancien boulevard Haussmann. *Boulevard Victor-Hugo* est placardé sur *boulevard Haussmann* à quatre ou cinq coins des rues donnant sur le boulevard.

L'Assemblée nationale s'ouvre aujourd'hui à Bordeaux. Les élections ne sont pas encore dépouillées et proclamées à Paris. Je pense que Louis Blanc sera le premier représentant de Paris. J'eusse trouvé juste que ce fût Garibaldi.

Quoique je ne sois pas encore nommé, le temps presse, et je compte partir demain lundi 13 février pour Bordeaux. Nous serons neuf, cinq maîtres et quatre domestiques, plus les deux enfants. Louis Blanc désire partir avec moi. Nous ferons route ensemble.

J'emporte dans mon sac en bandoulière divers manuscrits importants et œuvres commencées, entre autres *Paris assiégé* [2] et le poème du *Grand-Père* [3], plus le premier fascicule quotidien : *Ma présence à Paris* [4].

— J'emporte une lettre de crédit de 1.000 frs. sur

Samazeuilh, de Bordeaux, plus l'or qui est dans mon gilet : 4.500 frs.

— En partant pour Bordeaux, je remets à Mme Paul Meurice, jusqu'à mon retour, un paquet contenant :

1º Dossier traité Hetzel *Châtiments* et *Napoléon le Petit.*

2º Dossier *Paris assiégé;* documents.

3º Dossier lectures publiques des *Châtiments.*

4º Lettres de J. J.

5º Pièces. Tuileries.

6º *Les Quatre Vents de l'Esprit* (traité transféré au *Rappel*).

7º *Les Châtiments.* A joindre aux manuscrits.

8º Mes *Adresses aux Allemands, aux Français, aux Parisiens.*

9º Dessins et estampes.

10º Catalogue Hachette (pour y choisir des livres).

13 février.

J'ai lu, hier, avant le dîner, à mes convives, M. et Mme Paul Meurice, Vacquerie, Lockroy, M. et Mme Ernest Lefèvre, Louis Koch et Vilain (moins Rochefort et Victor qui ne sont arrivés que pour l'heure du dîner) deux pièces qui feront partie de *Paris assiégé (« A Petite Jeanne. » — « Non, vous ne prendrez pas l'Alsace et la Lorraine* [1]. *»)* Après le dîner sont venus Louis Blanc, Rey, Duverdier.

Pelleport m'a apporté nos neuf laissez-passer. N'étant pas encore proclamé représentant, j'ai mis sur le mien *Victor Hugo, propriétaire,* vu que les prussiens exigent une qualité ou une profession.

— J'ai quitté ce matin avec un serrement de cœur l'avenue Frochot et la douce hospitalité que Paul Meurice me donne depuis le 5 septembre, jour de mon arrivée.

— A Clémence, servante de Mme Paul Meurice, en partant : 30 frs.

— Dépense de la dernière semaine au Pavillon de Rohan : 984 frs.

(Pour payer cette somme, j'ai dû prélever, sur l'or du voyage, un appoint de 760 frs., ce qui a réduit les 4.500 frs. à 3.740 frs.)

Neuf 1re classe pour Bordeaux : 630 frs.
Supplément par salon : 58 frs. 50
Bagages : 35,80.

Partis à midi dix minutes. Arrivés à Etampes à trois heures et quart. Station d'une heure trois quarts et luncheon.

Après le lunch, nous sommes rentrés dans le wagon-salon pour attendre le départ. La foule l'entourait, contenue par un groupe de soldats prussiens. La foule m'a reconnu et a crié : « – *Vive Victor Hugo!* » J'ai agité le bras hors du wagon en élevant mon képi, et j'ai crié : « – *Vive la France!* » Alors un homme à moustaches blanches, qui est, dit-on, le commandant prussien d'Etampes, s'est avancé vers moi d'un air menaçant et m'a dit en allemand je ne sais quoi qui voulait être terrible. J'ai repris d'une voix plus haute, en regardant tour à tour fixement ce prussien et la foule : « – *Vive la France!* » Sur quoi, tout le peuple a crié avec enthousiasme : « – *Vive la France!* » Le bonhomme en colère se l'est tenu pour dit. Les soldats prussiens n'ont pas bougé.

Voyage rude, lent, pénible. Le salon-wagon est mal éclairé et point chauffé. On sent le délabrement de la France dans cette misère des chemins de fer. Nous avons acheté à Vierzon un faisan et un poulet et deux bouteilles de vin pour souper. Puis on s'est roulé dans des couvertures et des cabans et l'on a dormi sur les banquettes.

14 février.

Le matin passage à Limoges; à 10 h., arrivée à Périgueux. Luncheon, 5 frs. Louis Mie [1] nous y attendait. Il nous pilote jusqu'à Coutras et nous renseigne. Les élections du département sont toutes réactionnaires.

Nous arrivons à Bordeaux à une heure et demie après-midi. Nous nous mettons en quête d'un logement. Nous montons en voiture et nous allons d'hôtel en hôtel. Pas une place. Je vais à l'Hôtel de Ville et je demande des renseignements. On m'indique un appartement meublé à louer chez M. A. Porte, 13, rue Saint-Maur, près le jardin public. Nous y allons. Charles loue l'appartement pour 600 francs par mois et paye un demi-mois d'avance. Nous nous remettons en quête d'un logis pour nous et nous ne trouvons rien. A sept heures, nous revenons à la gare chercher nos malles, ne sachant où passer la nuit. Nous retournons rue Saint-Maur où est Charles. Pourparlers avec le propriétaire et son frère qui a deux chambres, 37, rue de la Course, tout près. Nous finissons par nous arranger. J. J. et Suzanne auront une chambre 13, rue Saint-Maur à raison de 300 frs. par mois, et moi les deux chambres (une pour Mariette) de la rue de la Course, à raison de 350 frs. par mois. Je paye le premier mois pour J. J. (à partir du 14 février) et mon premier mois.

– J'ai donné à dîner à mes fils et J. J. (cinq) au *Restaurant de Bayonne*. Nous avons mangé des huîtres, de la lamproie, du chapon truffé, etc. (prix : 68 frs. 15).

Alice a fait cette remarque : le 13 nous poursuit; tout le mois de janvier nous avons été treize à table le jeudi; nous avons quitté Paris le 13 février; nous étions treize dans le wagon-salon, en comptant Louis Blanc, M. Bochet et les deux enfants; nous logeons, 13, rue Saint-Maur.

15 février.

Nous déjeunons, avec J. J., au *Restaurant de Bayonne* (13 frs. 15); encore un 13.

A deux heures je suis allé à l'Assemblée. A ma sortie, une foule immense m'attendait sur la grande place. Les gardes nationaux qui faisaient la haie ont ôté leurs képis, et tout le peuple a crié : « – *Vive Victor Hugo!* » J'ai répondu : « – *Vive la République! Vive la France!* » Ils ont répété ce double cri. Puis cela a été un délire. Ils m'ont recommencé l'ovation de mon arrivée à Paris. J'étais ému jusqu'aux larmes. Je me suis réfugié dans un café du coin de la place. J'ai expliqué dans un speech [1] pourquoi je ne parlais pas au peuple, puis je me suis évadé, c'est le mot, en voiture. Ils ont suivi la voiture en criant : « – *Vive Victor Hugo!* »

Pendant que ce peuple enthousiaste criait : « – *Vive la République* », les membres de l'Assemblée sortaient et défilaient impassibles, presque furieux, le chapeau sur la tête, au milieu des têtes nues et des képis agités en l'air autour de moi par la foule.

Visite des représentants Le Flô, Rochefort, Lockroy, Alfred Naquet, Emmanuel Arago, Rességuier, Floquet, Eugène Pelletan, Noël Parfait.

J'ai été coucher dans mon nouveau logement, rue de la Course. A partir de demain, Suzanne fera la cuisine et nous dînerons chez nous, en famille.

– J'ai écrit à Julie pour le ravitaillement de Hauteville-House depuis le 15 février jusqu'au 31 mars.

– Je n'ai plus que 2.100 frs. (en or) que j'ai serrés dans le bureau qui est dans ma chambre.

16 février.

Aujourd'hui a eu lieu, à l'Assemblée, la proclamation des représentants de Paris : Louis Blanc a 216.000 voix; il est le premier. Puis vient mon nom avec 214.000. Puis Garibaldi, 200.000.

L'ovation que le peuple m'a faite hier est regardée par la majorité comme une insulte pour elle. De là, un grand déploiement de troupes sur la place (armée, garde nationale, cavalerie). Avant mon arrivée, il y a eu un incident à ce sujet. Des hommes de la droite ont demandé qu'on protégeât l'Assemblée (contre

qui? contre moi, à ce qu'il paraît!) La gauche a
répliqué par le cri de : « – *Vive la République!* »

A ma sortie, on m'a averti que la foule m'attendait
sur la grande place. Je suis sorti, pour échapper à
l'ovation, par le côté du palais et non par la façade;
mais la foule m'a aperçu, et un immense flot de
peuple m'a tout de suite entouré en criant : « – *Vive
Victor Hugo!* » J'ai crié : « – *Vive la République!* »
Tous, y compris la garde nationale, et les soldats de
la ligne, ont crié : « – *Vive la République!* » J'ai pris
une voiture que le peuple a suivie.

L'Assemblée a constitué aujourd'hui son bureau.
Dufaure propose Thiers pour chef du pouvoir exécutif.

Nous dînerons pour la première fois chez nous,
13, rue Saint-Maur. J'ai invité Louis Blanc, Schœlcher, Rochefort et Lockroy. Rochefort n'a pu venir.

Après le dîner, nous sommes allés chez Gent [1],
quai des Chartrons, 35, à la réunion de la gauche.
Mes fils m'accompagnaient. On a discuté la question
du chef exécutif. J'ai fait ajouter à la définition :
« *nommé par l'Assemblée et révocable par elle* ».

Le général Cremer [2] est venu nous rendre compte
des dispositions de l'armée.

17 février.

Ce matin, pénible incident Philomène-Alice. Je
dois prendre une résolution qui me sera douloureuse.

Gambetta, à l'Assemblée, m'a abordé et m'a dit :
« – *Mon maître, quand pourrais-je vous voir? J'aurais
bien des choses à vous expliquer.* »

Thiers est nommé chef du pouvoir exécutif. Il doit
partir cette nuit pour Versailles, où est la Prusse.

– Nous avons dîné tous les trois, J. J., Victor et
moi au restaurant Lanta (24 frs.).

Ce soir, réunion de la gauche, rue Lafaurie-Monbadon. La réunion m'a choisi pour président. Ont
parlé Louis Blanc, Schœlcher, le colonel Langlois,

Brisson, Lockroy, Millière (pourquoi parmi nous [1]?),
Clemenceau, Martin Bernard, Joigneaux. J'ai parlé
le dernier et résumé le débat. On a agité des questions
graves, le traité Bismarck-Thiers, la paix, la guerre,
l'intolérance de l'Assemblée [2], le cas d'une démission
à donner en masse.

18 février.

Le président du Cercle national de Bordeaux est
venu mettre ses salons à ma disposition.

Mon hôtesse, Mme Porte, fort jolie femme, m'a
envoyé un bouquet.

Thiers a nommé ses ministres. Il prend le titre
équivoque et suspect de *président chef du pouvoir
exécutif*.

L'Assemblée s'ajourne. On sera convoqué à domicile.

Nous avons dîné à la maison avec Victor. Puis
nous sommes allés, Victor et moi, à la réunion de
la gauche que j'ai présidée.

20 février.

Mme Olga Kovalsky, dame russe, m'envoie un
bouquet. Elle demeure à Pessac, près Bordeaux.

Aujourd'hui encore le peuple m'a acclamé comme
je sortais de l'Assemblée. La foule en un instant est
devenue énorme. J'ai été forcé de me réfugier chez
Martin Bernard qui demeure dans une rue voisine
de l'Assemblée.

J'ai parlé dans le onzième bureau. La question de
la magistrature (qui nous fait des pétitions pour que
nous ne la brisions pas) est venue à l'improviste.
J'ai bien parlé. J'ai un peu terrifié le bureau [3].

Petite Jeanne est de plus en plus adorable. Elle
commence à ne vouloir plus me quitter.

J'ai présidé ce soir la réunion de la gauche.

21 février.

Mᵐᵉ Porte, mon hôtesse de la rue de la Course, continue de m'envoyer tous les matins un bouquet par sa petite fille. J'ai embrassé l'enfant : « – *Comment t'appelles-tu? – Léonie* [1]. »

Après le déjeuner, je suis allé chez Samazeuilh, 14, rue Porte-Dijeaux, et j'ai touché 500 frs. sur la lettre de crédit (1.000 frs.) de MM. Mallet frères; je leur ai en outre communiqué la lettre d'avis des banquiers Heath et Cⁱᵉ de Londres mettant à ma disposition 304 £, 12 sh. 6 p., montant de mon semestre de consolidés anglais échu le 1ᵉʳ janvier 1871. J'ai fait une traite de cette somme (7.612 frs. 80); puis je suis rentré travailler chez moi, rue de la Course.

Le soir, j'ai présidé la réunion de la gauche.

22 février.

J'ai invité à dîner Louis Blanc et M. Gounouilhou, rédacteur-propriétaire de *La Gironde*, chez Lanta (38 frs.).

Après le dîner, nous sommes allés au punch offert à la gauche par le Cercle national de Bordeaux.

23 février.

J'ai invité à dîner Louis Blanc, Peyrat [2], Gounouilhou chez Lanta (43 frs.).

24 février.

J'ai présidé le soir la réunion de la gauche radicale.

25 février.

Le soir, réunion des deux fractions de la gauche, gauche radicale, gauche politique, rue Jean-Jacques

Bell, dans la salle de l'Académie. Ont parlé Louis Blanc, Emmanuel Arago, Vacherot, Jean Brunet, Bethmont, Peyrat, Brisson, Gambetta et moi.

Je ne crois pas que mon projet de fusion, ou même d'entente cordiale, réussisse. Schœlcher et Edmond Adam m'ont reconduit jusque chez moi.

26 février.

J'ai aujourd'hui soixante-neuf ans.

J'ai invité à dîner Mme Olga Volansky [1] et Louis Mie.

27 février.

Cette nuit, vers 2 heures, je ne dormais pas. Deux coups secs ont été frappés au chevet de mon lit. Bruit d'un marteau sur du bois.

– Visite de Mlle Henriette Seguin.

– J'ai donné ma démission de président de la gauche radicale pour laisser à la réunion toute son indépendance.

28 février.

Thiers a apporté à la tribune le traité. Il est hideux. Je parlerai demain. Je suis inscrit le septième ; mais Grévy, le président de l'Assemblée, m'a dit : « – *Levez-vous et demandez la parole quand vous voudrez. L'Assemblée voudra vous entendre.* »

Ce soir, nous nous sommes réunis dans les bureaux. Je suis du onzième. J'y ai parlé [2].

– J'ai eu à dîner Louis Blanc et Lockroy.

1er mars.

Aujourd'hui séance tragique. On a exécuté l'empire, – puis la France, hélas ! On a voté le traité Shylock-Bismarck. J'ai parlé [3].

Louis Blanc a parlé après moi et supérieurement parlé.

J'ai eu à dîner Louis Blanc et Charles Blanc.

Le soir, je suis allé à la réunion rue Lafaurie-Monbadon, que j'ai cessé de présider. Schœlcher présidait. J'y ai parlé. Je suis content de moi.

2 mars.

Charles est revenu. Grand bonheur [1].

Pas de séance aujourd'hui. Le vote de la paix a entrouvert le filet prussien. J'ai reçu un paquet de lettres et de journaux de Paris. Deux numéros du *Rappel*, 28 février et 1er mars.

Nous avons dîné en famille tous les cinq. Puis je suis allé à la réunion.

Puisque la France est mutilée, l'Assemblée doit se retirer. Elle a fait la plaie et est impuissante à la guérir. Qu'une autre Assemblée la remplace. Je voudrais donner ma démission. Louis Blanc ne veut pas. Gambetta et Rochefort sont de mon avis. Débat [2].

3 mars.

Ce matin, enterrement du maire de Strasbourg, mort de chagrin. Louis Blanc est venu me trouver avec trois représentants, Brisson, Floquet et Cournet. Il vient me consulter sur le parti à prendre quant aux démissions. Rochefort et Pyat, avec trois autres, donnent la leur. Mon avis serait de nous démettre. Louis Blanc résiste. Le reste de la gauche semble ne pas vouloir de la démission en masse.

Séance.

En montant l'escalier, j'ai entendu un bonhomme de la droite, duquel je voyais le dos, dire à un autre : « – *Louis Blanc est exécrable, mais Victor Hugo est pire.* »

Nous avons tous dîné chez Charles qui avait invité Louis Blanc et MM. Lavertujon [3] et Alexis Bouvier [4].

Le soir nous sommes allés à la réunion rue Lafaurie-Monbadon. Le président de l'Assemblée ayant fait aujourd'hui les adieux de l'Assemblée aux membres démissionnaires pour l'Alsace et la Lorraine, ma motion acceptée par la réunion (leur maintenir indéfiniment leur siège) est sans objet, puisque la question est décidée. La réunion semble pourtant y tenir. Nous aviserons.

Louis Blanc et Schœlcher m'ont reconduit jusque chez moi.

4 mars.

Réunion de la gauche. M. Millière propose, ainsi que M. Delescluze, un acte d'accusation contre le gouvernement de la Défense nationale. Il termine en disant que quiconque ne s'associera pas à lui en cette occasion est *dupe ou complice.* Schœlcher se lève et lui dit : « – *Ni dupe ni complice. Vous en avez menti.* »

Séance à l'Assemblée. J'y suis allé.

– J'ai invité à dîner Louis Blanc et Schœlcher.

Le soir, réunion. Louis Blanc, au lieu d'un acte d'accusation en forme de l'ex-gouvernement de Paris, demande une enquête. Je m'y rallie. Nous signons.

5 mars.

Louis Blanc est venu prendre le café avec nous. Nous sommes allés ensemble à la réunion de la gauche.

On parle d'une grande fermentation dans Paris. Le gouvernement qui reçoit ordinairement de Paris un minimum de quinze dépêches télégraphiques par jour, n'en avait pas reçu aujourd'hui une seule à six heures du soir. Six dépêches adressées à Jules Favre sont restées sans réponse. Nous décidons que Louis Blanc ou moi interpellerons le gouvernement demain sur la situation de Paris, si l'anxiété continue et si la situation n'est pas éclairée. Nous nous verrons avant l'ouverture de la séance.

Une députation de lorrains et d'alsaciens est venue nous remercier.

6 mars.

J. E. [1] Osc. 77, Chaussée d'Antin, Paris.
A midi, nous avons tous déjeuné en famille chez Charles. J'ai mené ces deux dames à l'Assemblée. Question du transfèrement de l'Assemblée à Versailles ou à Fontainebleau. Ils ont peur de Paris. J'ai parlé dans le onzième bureau [2]. J'ai failli être nommé commissaire. J'ai eu dix-huit voix, mais un M. Lucien Brun [3] en a eu dix-neuf. Pluie-averse à la sortie de l'Assemblée, puis je suis allé à la réunion rue Lafaurie. J'ai fait la proposition de nous refuser demain tous à discuter Paris, et de rédiger un manifeste en commun signé de tous, et déclarant que nous donnions nos démissions si l'Assemblée allait ailleurs qu'à Paris. La réunion n'a pas adopté mon avis et m'a engagé à discuter. J'ai refusé. Louis Blanc parlera.

7 mars.

Envoyé à Adèle, par Victor, 780 frs.

8 mars.

J'ai donné ma démission de représentant.
Il s'est agi de Garibaldi. Il avait été nommé en Algérie. On a proposé d'annuler l'élection. J'ai demandé la parole. J'ai parlé. Tumulte et rage de la droite. Ils ont crié : « – A l'ordre! » C'est curieux à lire au *Moniteur* [4]. Devant cette furie, j'ai fait un geste de la main, et j'ai dit : « – *Il y a trois semaines, vous avez refusé d'entendre Garibaldi. Aujourd'hui, vous refusez de m'entendre. Cela me suffit. Je donne ma démission.* »

– J'ai invité à dîner Louis Blanc et Peyrat (52 frs.).
– Je suis allé pour la dernière fois à la réunion de
la gauche [1].

9 mars.

Cette nuit, j'ai entendu, à mon chevet, les trois
coups.

Ce matin, trois membres de la réunion gauche
modérée, qui siège salle de l'Académie, sont venus
députés par la réunion, qui me prie, à l'unanimité de
deux cent vingt membres, de retirer ma démission.
M. Paul Bethmont portait la parole. J'ai remercié et
refusé [2].

Puis est venue une autre insistance, d'une autre
réunion, dans le même but. La réunion du centre
gauche, dont font partie MM. d'Haussonville et de
Rémusat, me prie, à l'unanimité, de retirer ma démission. M. Target portait la parole. J'ai remercié et
refusé [3].

Louis Blanc est monté à la tribune et m'y a fait ses
adieux avec grandeur et noblesse.

10 mars.

Mlle Fargueil [4]. Osc.
M. d'Estrem, venu de Paris exprès pour me parler.
– J'ai invité Louis Blanc à dîner.
Louis Blanc a parlé hier et aujourd'hui. Hier, de
ma démission [5]. Aujourd'hui de la question de Paris.
Noblement et grandement.

11 mars.

Nous nous préparons au départ.
– J'ai eu Schœlcher à dîner.

12 mars.

Force visites. Foule chez moi. M. Michel Lévy
vient me demander un livre. M. Duquesnel, directeur

associé de l'Odéon, vient me demander une pièce
(Ruy Blas). Nous partirons probablement demain.

Charles, Alice et Victor sont allés à Arcachon. Ils
reviennent dîner avec nous. J. J. très souffrante.

Petit Georges, souffrant aussi, va mieux.

Louis Blanc est venu dîner avec moi. Il va partir
pour Paris.

13 mars.

Cette nuit, je ne dormais pas, je songeais aux
nombres, ce qui était la rêverie de Pythagore. Je
pensais à tous ces *13* bizarrement accumulés et
mêlés à ce que nous faisons depuis le 1er janvier, et
je me disais encore que je quitterais cette maison,
où je suis, le 13 mars. En ce moment, s'est produit
tout près de moi le même frappement nocturne
(trois coups comme des coups de marteau sur une
planche) que j'ai déjà entendu deux fois dans ma
chambre.

— Mme Croissant (Claire), 15, rue des Filles-du-
Calvaire, Paris.

— Blaru [1], Genève, Hôtel Métropole.

— Letizia Rosamonde, Grand Hôtel, app. 73, à
Paris.

On crie mon portrait dans les rues.

Nous avons déjeuné chez Charles avec Louis Blanc.
J'ai été voir Rochefort. Il demeure rue Judaïque,
n° 80. Il est convalescent d'un érysipèle qui l'a mis
un moment en danger. Il avait près de lui MM. Alexis
Bouvier et Mourot [2] que j'ai invités à dîner aujour-
d'hui en les priant de transmettre mon invitation à
MM. Claretie, Guillemot [3] et Germain Casse [4], dont
je voudrais serrer la main avant mon départ.

— J. J. est très souffrante. Le médecin qui soigne
Rochefort, le docteur Rey, dit que ce sont des dou-
leurs néphrétiques.

En sortant de chez Rochefort, j'ai un peu erré
dans Bordeaux. Belle église en partie romane. Jolie

8

tour gothique fleurie. Superbe ruine romaine (rue
du Colisée) qu'ils appellent le palais Gallien.

— Visite de ma jolie hôtesse, Mme Porte.

Victor vient m'embrasser. Il part à six heures pour
Paris avec Louis Blanc.

A six heures et demie, je suis allé au restaurant
Lanta. MM. Bouvier, Mourot et Casse arrivent. Puis
Alice. Charles se fait attendre.

— Sept heures du soir. Charles est mort.

— Le garçon qui me sert au restaurant Lanta est
entré et m'a dit qu'on me demandait. Je suis sorti.
J'ai trouvé dans l'antichambre M. Porte, qui loue
à Charles l'appartement de la rue Saint-Maur, n° 13.
M. Porte m'a dit d'éloigner Alice qui me suivait.
Alice est rentrée dans le salon. M. Porte m'a dit :
« — *Monsieur, ayez de la force. M. Charles... — Eh
bien? — Il est mort.* »

Mort! Je n'y croyais pas. Charles! Je me suis
appuyé au mur.

M. Porte m'a dit que Charles, ayant pris un fiacre
pour venir chez Lanta, avait donné ordre au cocher
d'aller d'abord au café de Bordeaux. Arrivé au café
de Bordeaux, le cocher en ouvrant la portière avait
trouvé Charles mort. Charles avait été frappé d'apoplexie foudroyante. Quelque vaisseau s'était rompu.
Il était baigné de sang. Ce sang lui sortait par le nez
et par la bouche. Un médecin appelé a constaté la mort.

Je n'y voulais pas croire. J'ai dit : « — *C'est une
léthargie.* » J'espérais encore. Je suis rentré dans le
salon, j'ai dit à Alice que j'allais revenir et j'ai couru
rue Saint-Maur. A peine étais-je arrivé qu'on a rapporté Charles.

Hélas! mon bien-aimé Charles! Il était mort.

J'ai été chercher Alice. Quel désespoir!

Les deux petits enfants dorment.

14 mars.

Je relis ce que j'écrivais le matin du 13 au sujet
de ce frappement entendu la nuit.

Charles est déposé dans le salon du rez-de-chaussée de la rue Saint-Maur. Il est couché sur un lit et couvert d'un drap sur lequel les femmes de la maison ont semé des fleurs. Deux voisins, ouvriers, et qui m'aiment, ont demandé à passer la nuit près de lui. Le médecin des morts, en découvrant ce pauvre cher mort, pleurait.

J'ai envoyé à Meurice une dépêche télégraphique ainsi conçue :

« *Meurice, 18, rue Valois. – Affreux malheur. Charles est mort ce soir 13. Apoplexie foudroyante. Que Victor revienne immédiatement.* »

Le préfet a envoyé cette dépêche par voie officielle.

Nous emporterons Charles. En attendant, il sera mis au dépositoire. J'ai commandé un cercueil de chêne, doublé de plomb.

MM. Alexis Bouvier et Germain Casse m'aident dans tous ces préparatifs qui sont des déchirements.

A quatre heures, on a mis Charles dans le cercueil. J'ai empêché qu'on fît descendre Alice. J'ai baisé au front mon bien-aimé, puis on a soudé la feuille de plomb. Ensuite, on a ajouté le couvercle de chêne et serré les écrous du cercueil; et en voilà pour l'éternité. Mais l'âme nous reste. Si je ne croyais pas à l'âme, je ne vivrais pas une heure de plus.

Avant que le cercueil de Charles fût fermé, j'ai pris la pince du plombier et j'ai tracé sur la feuille de plomb au-dessus ces deux lettres : *V. H.* Une femme qui était là m'a dit : « *– On ne le verra pas.* » J'ai dit : « *– N'importe. Cela y est.* »

J'ai dîné près du lit de J. J. avec mes deux petits-enfants, Petit Georges et Petite Jeanne.

J'ai consolé Alice. J'ai pleuré avec elle. Je lui ai dit *tu* pour la première fois.

(Payé au restaurant Lanta le dîner d'hier, où nous attendions Charles, où Alice était, où je n'étais pas.)

15 mars.

Depuis deux nuits, je ne dormais pas. J'ai un peu dormi cette nuit.

— Crêpe à mon chapeau, 4 frs. Aux deux ouvriers qui ont veillé Charles, 20 frs. Aumônes, 100 frs.

Edgar Quinet est venu hier soir. Il a dit en voyant le cercueil de Charles déposé dans le salon : « — *Je te dis adieu et au revoir, grand esprit, grand talent, grande âme, beau par le visage, plus beau par la pensée, fils de Victor Hugo!* »

Nous avons parlé ensemble de ce superbe esprit envolé. Nous étions calmes. Le veilleur de nuit pleurait en nous entendant.

Le préfet de la Gironde est venu. Je n'ai pu le recevoir.

Ce matin, à dix heures, je suis allé rue Saint-Maur, 13. La voiture-fourgon des pompes funèbres était là. MM. Bouvier et Mourot m'attendaient. Je suis entré dans le salon. J'ai baisé le cercueil. Puis on l'a emporté. Il y avait une voiture de suite. Ces messieurs et moi y sommes montés. Arrivés au cimetière, on a retiré le cercueil de la voiture-fourgon, et six hommes l'ont porté à bras. MM. Alexis Bouvier, Mourot et moi, nous suivions, tête nue. Il pleuvait à verse. Nous avons marché derrière le cercueil.

Au bout d'une longue allée de platanes, nous avons trouvé le dépositoire, cave éclairée seulement par la porte. On y descend par cinq ou six marches. Il y avait plusieurs cercueils, attendant, comme va attendre celui de Charles. Les porteurs ont descendu le cercueil. Comme j'allais suivre, le gardien du dépositoire m'a dit : « — *On n'entre pas.* » J'ai compris et j'ai respecté cette solitude des morts.

MM. Alexis Bouvier et Mourot m'ont ramené rue Saint-Maur, 13.

Alice était en syncope. Je lui ai fait respirer du

vinaigre et je lui ai frappé dans les mains. Elle s'est réveillée et a dit : « – *Charles, où es-tu?* »

Je suis accablé de douleur.

16 mars.

Petite Jeanne souffre de ses dents. Elle a mal dormi.

Alice a désiré faire photographier Charles. On vient de m'apporter la photographie. La bouche, gonflée et tordue par la convulsion suprême, lui ôte de la ressemblance [1].

A midi, Victor arrive, avec Barbieux et Louis Mie. Nous nous embrassons en silence et en pleurant. Il me remet une lettre de Meurice et de Vacquerie.

Nous décidons que Charles sera dans le tombeau de mon père au Père-Lachaise, à la place que je me réservais. J'écris à Meurice et à Vacquerie une lettre où j'annonce mon départ avec le cercueil pour demain et notre arrivée à Paris pour après-demain. Barbieux partira ce soir et leur portera cette lettre.

Nous allons rue Saint-Maur. Victor a dîné avec nous. Alice est mieux.

– Facture des pompes funèbres, 428 frs.

17 mars.

Nous comptons partir de Bordeaux avec mon Charles, tous, ce soir à six heures. Je pense que Louis Mie nous accompagnera.

Nous sommes allés, Victor et moi, avec Louis Mie, chercher Charles au dépositoire. Nous l'avons porté au chemin de fer, gare du Midi. J'ai payé, pour le transport à Paris par express : 559 frs.

– Nous louons pour nous un wagon-salon (dix places) : 665 frs.

18 mars.

A la gare, on nous reçoit dans un salon où l'on me remet les journaux qui annoncent notre arrivée pour midi. Nous attendons. Foule, amis.

A midi, nous partons pour le Père-Lachaise. Je suis le corbillard, tête nue, Victor est près de moi. Tous nos amis suivent, et le peuple. On crie : « – *Chapeaux bas!* »

Place de la Bastille, il se fait autour du corbillard une garde d'honneur spontanée de gardes nationaux qui passent le fusil abaissé. Sur tout le parcours jusqu'au cimetière, des bataillons de garde nationale rangés en bataille présentent les armes et saluent du drapeau. Les tambours battent aux champs. Les clairons sonnent. Le peuple attend que je sois passé et reste silencieux, puis crie : « – *Vive la République!* »

Foule au cimetière. On a descendu le cercueil. Avant qu'il entrât dans la fosse, je me suis mis à genoux et je l'ai baisé. Le caveau était béant. Une dalle était soulevée. J'ai regardé le tombeau de mon père que je n'avais pas vu depuis l'exil. Le cippe est noirci. L'ouverture étant trop étroite, il a fallu limer la pierre. Cela a duré une demi-heure. Pendant ce temps-là, je regardais le tombeau de mon père et le cercueil de mon fils. Enfin, on a pu descendre le cercueil. Charles sera là avec mon père, ma mère et mon frère [1].

Puis, je m'en suis allé. On a jeté des fleurs sur le tombeau. La foule m'entourait. On me prenait les mains. Comme ce peuple m'aime, et comme je l'aime!

Nous sommes revenus en voiture avec Meurice et Vacquerie.

Je suis brisé, Mon Charles, sois béni.

– Au cimetière, dans la foule, j'ai reconnu Millière, très pâle et très ému, qui m'a salué, et ce brave Rostan. Entre deux tombes une large main s'est tendue vers moi et une voix m'a dit : « – *Je suis Courbet.* » En même temps j'ai vu une face énergique et cordiale, qui me souriait avec une larme dans les yeux. J'ai vivement serré cette main. C'est la première fois que je vois Courbet.

En rentrant, j'ai reçu une adresse du Club de

Belleville, tout à fait ardente et sympathique, signée *Millière*, président, et *Avrial*, secrétaire [1].

Mme Meurice a apporté une gerbe de lilas blancs qu'elle a jetée sur le cercueil de Charles. Vacquerie a parlé. Il a dit de belles et grandes paroles. Louis Mie aussi a dit à Charles un adieu ému et éloquent. Il y avait partout des barricades qui nous ont forcés à de longs détours.

— Nous sommes descendus à l'*Hôtel du Louvre*.

19 mars.

J'ai retenu à dîner mes amis M. et Mme Meurice, M. et Mme Ernest Lefèvre et Auguste Vacquerie, pour tout le temps de mon séjour ici. Ils distraient Alice. Evénements dans Paris [2].

20 mars.

Alice est allée ce matin au tombeau de son mari.

21 mars.

Nous comptons partir demain soir pour Bruxelles [3].

— Je ne dors plus.

— Alice, ce matin, m'a apporté Petit Georges et Petite Jeanne, qui ont joué sur mon lit.

Dépenses à l'*Hôtel du Louvre*, quatre jours : 580 frs.

Huit première classe pour Bruxelles : 288 frs. 30.

22 mars.

Partis de Paris hier soir à neuf heures, nous arrivons à Bruxelles à deux heures. Nous descendons, moitié *Hôtel de la Poste*, moitié place des Barricades.

A Quiévrain, j'ai invité à déjeuner M. Piteau [4], qui nous avait donné l'hospitalité, le 28 août 1868. Il m'a vu accompagner le cercueil de ma femme; il me revoit revenant de l'enterrement de Charles.

– Je dépose entre les mains de J. J., pour ses dépenses à l'*Hôtel de la Poste*, 1.800 frs.

Mme Jules Simon avant-hier quand elle est venue me voir me disait : « – *Nous sommes déplorablement installés à Versailles* [1]. *Le plafond sent le palais, le plancher sent l'ambulance. De l'or en haut, du sang en bas. Nous couchons dans des galetas qui ont des lambris de pourpre. Nos lits n'ont qu'un matelas. D'immenses salles glaciales et démeublées, ce sont nos chambres; on ne saurait voir plus de misère dans plus de faste.* »

J'ai vu M. Bérardi [2]. Berru est venu. Je l'ai retenu à dîner. En rentrant place des Barricades, j'ai pris mon bain froid; comme je m'essuyais — j'étais seul et nu — une voix a murmuré très doucement à mon oreille : « – *Monsieur Victor Hugo.* » J'ai cru reconnaître la voix de ma femme.

23 mars.

Cette nuit, j'ai entendu les trois frappements. J. J. m'a dit les avoir entendus aussi.

J'ai déjeuné à l'*Hôtel de la Poste*. Mon ancien collègue de la Constituante, Adelsward, est venu. J'ai été chez le notaire. Mme Bérardi est venue voir Alice. M. Frédérix est venu; je l'ai invité à dîner.

– Continuation des troubles à Paris.

24 mars.

Paul Foucher vient d'arriver.

Envoyé secours à C. Mont. [3] 50 frs.

Collision dans la garde nationale. Raphaël Félix aurait été tué, M. de Pène blessé.

Faux bruits.

– Sec. à Simon, Tilly 16, Eva, au 4e, 5 frs.

– J'envoie à Julie [4] 14 L. st.

L'état de Paris est grave, surtout à cause des prussiens qui sont là, tenant la ville sous leur canon.

Thiers, en voulant reprendre les canons de Belleville, a été fin là où il fallait être profond. Il a jeté l'étincelle sur la poudrière. Thiers, c'est l'étourderie préméditée. En voulant éteindre la lutte politique, il a allumé la guerre sociale [1].

25 mars [2].

Les frappements nocturnes continuent.

Petite Jeanne se tient droite, et marche d'une chaise à l'autre.

J'ai invité à dîner Paul Foucher pendant tout le temps de mon séjour.

M. Ludwig Wilh [3], le poète allemand, est à Bruxelles. Il m'envoie un sonnet qu'il m'adresse en allemand, avec la traduction en français.

La situation s'aggrave à Paris.

– J'ai vu le notaire; le conseil de famille à l'étranger ne peut être que provisoire. Il aura lieu lundi 27.

26 mars.

Les créanciers commencent à apporter leurs notes. M. Conaes réclame 16.790 frs. [4].

Le conseil de famille sera ainsi composé : le juge de paix, président; côté paternel, moi, Victor, Paul Foucher; côté maternel (amis) MM. Bérardi, G. Frédérix et C. Berru. Il se réunira demain chez moi, place des Barricades. Le juge de paix s'y transportera.

– Cette charmante Marie de C., qui avait épousé Laferrière et venait d'accoucher, est morte. Deuils partout.

27 mars.

Le conseil de famille s'est réuni chez moi ce matin. J'ai accepté d'être subrogé tuteur.

Paris est apaisé [5]. Les élections communales vont avoir lieu.

Clément Thomas, qui vient d'être si étrangement
tué à Montmartre par une espèce de tribunal de
francs-juges, avait été proscrit au coup d'Etat. En
février 1852, il vint me voir à Bruxelles. J'étais logé
en compagnie de mon Charles, Grand'Place, nº 16.
Clément Thomas avait à peu près mon âge. Nous
causâmes longtemps. C'était un républicain sincère,
mais de l'école étroite et formaliste du *National*. Il
avait du reste pris Charles en grande amitié. Tous
deux sont morts [1].

28 mars.

M. Ludwig Wilh vient me voir après mon déjeuner.
Il m'annonce que *L'Etoile belge* publie ma nomination à Paris comme membre de la Commune. Blanqui
et Flourens seraient aussi élus.

29 mars.

Ma nomination ne semble pas se confirmer. Tant
mieux.
L'inventaire du mobilier de Charles par l'expert a
commencé aujourd'hui.
— Secours à Maigre, Canon 31, 5 frs.

30 mars.

Vocabulaire actuel de Jeanne : *Papa* (son père),
Papapa (moi), *Ouaoua* (les bêtes à quatre pattes),
Coco (les bêtes à deux pattes), *Cocohouco* (les poules),
Aboua (prenez-moi dans les bras), *Paté* (par terre ;
je veux marcher), *Cacane* (une petite fille).

31 mars.

Visite du correspondant de *La Tribune de New-
York.*
— Le notaire est venu. Alice et moi avons signé

l'inventaire; il se monte à un peu plus de 18.000 frs.
Le dossier des sommes réclamées jusqu'à ce jour,
sauf d'autres réclamations possibles, donne un total
d'un peu plus de 26.000 frs.

3 avril.

Je ne reçois plus de lettres de Paris. La poste n'y
est plus distribuée. La crise devient aiguë.

— Mon avis serait de sevrer Petite Jeanne; la nourrice me paraît très fatiguée, Alice semble ne pas s'en
apercevoir. Le docteur est de mon avis. Jeanne va
être sevrée immédiatement.

4 avril.

Cette nuit, pour la première fois, Jeanne n'a pas
tété. Elle a pleuré, puis s'est endormie. Ce matin, au
petit jour, elle s'est réveillée doucement et, de ma
chambre, je l'ai entendue qui disait : «—*Papa, Papa.*»
Petit Georges est venu jouer sur mon lit.

— Chose poignante, on se bat entre français. La
guerre a éclaté entre Paris et Versailles.

— C'est aujourd'hui le cortège du *Bœuf Sarlabot* [1].
J'y ai mené Petit Georges et Petite Jeanne.

— On démolit décidément la vieille tour de la porte
de Laeken; un nommé Anspach, bourgmestre et
idiot, déclare qu'elle est laide. Cela suffit.

Minuit. Hier bataille sous les murs de Paris. Flourens a été tué. Très brave et un peu fou. Je le regrette.
C'était le chevalier rouge.

5 avril.

Secours à Laurett-Second [2] et rue Verte, 69, 5 frs.
(ouvrier tailleur; au second).

6 avril.

Georges est venu ce matin jouer sur mon lit. Il
pense toujours au cortège d'avant-hier. Il m'a dit :

« – *Papapa, veux-tu que je m'appelle Petit Sarlabot?* »
J'ai répondu oui.

– Je suis entré aujourd'hui pour la première fois
au Jardin Botanique; j'étais avec elle [1].

– Marie, la nourrice de Jeanne, est partie aujour-
d'hui. Elle était voleuse, mais elle aimait Jeanne; je
la regrette.

– J'ai invité M. Ludwig Wilh à prendre le café
avec nous.

– Secours à Henri [2], rue de la Rivière, 22 (tailleur),
5 frs.

7 avril.

Il y a aujourd'hui dix ans qu'ici même, à Bruxelles,
le 7 avril 1861, j'ai commencé, sur le conseil du docteur Deville [3], mes affusions quotidiennes d'eau
froide. Si mon Charles m'avait écouté, et eût suivi
cette hygiène, il vivrait encore.

8 avril.

Nous sommes allés avec Victor chez le notaire. Il
nous a communiqué le dossier des dettes de la communauté. Les dettes déclarées à Bruxelles s'élèvent
à un peu plus de 30.000 frs.

– Secours au même Henriet [4], tailleur, 5 frs. (m'a
pris mesure de gilets de flanelle).

– La lave, qui avait coulé tout l'hiver du Vésuve,
s'est arrêtée le 13 mars.

9 avril.

C'est aujourd'hui Pâques.

– Visite de M. Dreyfus qui arrive de Paris. Il vient
de rencontrer, me dit-il, dans la rue Fossé-aux-Loups,
Canrobert. Bruxelles est plein de bonapartistes qui
attendent. Quoi?

M. Ernest Lefèvre vient d'arriver. Victor penchait

la tête à ma fenêtre, place des Barricades, il m'a dit :
« – *Tiens! Ernest Lefèvre!* » En effet, M. Ernest
Lefèvre était à la porte et sonnait.

Voici ce qui lui est arrivé : il a donné avant-hier
sa démission de membre de la Commune, et s'est
hâté de quitter Paris. Il nous a dit : « – *Ceci est le
dilemme* [1], *démissionnaire aujourd'hui, fusillé demain.
Cette Commune est folle. On y délibère en secret. On y
parle le revolver au poing. Delescluze et Pyat provoquent
les résolutions violentes, et s'esquivent au moment du
vote.* » Lors de leur décret des suspects, Ernest
Lefèvre ayant demandé l'appel nominal, Delescluze,
qui voulait voter pour sans qu'on connût son vote,
s'est emporté et a menacé Ernest Lefèvre. Le préfet
de Police, un nommé Raoul Rigault, dit : « – *J'admire
Marat, mais il était mou.* » Ernest Lefèvre ayant
appelé un membre *l'honorable* citoyen a été accablé
d'injures comme entaché de parlementarisme.

Bref, cette Commune est aussi idiote que l'Assemblée est féroce. Des deux côtés, folie. Mais la France,
Paris et la République s'en tireront.

– Aux 30.000 frs. de dettes d'ici, il faut ajouter
(lettre d'avis de Barbieux) 4.135 frs. dus au *Rappel*
et, à ce qu'il paraît, 8.000 frs. de billets payables
chez le docteur Émile Allix. Il y aura en outre les frais
d'enterrement à Paris et du notaire à Bruxelles.

J'ai prévenu Victor qu'il fallait qu'Alice rendît le
châle non payé (châle à palmes d'or, 1.000 frs.) et
qu'en aucun cas je ne le paierais, ne voulant pas faire
supporter cette perte de plus aux deux petits enfants
mineurs.

11 avril.

Cette nuit, au moment de me coucher, à minuit,
j'ai pensé qu'il fallait que je fusse éveillé à 7 heures
du matin. Puis je me suis endormi. Ce matin, je dormais profondément, quand trois coups secs frappés
à mon chevet m'ont réveillé en sursaut. J'ai regardé
ma montre. Il était 7 h. précises.

— Arrivée de Mlle Thurel.

Le jour où nous avons dîné pour la première fois au Pavillon de Rohan, Flourens a dîné avec nous ainsi que son aide de camp, Cipriani, un grec qu'il m'a présenté. Flourens était alors *major de rempart* nommé par le général Trochu. Le capitaine Cipriani a été blessé à côté de Flourens tué. Il est en ce moment prisonnier à Versailles.

— Mlle Thurel m'a apporté un énorme paquet de lettres de Paris.

12 avril.

Visite de Mlle Thurel.

13 avril.

Paris, muré de nouveau, s'éclaire de nouveau au pétrole. Plus de gaz.

On se bat à la barrière de l'Etoile. Ce qui n'empêche pas la foire au pain d'épice à la barrière du Trône. Tel est Paris.

14 avril.

Pierre Leroux est mort [1].

— Cette nuit, vers deux heures, frappements.

— J'ai mené Jeanne voir les marionnettes sur la place.

Reçu le billet de faire-part de la mort de Flourens, ainsi conçu :

M.
Madame veuve Flourens, E. Emile Flourens et M. Abel Flourens ont l'honneur de vous faire part de la perte douloureuse qu'ils viennent de faire en la personne de
Monsieur Paul Gustave Flourens
leur fils et frère, mort le 3 avril 1871 dans la trente-sixième année de son âge.

15 avril.

Ce matin, j'ai fait contre la guerre civile les vers intitulés « *Un cri* »[1]. Je les envoie à Paris.

– Sec. à Amandia, r. Chaumière, 2, au second, *n*, 5 frs.

Alfred Asseline est de retour à Bruxelles; il vient de Paris; il n'a pu partir qu'à grand'peine et caché dans le compartiment des dépêches.

16 avril.

Cette nuit, vers 2 heures, trois frappements profonds et sourds, presque terribles.

17 avril.

M. Ludwig Wilh a traduit en vers allemands, pour les journaux allemands, mes vers contre la guerre civile.

Les gens de Versailles ont fait arrêter Lockroy.

– Je suis allé toucher mon année à la Banque Nationale : 39.150 frs. et j'ai déposé en compte chez le notaire, pour liquider les dettes immédiatement exigibles de la communauté de Charles, 31.000 frs.

– Je me suis commandé chez Collart, rue Neuve, au prix de 160 frs., un vêtement noir complet (le paletot doublé de soie, y compris les manches).

– J'ai eu M. Pierre Véron à dîner.

18 avril.

J'écris à la Banking Company de Guernesey qu'elle peut se rembourser de la traite impayée de Charles (1.200 frs.) sur l'argent qu'elle a à moi en compte-courant.

19 avril.

J'ai été voir Mme Véron. Elle part demain jeudi pour Paris, reviendra samedi et dînera chez moi avec son mari dimanche.

Mes vers contre la guerre civile : « *Un cri* » sont dans le *Rappel.*

20 avril.

La lutte s'aggrave à Paris. Ulbach arrêté à Paris, Lockroy à Versailles.

– Ce soir, incident B. [1].

– Victor est revenu coucher à la maison.

21 avril.

Cette nuit, j'ai entendu Jeanne crier. Je me suis levé et je suis allé voir; ce n'était rien.

– Alice a reçu de Mme Jules Simon une lettre indignée contre les gens de la Commune. Elle se plaint du pillage chez elle.

22 avril.

Frappements cette nuit.

Le *Rappel* a publié mes vers : « *Pas de représailles* [2]. »

J'avais écrit plus haut sur Pierre Leroux une ligne vraie et juste, mais dure. Je l'efface.

– La princesse Sophie Galitzin m'envoie de Vienne, où elle habite l'*Hôtel de Londres*, un coussin brodé par elle, avec ce billet : « *Pour reposer votre glorieuse tête.* » J'ai donné le coussin à J. J.

23 avril.

Petite Jeanne a six dents.

Mes vers « *Pas de représailles* » sont reproduits par les journaux de France et d'Europe.

– Ce matin, j'ai eu un succès près de Jeanne. Je lui ai appris à faire main morte. Cela l'enchante. Elle m'a remercié en ces termes : « *Kia, kia, kia.* »

– Outre l'huile de foie de morue, je fais manger à Jeanne de la viande crue (mouton); je la lui coupe et la lui émiette moi-même dans sa petite bouche.

– Lockroy est en prison à Versailles, Ulbach en prison à Paris, Pierre Véron en exil à Bruxelles; cela caractérise la situation.

24 avril.

Félix Pyat a donné sa démission de la Commune et a déclaré dans le *Drapeau* que c'était à cause de la suppression de quatre journaux. Là-dessus, séance de la Commune où le membre Clément, appuyé par une foule d'autres, déclare que Pyat a approuvé la suppression des journaux, et que sa démission est une désertion.

Dans la même séance, le citoyen Delescluze déclare qu'il ne quittera pas la Commune et *qu'il se fera tuer* [J'en doute] [1].

25 avril.

Emile Deschamps [2] est mort à Versailles. Il avait quatre-vingts ans. Charmant talent, charmant esprit, cœur charmant.

27 avril.

Armistice de quelques heures entre Versailles et Paris.

– Sec. à Mathil. [3], gantier, 18, r. aux Choux, 5 frs.

– Depuis mon départ de Bordeaux, ma vie errante fait que j'ai donné beaucoup moins de secours. Presque tous ceux que j'ai donnés n'ont pas dépassé 5 frs. et 10 frs. J'en ai donné pourtant quelques-uns de 100 frs. et de 50 frs. Récapitulation faite, le chiffre des secours que j'ai donnés depuis trois mois est de 1.275 frs. [1].

28 avril [2].

Cette nuit, vers 2 heures, frappements très forts à mon chevet.

— J'ai été chez le notaire hâter la fin de la liquidation, mon devoir pouvant d'un moment à l'autre me rappeler à Paris [3].

— J'ai autorisé Mariette à donner à tous les pauvres qui se présenteraient et qu'elle jugerait honnêtes, des secours ne dépassant pas 1 fr. chacun.

29 avril.

Cette nuit, à la même heure, triple frappement très fort, faisant le bruit de trois coups de cravache sur la colonne de mon lit. Je n'avais jamais entendu ce genre de frappement-là. J'ai prié pour l'inconnu invisible, quel qu'il soit.

Il reste à payer pour la communauté de Charles :

à Bordeaux (facture Porte). . . .   40 f. 50
à Paris (facture Oudard, soieries) .   363 f. 50
à Jersey (remboursement Nicole) .   500 f.
à Guernesey (traite). . . . . . .   1.200 f.
à Victor (dette). . . . .   2.315 f. 37

J'ai, en outre, payé pour les frais d'inhumation : 2.147 frs. Je restais devoir à la communauté de Charles et d'Alice 30.800 frs. [4]. Je suis donc libéré, et au delà, envers la communauté et je ne lui dois plus rien. Mon intention est de servir à Alice 12.000 frs. par an, don purement volontaire et par conséquent révocable. Dès aujourd'hui, j'ai remis pour elle à Victor, pour mai prochain, 1.000 frs.

La communauté reste devoir :

1° Les frais d'inhumation à Paris.
2° Dette au *Rappel* : 4.000 frs.
3° Réclamation Barbieux : 8.000 frs.

On affectera à l'amortissement de ces dettes les droits
d'auteur du drame des *Misérables* (le tiers de Charles
et le mien ; j'y consens) qu'on va jouer prochainement
à la Porte-Saint-Martin [1].

– Grave incident à propos de Petite Jeanne. Colère
de la mère contre Mariette, qui est plus mère qu'elle.
Colère contre moi. Je menace de partir. Victor inter-
vient avec bon sens. Je pardonne. Cela s'arrange.

– M. G. Frédérix a dîné avec nous. Je lui ai donné
mon dessin au crayon rouge de la vieille tour de
Laecken, à condition qu'il plaidera dans l'*Indépendance belge* pour la conservation de cette tour. Il a
promis [2].

30 avril.

Cette nuit, deux frappements, mais faibles.

– J'ai donné à Petit Georges trois leçons de lecture
et d'écriture mêlées.

Les journaux annoncent qu'on n'a pu retrouver
le ballon *Victor-Hugo* qui, parti de Paris en octobre
1870, était allé s'abattre en Belgique. Moi, pendant
ce temps-là, j'étais parti de Belgique et j'étais allé
m'enfermer à Paris.

– A cinq heures, dernières formalités de la liquidation. Le notaire est venu et nous a donné lecture
de l'acte définitif qui me reconnaît déchargé de toute
redevance. Alice et moi avons signé.

– J'ai acquitté toutes les dépenses d'Alice depuis
le 13 mars.

1er mai.

J'ai donné à Georges sa quatrième leçon de lecture
et d'écriture.

2 mai.

Le cocher qui m'a amené avant-hier avec Jeanne
s'était absenté un moment pour boire un verre de

faro, ce qui n'est pas un crime. Pendant son absence,
Mariette est revenue avec Jeanne pour prendre sa
voiture. Il n'y était pas. Mariette en a pris une autre.
Le cocher, sorti de son verre de bière et de son cabaret, a attendu. Personne. Mariette était partie. Il a
attendu plusieurs heures. Son maître lui réclame
9 francs. Le cocher est venu me les demander avec
insolence. Je les ai refusés. Il est revenu me les
demander en me disant : « – *Je suis père de six
enfants* »; je les lui ai donnés, plus son pourboire
qu'il ne demandait pas (10 frs.).

– Sec. à Mathil., gantier, *n.*, 18, rue aux Choux,
5 frs.

– Ce soir, à minuit, clair de lune; j'ai entendu, dans
les arbres de la place des Barricades, chanter un
rossignol. Etait-ce une de mes chères âmes?

3 mai.

J'ai terminé dans la journée, et lu le soir en
famille « *Les deux trophées* [1] ».

A minuit, le rossignol. En même temps, j'entendais Jeanne endormie dire en rêvant : « *Papa.* »

4 mai.

J'envoie par Paul Meurice un secours à C. Montab. [2] (victime de la guerre) : 50 frs.

6 mai [3].

On annonce la démolition de la colonne pour le
8 mai. Ma protestation *(« Les deux trophées »)* arri-
vera-t-elle à temps?

Garibaldi m'a écrit [4]. Sa lettre m'est transmise par
le général Bordone qui est arrêté, et au secret, dans
les prisons de Marseille.

– Je suis aujourd'hui monté pour la première fois
dans l'omnibus du chemin de fer américain-belge de

Bruxelles. J'ai emmené Petite Jeanne. Nous avons fait une promenade au bois de la Cambre [1].

– Ce soir, en rentrant, j'ai rencontré une pauvre chanteuse des rues avec sa guitare, qui rentrait aussi. Elle pleurait; elle est mariée, se nomme Rosalie Wolf et ne savait où loger. Je lui ai donné 5 frs.

– Poële. *R. est celle-là* [2]. A. Tattet.

7 mai.

Détail local : 2, rue Rempart-du-Nord, derrière la place des Barricades, on a un cigare, un verre d'eau-de-vie, une tasse de café, et une femme, pour 25 centimes (affirmé par Asseline).

– Promenade nous deux, plus Petite Jeanne, au bois de la Cambre; 2 heures de calèche : 5 frs. 50.

– Sec. à Berthel (c. du 31 août 1870) [3], 15, r. du Casino, au rez-de-chaussée, 5 frs. 50.

8 mai.

Le *Rappel* m'arrive. Il contient « *Les deux trophées* ». Cela a paru hier à Paris, mais c'est aujourd'hui que doit s'accomplir cette inepte démolition de la Colonne. Enfin, j'aurai fait mon devoir.

9 mai.

Secours : Berthel, Eva, 5 frs.
          La Vierge noire, 17, Prairie.
          Hann, dix-huit, 16, Prairie, poële, 5.65.
          n. 3, rue Argent [4].

– Cette nuit, frappements.

Acheté le pamphlet Fonvielle sur les gens de la Commune (1 fr.) [5].

10 mai.

Fonvielle caractérise ainsi Delescluze : « *Il est né vieux et envieux* ».

– Sec. à Justin, t. n. [1], 5 frs.

– La colonne devait être jetée bas le 8 mai; mes vers «*Les deux trophées*» ont paru le 6 et il y a eu sursis. Le Comité dit de Salut Public s'est réuni à ce sujet. La délibération ne transpire pas, mais la colonne est encore debout.

11 mai.

Le Comité de Salut Public, qui avait hésité, devant mes vers « *Les deux trophées* », à renverser la Colonne, vient d'être destitué. La Commune le remplace par un Comité nouveau où figure le citoyen Delescluze. On annonce que la Colonne sera jetée sur le pavé aujourd'hui 11 mai.

- Paris est de nouveau muré. Les lettres de Paul Foucher à l'*Indépendance belge* sont interceptées.

– G. Frédérix est, dit-on, gravement malade de la moelle épinière.

12 mai.

Visite du peintre Stevens qui va partir pour Paris. Je l'invite à dîner pour demain, ainsi que son frère.

13 mai.

Secours à Justin, t. n., 5 frs.

Paul Foucher a failli être arrêté par ordre de la Commune. Il s'est échappé. Il est à Versailles. Schœlcher est arrêté. Par qui? Par ceux de Versailles? Non. Par ceux de Paris. Ernest Lefèvre est prévenu par moi (avisé par le colonel Laussedat [2] qui arrive de Francfort, où sont Favre et Bismarck) qu'il y a un ordre d'extradition signé contre tous les membres de la Commune, et qu'il n'en est peut-être pas excepté. (Dès que Thiers sera maître de Paris.)

14 mai [1].

Cette nuit, à 4 h. 1/2, frappement très doux.

Auber est mort. Il avait quatre-vingt-neuf ans.
Musique italienne. Charmante, quelquefois belle,
quelquefois vulgaire. Rossini en haut, Auber à mi-
côte, Adam en bas. Trois maîtres de même race, l'un
confinant au sublime, l'autre au vulgaire; mais le
premier ayant quelque chose des défauts du dernier,
et le dernier quelque chose des beautés du premier.

15 mai.

La Commune fait démolir la maison de Thiers.
Odieux et bête.

16 mai.

Bizarre incident des crayons perdus et retrouvés.

— Laussedat nous a annoncé comme positif que
d'ici à trois jours, mettons huit, Thiers serait jeté
bas, et Changarnier président nominal des ministres
avec Dufaure comme chef réel.

17 mai.

Cette nuit, trois frappements très étranges et très
distincts. Le premier, en pleine nuit, vers 2 heures;
le second, un peu avant l'aube; le troisième à 6 h. 1/2,
au grand jour.

— Visite de l'abbé Michon [2], qui a désiré m'être
présenté par Berru.

— La Colonne a été renversée hier mardi 16 mai
1871, à cinq heures du soir. Elle est maintenant sur
le pavé, en trois morceaux.

— J'ai invité à dîner M. Maurice Dreyfus, et M. Ludwig Wilh à prendre le café avec moi. J'ai lu les vers
« *Fraternité ajournée* » [3]. Victor est d'avis de les envoyer au *Rappel*.

18 mai.

J'ai reçu la visite de deux notables cubains venus pour me remercier au nom de leurs compatriotes de ce que j'ai fait, en toute occasion, pour soutenir les droits de Cuba[1].

Titres entre lesquels j'hésite pour mon livre sur Paris : *Paris combattant, Paris martyr, Le Drame de Paris, L'Epopée de Paris.* Tous iraient au livre. J'y songerai.

19 mai.

Mariette m'a dit ce matin : « *— Monsieur, j'ai entendu hier frapper trois coups au milieu de la nuit.* » Ce sont ceux que j'avais entendus. Je n'ai rien répondu.

Incident bizarre du porte-monnaie trouvé dans la sangle du lit; quelques centimes dedans, et une boucle de cheveux blonds; quelques minutes après, les cheveux avaient disparu. Impossible de les retrouver.

— Autre incident : vers cinq heures du matin, grand soleil, je travaillais dans mon lit, j'étais seul. Tout à coup [*ce qui suit, formant plusieurs lignes, est soigneusement effacé*] : Quand les incidents s'expliquent, je le note. Celui-ci s'est expliqué. De là cette rature.

20 mai.

Petite Jeanne a percé sa septième dent. Elle souffre encore d'une grosse, qui va venir.

21 mai.

Secours à Horten[2], musicien, 5 frs.
[*Au-dessous, une coupure, collée, du* Salut Public :

« *On vient d'arrêter à Paris le curé Raymond, directeur
de l'Orphelinat du Boulevard Victor Hugo, 40, accusé
d'un détournement de fonds considérable.* »]

22 mai.

Aujourd'hui, sa fête [1].

23 mai.

Hier et aujourd'hui, j'ai été averti par un frappement que l'heure mentalement fixée par moi pour
mon réveil était arrivée.

— Hann, dix-huit, 3, rue Argent. Sec., 5 frs.

— L'armée de Versailles est entrée dans Paris. Billioray est tué [2], Grousset [3] est en fuite, Pyat est
caché.

24 mai.

Fête de Petite Jeanne. Je la fais déjeuner avec moi,
ainsi que Petit Georges. Victor et Alice font les hon-
neurs de la fête avec moi; joujoux, gâteaux. Grande
joie des petits enfants. J'envoie pour les pauvres,
victimes du siège de Paris, 500 frs.

Le bruit court que le Louvre et les Tuileries
brûlent. Je ne puis le croire.

Rochefort, arrêté à Meaux, a été amené en plein
jour à Versailles et livré aux huées de la populace.
Indigne exhibition. *Turba* [4].

— On croit le Louvre sauvé.

25 mai.

L'Assemblée de Versailles a voté la reconstruction
de la Colonne. On mettra en haut la statue de la
France. C'est le conseil que j'avais donné.

— Les grandes chaleurs sont brusquement venues.
Petite Jeanne est un peu languissante.

— Sec. à Mathildacheaux, pr. [5], 5 frs.

– Fait monstrueux. Ils ont mis le feu à Paris. On envoie jusqu'en Belgique chercher des pompiers. Ceux de Bruxelles viennent de partir à toute vapeur.

J'ai écrit ma protestation contre le déni d'asile du gouvernement belge aux vaincus de la Commune. Elle sera demain dans l'*Indépendance* [1].

27 mai.

Ma protestation en faveur du droit d'asile a paru. Polémique.

– L'incendie de Paris diminue. Force lettres et visites me remerciant et me félicitant de ma protestation pour le droit d'asile.

– Sec. à N. P. E., r. Justin, 20, premier, 5 frs. [2].

– Ce soir, je suis rentré à onze heures et demie; par un hasard qui m'a sauvé peut-être, au lieu de rentrer par mon chemin ordinaire, la rue Sablonnière, je suis rentré par la rue Notre-Dame-aux-Neiges. Vers minuit et demi, comme je venais de me coucher et comme j'allais m'endormir, on sonne. J'écoute. On sonne. Je me lève, je passe mon caban. Je vais à la fenêtre et je l'ouvre, encore à demi endormi. « – *Qui est là ?* » — Une voix répond : « – *Dombrowsky* [3]. » Je pense ou je rêve : Est-ce qu'il ne serait pas mort, aurait-il lu ma lettre, et vient-il me demander asile ? Comme j'allais descendre pour ouvrir, une grosse pierre frappe le mur, et je vois une foule d'hommes dans la place. Je comprends que c'est un guet-apens. Je m'avance à mi-corps hors de la fenêtre et je crie à ces hommes : « – *Vous êtes des misérables !* » Puis je referme la fenêtre. En ce moment une pierre énorme brise la vitre-glace juste au-dessus de ma tête et vient tomber dans la chambre. Le rideau s'envole et s'accroche au lustre de Saxe qui est au plafond. Et j'entends ces cris : « – *A mort Victor Hugo ! A mort Jean Valjean ! A mort Clancharlie* [4] ! *A la lanterne ! A la potence ! A mort le brigand ! Tuons Victor Hugo !* » L'assaut de la maison a commencé en règle. La vaillante Mariette a été verrouiller la porte. La porte a résisté. Ils ont tenté l'escalade. Les volets du rez-de-chaussée ont résisté. Une pluie de pierres a lapidé la maison. Ils criaient : « *A mort!* » Jeanne, qu'une pierre a effleurée dans ma chambre, me regardait avec ses grands yeux étonnés. Petit Georges disait : « – *Ce sont les prussiens.* » Louise et Adeline poussaient des cris de terreur. Alice et Mariette, montées sur le châssis de la serre, appelaient éperdument au secours. Je me taisais. J'attendais. Pas une fenêtre ne s'est ouverte. Pas un secours n'est venu. Il paraît que la police était occupée ailleurs. C'était un guet-apens réactionnaire et bonapartiste que le ministère clérical belge tolérait un peu. Cela a duré deux heures. La porte ayant tenu bon, grâce au verrou mis par Mariette, ils s'en sont allés au petit jour. Quand tout a été fini, la police est venue. Le cri « *A mort Victor Hugo! A mort le brigand!* » emplissait la place. Comme je défends le droit d'asile, je suis un brigand, et comme je ne veux pas qu'on tue, il faut me tuer.

Cinquante ou soixante hommes armés de pierres et de bâtons ont assiégé pendant deux heures, la nuit, dans une maison, un homme de soixante-neuf ans, quatre femmes et deux petits enfants. J'étais sans armes. Je n'avais pas même une canne. J'ai vu de près cette vilaine mort, l'assassinat. L'assaut a eu trois reprises furieuses. Puis il y avait des silences. Dans les intervalles, j'entendais au fond de la place le chant du rossignol.

28 mai.

Gustave Courbet, prisonnier, s'est empoisonné[1]. Il est mort. C'était un talent. Il m'avait serré la main au cimetière le jour de l'enterrement de Charles. Je le voyais pour la première fois. Pour la dernière aussi.

Je regrette Courbet.

– Le commissaire de police est venu chez moi cons-

tater les dégâts de la nuit. Pierres, verre brisé,
rideaux déchirés, etc. Petite Jeanne regarde ce
désordre et dit : « *caca* ».

— Après le dîner, sur invitation pressante, à
8 heures du soir, je suis allé à la Sûreté (qui est comme
la préfecture de police de Bruxelles) et j'ai causé avec
le préfet qui s'intitule administrateur et qui s'appelle
(signature illisible). J'ai eu avec lui une conversation
très grave, à la suite de laquelle, si je n'ai satisfaction,
il sera de ma dignité de quitter la Belgique. J'ai
donné au gouvernement belge ses huit jours.

J'écrirai cette conversation. A un certain moment,
ce monsieur m'a dit : « — *Le gouvernement belge a de
la bienveillance pour vous.* » Je lui ai répondu : « — *J'ai
de la bienveillance pour le gouvernement belge, mais je
lui défends d'en avoir pour moi. Je ne veux pour moi
que la justice.* »

Je crois, pour mes petits-enfants, devoir ne pas
coucher chez moi. Alice couche chez Mme Berru, avec
Georges. Je coucherai avec Jeanne à l'*Hôtel de la
Poste*. La maison sera déserte.

                                          29 mai.

Cette nuit, il y a eu devant ma maison rassemble-
ment de jeunes élégants sortant de Wauxhall. Ils
m'ont hué et sifflé, absent. Un régiment de ligne et
un régiment de cavalerie (les guides) étaient consi-
gnés, prêts à marcher si le brigandage de la veille
s'était renouvelé.

— Je reçois beaucoup d'injures anonymes. Les
réactionnaires belges sont exaspérés contre moi. Que
m'importe! Je reçois aussi une foule de marques de
sympathie.

— Ni le bourgmestre de Bruxelles, ni le ministre de
France, ni le procureur du roi, ne sont venus place
des Barricades constater le guet-apens de samedi.

— J'ai invité à dîner M. et Mme Berru et l'abbé
Michon.

Cette nuit encore, nous couchons à l'*Hôtel de la Poste*[1].

30 mai.

L'extradition est à craindre pour Ernest Lefèvre. Il se décide à partir demain, 31 mai, pour l'Angleterre. Il ira probablement à Southampton. Je lui prête 300 francs.

Midi. Un huissier m'apporte mon ordre d'expulsion commençant ainsi :

« *Il est enjoint au sieur Hugo,* etc. » Signé : « *Léopold*[2] ». Je conserve cette curiosité.

– J'ai invité M. Busnach à dîner.

– Il y a interpellation au Sénat à mon sujet. Un M. de Ribeaucourt m'a qualifié « *l'individu dont il s'agit* ».

Je continue à coucher à l'*Hôtel de la Poste* (sous les combles, chambre 99; la place manque dans l'hôtel[3]).

31 mai.

Foule chez moi. Mon expulsion indigne les belges[4]. M. Gustave Frédérix a déjeuné avec moi. Victor est venu. Nous comptons partir demain. Nous irons au Luxembourg. Peut-être à Vianden. Là nous attendrons et verrons venir. La réaction commet à Paris tous les crimes. Nous sommes en pleine terreur blanche.

– Je suis allé à la légation de France chercher mon passeport. Je l'ai pris, comprenant mon fils Victor, ma bru Alice, les enfants et les bonnes, à destination de Luxembourg, France et Suisse.

M. Busnach dînera avec nous. M. Ernest Lefèvre dîne avec nous pour la dernière fois. Demain, pendant que je partirai pour Luxembourg devant l'expulsion, il partira pour Londres devant l'extradition. On dit Meurice arrêté, mais bien traité, et Vacquerie libre, mais recherché activement. Pauvres

chers amis! Eux traqués, moi expulsé. On m'a averti
à la légation qu'il y avait péril d'arrestation pour
Victor et pour moi si nous rentrions en France.

Nous comptons partir demain 1er juin pour Luxembourg.

J'emporte en or français 4.180 frs. [1]

1er juin [2].

Au moment de partir, je reçois d'Angleterre un
télégramme ainsi conçu :

Harrow, 31 mai 1874.

*Victor Hugo, 4, rue des Barricades, Bruxelles. Je
vous offre l'hospitalité chez moi pour six mois.*

E. BOWEN.
(Harrow, England).

J'y répondrai et remercierai.

— Visite du général polonais Ostrowsky. Il me dit :
« — *Puisqu'on expulse Victor Hugo, je m'expulse. Je
quitterai la Belgique aujourd'hui même.* »

— Nous sommes partis de Bruxelles à midi 35 m.
Nous étions sept dans le wagon : Suzanne, Mariette
et Louise [3], Victor, Mme Charles, J. J. et moi, plus
Georges et Jeanne qui ont été très gais pendant tout
le chemin.

— Sept première classe pour Luxembourg, 140 frs.

— On m'a beaucoup salué au passage dans les
gares pendant tout le trajet. Nous sommes arrivés
à Luxembourg à 7 h. du soir. A mon arrivée, cris
de « *Vive Victor Hugo!* » Un ouvrier m'a fait le salut
militaire en disant : « — *Vive Victor Hugo! Vive la
France!* »

Nous descendons à l'*Hôtel de l'Europe.*

2 juin.

Force visites. J'ai écrit plusieurs lettres [4].

Après le déjeuner, nous nous sommes promenés

dans la ville que le démantèlement a faite magnifique.
Rien de beau comme le précipice-fossé, ravin charmant et riant, avec rivière, moulins et prairies,
encaissé dans d'effroyables escarpements où reparaît
la roche à pic, cuirassée autrefois des roides murailles
de Vauban.

– Après le dîner, je suis retourné voir les fossés.
Ils étaient splendides au soleil; ils sont terribles au
clair de lune [1].

3 juin [2].

Lettre de M. Pauly-Strasser, bourgmestre de Vianden, qui m'invite à retarder mon arrivée à Vianden
jusqu'à jeudi, l'*Hôtel Koch* étant encombré par la
kermesse [3].

– Cournet fusillé, Razoua fusillé, Delescluze tué,
Millière fusillé, Ranc prisonnier, Malon prisonnier,
Ed. Lockroy prisonnier, faisaient partie de la réunion
de la gauche que je présidais, maison Sieuzac, à
Bordeaux. Il y a trois mois de cela.

Mourot, prisonnier avec Rochefort, était un des
deux seuls amis qui m'accompagnaient au transfert
du cercueil de Charles au dépositoire des morts de
Bordeaux. L'autre était M. Alexis Bouvier. Dans la
longue allée de peupliers du cimetière, sous la pluie
à verse, nous étions tête nue tous les trois, derrière
le corbillard; Bouvier était à ma droite, Mourot à ma
gauche.

– Après le déjeuner, nous nous sommes promenés,
entre deux pluies, avec Petite Jeanne, sur la partie
haute des démolitions.

– J'ai invité à dîner M. Félix Thessalus [4], en fuite
de Paris, et Nephtaly Bloch [5].

4 juin.

Visite de M. Noblet, représentant de la Moselle.
– Midi. Un jeune homme se présente, en sueur,

simplement vêtu. Il me dit : « – *Monsieur, j'ai fait cinq lieues à pied pour vous voir, et je m'en vais.* » Je lui ai serré la main.

– Nous sommes allés tous les quatre, après déjeuner, voir Hesperingen, village dans la vallée de l'Alzette, à une lieue et demie de Luxembourg. Le lieu est charmant. Au-dessus du village, sur la colline, il y a une ruine très belle d'un château du onzième siècle. Je l'ai dessiné. Pluie au retour. Nous avions emmené Georges, mais en route nous l'avons renvoyé, dans les bras de Louise, à la ville.

Nous avons un peu séjourné dans une petite auberge du village où l'on a soigné des blessés français. Nous sommes revenus à pied. Ces dames ont bravement fait leurs trois lieues. Nous étions à l'hôtel à 7 heures.

– Force visites. M. Emile Tandel [1].

5 juin.

L'*Avenir international de Luxembourg* publie ma lettre de remerciements aux cinq députés belges qui ont voté pour moi. Les nouvelles continuent d'être hideuses. Terreur de plus en plus blanche. On craint pour Vacquerie. On dit que je serais arrêté si je mettais le pied en France.

La *Gazette de Cologne* dit que je suis à Londres.

Miot et Gambon, que j'avais invités à dîner chez moi tous les jours en octobre 1869 sont fusillés.

Au Congrès de Lausanne que je présidais en septembre 1869, Chaudey parla, puis Longuet. Chaudey a été fusillé par la Commune, Longuet a été fusillé par l'Assemblée.

– J'ai invité à dîner M. Joris [2], directeur de l'*Avenir international de Luxembourg*.

– Cluseret vint me voir le 7 septembre (j'écris la date de souvenir) [3]. Je venais d'arriver à Paris. Il m'avait souvent écrit. Je ne l'avais jamais vu. Je le reçus dans le cabinet de Paul Meurice. C'était un homme d'assez haute taille, à la figure ronde et pleine, aux yeux hardis et indécis, la moustache, l'allure militaires, l'air respectueux. Il me dit : « – *Ce gouvernement* (Trochu, Jules Favre, etc.) *trahit. Il livrera Paris. Vous, Victor Hugo, nommez-moi général. Votre signature me suffit. Je lèverai un corps-franc de cinquante mille hommes et je chasserai les prussiens.* » Paul Meurice lui répondit pour moi : « – *Victor Hugo ne veut ni ne peut faire acte de gouvernement.* » Il salua et partit. Je ne l'ai plus revu. Il vient d'être fusillé.

Cissey, général, a fusillé à lui seul plus de six mille insurgés prisonniers. Thiers avait dit : « – *Rien ne se fera que pour les lois, avec les lois et par les lois.* »

6 juin [1].

Après le déjeuner à trois heures, nous nous sommes promenés, avec Joris et Bloch, dans la vallée de Dommeldange qui continue le plateau de Luxembourg. Le tour entier, à pied, a duré quatre heures. Nous avons vu une très belle chose, la coulée de la fonte dans le haut-fourneau de la vallée des Sept Fontaines. Un torrent de feu liquide sort du trou fait au bas du fourneau, avec des tourbillons d'étincelles qui semblent vivantes et qui se tordent comme des pieuvres de flammes. C'est, en petit, la coulée d'un cratère. Cette lave se répand dans le gaufrier de sable préparé pour la recevoir, et s'y refroidit, et c'est la fonte. On l'envoie en Prusse; de fonte, elle devient acier et on en fait les canons Krupp. Voilà comment l'homme abuse de l'honnête terre qui lui donne le fer.

Nous sommes rentrés à 7 h. 1/2.

7 juin.

J'écris une lettre (la dernière, j'espère) à l'*Indépendance belge* pour rétablir les faits dénaturés à mon occasion [2].

— Petite Jeanne va très bien ici. Il fait froid. Pluie; vent du nord.

— 5 h. 20. Télégramme de M. Pauly, bourgmestre de Vianden, m'annonçant que j'y suis attendu demain jeudi.

— Lettre de Vacquerie. Il est en sûreté. L'*Indépendance* dit que Meurice est prisonnier à Versailles. Le *Siècle* dit qu'il n'a pu être arrêté et qu'il est à l'étranger.

8 juin [1].

Dépenses du 1er au 8 juin à l'*Hôtel de l'Europe* : 574 frs. 95.

Nous partons aujourd'hui pour Vianden. A Diekirsch, où nous sommes arrivés à six heures, on avait annoncé notre arrivée. Il y avait foule à la gare, bien qu'il plût à verse. On m'a salué. Quelques hommes ont dit à demi-voix : « *Vive la République!* » Je l'ai répété à voix haute. Il y avait beaucoup de femmes très bien mises, et quelques-unes jolies. Une d'elles, fort belle, me regardait avec une inexprimable douceur. J'ai dit à Jeanne, que j'avais sur mes genoux, de lui envoyer un baiser. Jeanne a regardé la dame et mis sa petite main sur sa bouche. La dame a baissé vivement son voile en souriant à Jeanne et s'est mise à pleurer. Charmante apparition.

Un instant après, nous partions. Nous sommes arrivés à Vianden à sept heures et demie. Le bourgmestre, M. Pauly, nous attendait. Nous sommes descendus à l'*Hôtel Koch,* auberge plutôt qu'hôtel, mais il n'y a que cela à Vianden. Du reste, il y a un jardin pour les enfants, et nous y serons bien. Comme la maison est trop petite pour nous loger tous, j'occupe une chambre au premier dans une maison voisine. J'y ai une vue superbe sur la rivière et sur la ruine. Cette maison fait l'encoignure du pont.

9 juin.

Ce matin, la pluie continue. C'est une taquinerie
d'en haut mêlée aux lâchetés d'en bas. Le soleil se
dérobe comme la patrie. Quand rentrerons-nous en
France? Victor ne le pourrait, en ce moment, sans
danger.

J'ai eu M. Pauly, le bourgmestre, à dîner. Au
dessert, j'ai bu à la ville de Vianden et à son bourgmestre.

Victor et Alice, en compagnie du bourgmestre,
sont allés voir le château. La pluie m'en a empêché.

Je suis dans une vive inquiétude de Paul Meurice.
Les journaux le disent malade.

10 juin [1].

Promenade jusqu'à la frontière prussienne, avec
Petite Jeanne portée par Mariette. Rencontre de deux
chèvres qui enchantent Jeanne. Fleurs cueillies dans
la prairie. Alice et Victor, avec Georges, et M. Pauly,
sont venus nous rejoindre au bord de la rivière. Pour
rentrer, un grand orage avec coups de tonnerre.
Admirable silhouette des ruines dans le clair-obscur
de la tempête.

Petit Georges a visité avec Victor la ruine de
Vianden; il m'a dit en rentrant : « – *Papapa, j'ai
vu une belle maison cassée; j'ai vu des fenêtres gotipes.*»

– On me dit qu'à propos de mon expulsion, Veuillot
m'a appelé « *vieille citrouille* » et qu'il a ajouté ce
correctif poli : « *à moitié remplie de diamants* [2] ».

11 juin [3].

Afin de témoigner aux braves gens de l'*Hôtel Koch*
que j'étais content d'eux, j'ai demandé à leur payer
6 frs. par jour au lieu de 5.

– Aujourd'hui, procession du Saint-Sacrement sur
le pont et sous ma fenêtre.

– Il y a eu, en notre honneur, musique chez le bourgmestre, et très bonne musique. Alice tenait le piano, M. Pauly l'orgue; il y avait un très bon violon venu de Luxembourg et un fort agréable ténor; de plus, des femmes gracieuses, entre autres la belle vision de Diekirsch, venue exprès. Elle s'appelle Mme Martens; elle était avec son mari, juge de paix à Gand. Elle joue admirablement du piano. Elle m'a parlé de Petite Jeanne et je lui ai baisé la main.

12 juin [1].

Notre intention est de partir à midi pour faire, tous les quatre, une excursion à Beaufort. Nous avons loué un char-à-bancs. Nous laisserons les enfants, parce qu'il faut faire une lieue à pied.

– Aujourd'hui 12 juin 1871, Petite Jeanne a marché pour la première fois. Elle a fait quatre pas toute seule.

– A midi et demie, nous sommes partis pour Beaufort. En sortant de Vianden, nous rencontrons les gendarmes. Le curé de la ville a dit hier en chaire qu'il fallait me faire arrêter et reconduire à la frontière par les gendarmes. Je suis sur le siège du char à bancs, près du cocher. Les gendarmes s'arrêtent et me font le salut militaire. Nous voilà sur le haut de la montagne; le soleil se cache. Pluie à verse. Le soleil reparaît. Nous passons l'Our. Nous montons une côte à pied. Assez longue marche dans des chemins de traverse. Notre cocher dit : « – *On ne va pas voir le château de Beaufort, à cause des mauvaises routes.* » Nous arrivons à 3 heures au village de Beaufort. On ne voit pas la ruine, qui est dans un fond. Pluie. Nous entrons dans une auberge qui est un cabaret. Ces dames demandent du lait, Victor du vin, moi rien. Je m'assieds. Entre un homme en blouse qui se fait servir un verre de bière; cet homme se tourne vers moi et me dit, en français mêlé de patois, à peu près ceci : « – *Monsieur, j'ai vu votre portrait. Est-ce que vous seriez Victor Hugo?* » Je réponds : « – *Oui* » et je lui tends la main. Il ne la prend pas, recule, jette sa casquette à terre, marche et danse dessus, et crie : « – *Vive Victor Hugo! Vive la France!* » et il ajoute : « – *Je vais chercher le maire!* » et il laisse là sa chope de bière et s'enfuit en courant. On nous explique que c'est le secrétaire (greffier) de la commune de Beaufort.

Entre deux pluies, je suis allé voir le manoir. Il apparaît à un tournant, dans une forêt, au fond d'un ravin; c'est une vision. Il est splendide. Il se compose de deux châteaux, un du xviie siècle, habitable et habité, et un du xie au xvie siècle, roman et gothique, en ruines. Ruine magnifique. Une énorme tour-donjon que j'ai dessinée. A cette tour se rattache toute la forteresse écroulée, murs, tours, tourelles, salles effondrées, créneaux, machicoulis. A droite en entrant dans le donjon, le puits des oubliettes, soigneusement comblé. Les seigneurs actuels effacent volontiers le souvenir des seigneurs d'autrefois. Je remarque partout, sur le Rhin comme dans les Ardennes, cette destruction sournoise et systématique des oubliettes. On ne veut pas montrer le passé sous son vrai jour, qui est hideux.

A 5 heures, je suis remonté à l'auberge avec Victor et ces dames. Pendant mon absence, le maire et les notables étaient venus me faire visite.

Nous sommes repartis à 5 h. 1/2. Nous avons passé la Sure à gué. Là, nous avons couru un assez grand danger. La rivière était grosse et les chevaux ont failli verser la voiture. Nous sommes arrivés à Vianden à 8 h. 1/2.

– Après le dîner, j'ai émerveillé Georges en lui faisant un lapin sur le mur avec l'ombre portée de ma main. « – *Comment que çà s'fait?* » disait-il.

13 juin.

Alice a reçu une lettre de Mme Jules Simon.
— Triste. — Et une lettre de Schœlcher. Schœlcher
lui-même semble découragé.

— Alice paiera ses menues dépenses personnelles.
Je me charge de défrayer tout le monde, à cela près.

— Le *Luxemburger Zeitung* m'apporte des vers
allemands « *A Victor Hugo* ». M. Pauly me les traduit. En revanche, les journaux catholiques me
disent force injures. C'est très grossier et assez bête.

— Nous nous sommes promenés avant et après le
dîner, avec les enfants, au bord de l'Our, jusqu'au
cimetière en amont de Vianden. J'ai dessiné la ruine.
J'ai amusé Georges et Jeanne en jetant des pierres
dans la rivière.

— Reçu une lettre de Louis Blanc. Dans les termes
les plus amicaux, lui et Schœlcher se séparent de moi
à l'occasion de ma protestation. Je leur répondrai;
franchise pour franchise; une protestation pour le
droit d'asile, et contre la réaction, était nécessaire;
je l'eusse faite dans l'Assemblée, je l'ai faite hors de
l'Assemblée; je ne veux ni du crime rouge, ni du
crime blanc; vous vous êtes tus, j'ai parlé; j'ai
combattu le *vae victis;* l'avenir jugera.

14 juin.

J. J. a recommencé à copier mon manuscrit. J'inti-
tulerai ce livre : *L'Année terrible.*

— Bonne nouvelle. Courbet n'est pas mort.

— On s'est battu au Père-Lachaise. Beaucoup de
sépultures sont détruites. Les journaux annoncent
qu'on a respecté le tombeau de mon père, où j'ai mis
le 18 mars mon Charles. La tombe est intacte.

— Les journaux annoncent que le maréchal Bazaine
était à Luxembourg en même temps que moi et qu'il

logeait en face de moi, lui à l'*Hôtel de Cologne*, moi à l'*Hôtel de l'Europe*.

— J'ai invité le bourgmestre à dîner.

15 juin [1].

MM. Joris et Nephtaly Bloch, rédacteurs de l'*Avenir de Luxembourg*, sont venus me voir et ont déjeuné avec moi. Ils m'annoncent qu'ici les prêtres disent en chaire que c'est moi qui ai fait brûler Paris et fusiller l'archevêque [2].

— On me remet une lettre. Une femme m'écrit. Elle était la femme d'un nommé Garreau, serrurier, directeur de Mazas sous la Commune. Ce malheureux a été fusillé. Sa femme, en fuite, demande à entrer à mon service. Louise devant partir le 25, j'engage Alice à prendre Marie Mercier (c'est son nom) pour remplacer Louise. La pauvre femme dit que ce serait pour elle le paradis.

— Une société de travailleurs, qui s'intitule *La Lyre ouvrière*, m'a donné aujourd'hui une sérénade dans le jardin de l'*Hôtel de Luxembourg*. J'y ai assisté et j'ai remercié.

16 juin.

Victor nous a quittés aujourd'hui pour une dizaine de jours. Il va faire une tournée dans les Ardennes. Il est parti après déjeuner dans la voiture du bourgmestre Pauly. Alice l'accompagne jusqu'à Diekirsch. Elle reviendra ce soir avec M. Pauly qui dînera avec nous.

Avant son départ, j'ai remis à Victor la lettre relative *au fait de Bordeaux* [1] pour qu'il voie ce qu'il y a à faire. Je suis d'avis de payer, fût-ce à tort.

J'ai remis à Victor, pour Adèle, 945 frs.; je lui paie la dette de Louis Mie (200 frs.) que L. M. me remboursera s'il y pense.

— Charles Delescluze à Bordeaux faisait partie de

la réunion des représentants de la gauche, rue Lafaurie-Monbadon, que je présidais. Je ne l'avais jamais
vu. Un jour, dans une séance de la réunion qui, par
extraordinaire, avait lieu dans le jour, et qui se tenait
au onzième bureau, j'aperçois, à un bout de la table
où nous siégions, un profil livide, yeux jaunes, lèvres
bilieuses, cheveux blancs ayant été blonds. Edouard
Lockroy était à ma droite. Je lui dis : « – *Quel est cet
homme?* » Il me répond, bas : « – *C'est Delescluze.* »
Il était question des représentants de l'Alsace. J'avais
proposé de déposer un projet de décret pour les
retenir dans l'Assemblée. La gauche avait acclamé
mon idée et m'avait demandé de rédiger la proposition. Delescluze parla pour de l'air dont il aurait
parlé contre. Il affectait de ne pas prononcer mon
nom et me désignait ainsi : *le citoyen.* Ce qui ne me
fâchait pas. Il me regardait avec des yeux de haine
inexprimable. Le soir, il y eut une deuxième réunion
sur le même sujet. Delescluze y vint. Je lus ce que
j'avais écrit. La lecture de la proposition, fixée en
rédaction définitive, fit grand effet sur la gauche. On
me félicita. Delescluze se leva, le visage sinistre et
furieux, regarda de travers ma proposition déposée
sur le bureau, et déclara avec rage qu'il l'approuvait.
Je ne l'ai vu que ces deux fois-là.

– Ce matin, j'ai trouvé une grosse araignée dans
ma cuvette. Elle avait bien peur. Je ne lui ai pas fait
de mal.

17 juin [1].

Maurice Garreau était sous la Commune directeur
de Mazas. Il allait tous les jours causer deux ou trois
heures avec l'archevêque. Il répondait à Raoul
Rigault qui le blâmait : « – *C'est égal; ça le désem-
bête.* »

Ce pauvre Garreau a été fusillé. Sa veuve qui est
ici, Marie Mercier, m'a raconté le fait [2]. — Alice lui
donne de l'ouvrage et je la secours de mon mieux.

– En me promenant le long de l'Our, j'ai pris dans l'herbe un hanneton, qui a pénétré Jeanne d'étonnement.

– A 4 heures, nous sommes partis dans la voiture avec Georges, moi sur le siège. Il y a une route neuve, faite depuis deux ans, à travers la montagne. Au point culminant de cette route, une tranchée coupée dans le roc ouvre passage sur une autre vallée qu'emplit un magnifique circuit de l'Our. A 6 heures, après avoir passé l'Our à gué, nous arrivions à Falkenstein. La première fois que j'ai approché cette ruine, en 1863, j'étais avec Charles [1]; la pluie nous fit rebrousser chemin avant d'être arrivés en haut de la colline. Cette fois encore, même aventure. J'ai retrouvé l'arbre sous lequel je m'étais arrêté avec Charles pour dessiner la ruine. Je m'y suis abrité comme il y a huit ans, et j'ai dessiné le vieux burg. Il est toujours habité par les anciens seigneurs devenus paysans.

A 8 heures, nous étions à Vianden.

– Reçu une lettre du brave Rostan. Il n'est pas fusillé; il a échappé; il est à Londres; je lui envoie une lettre de recommandation pour Rascol [2] et un bon sur la poste de Londres, de 51 frs.

18 juin.

Le bronze de la Colonne, en tombant, s'est brisé en 274 morceaux. On a pris ces chiffres et l'on a dit : 2 fois 7 font 14. C'est en 1814 que Napoléon est tombé.

– Aujourd'hui, fête ici pour le jubilé de la vingt-cinquième année de Pie IX. Il est le seul pape qui ait fait mentir le *non videbis annos Petri* [3]. Ce matin, on a tiré des boîtes et sonné les cloches. Ce soir, la ville est illuminée. Mes hôtes avaient mis des lampions à mes fenêtres. Je les ai fait retirer. C'est l'anniversaire de la bataille de Waterloo.

19 juin [1].

Je reçois une lettre de Paul Meurice. Grande joie. Il est mis en liberté.

Je reçois de Liége (envoi de Victor) des affiches, des brochures, des journaux et des caricatures contre ceux qui m'ont assailli et expulsé. Réveil de l'opinion.

— J'écris à Meurice qu'il vienne à Vianden.

— Promenade avec les enfants au bord de l'Our.

— Après le dîner, j'ai joué aux boules dans le jardin avec Georges. Nous avons jeté des pierres dans l'eau.

— J. J. continue à copier mon livre *L'Année terrible*.

20 juin [2].

Le plus long jour de l'année commence par une pluie à verse.

— Vianden est un pays de tanneurs. En nous promenant le long de la rivière, nous avons rencontré le séchoir d'un aveugle qui fait des mottes à brûler en pétrissant le tan dans un moule avec ses pieds. Le pauvre homme a fort intéressé Georges.

— Courbet, qui avait demandé la démolition de la Colonne, offre de la reconstruire à ses frais si on veut le mettre en liberté.

21 juin.

Pluie. Après le dîner, nous nous sommes promenés, ces dames et moi.

22 juin.

Je me suis promené avec Suzanne portant Georges et Mariette portant Jeanne. Nous avons monté la colline en face de la ruine, sur la rive gauche de l'Our. La pluie nous a forcés d'entrer dans une maison pauvre, fermée au loquet. Il n'y avait personne. Intérieur presque sauvage. Délabrement. Une belle vieille table de chêne; quelques escabeaux de bois. Des enfants étaient sous un arbre devant la porte. Je leur ai donné quelque monnaie.

Du haut de la colline, vue admirable sur l'Our et sur Vianden. Nous l'avons revue plus belle encore, une heure après. M. Pauly est venu nous prendre en voiture, ces dames, Georges et moi; nous sommes montés tout au haut de la colline nord de Vianden.

23 juin [1].

Lettre de Louis Koch. C'est chez lui que Vacquerie a trouvé asile. Lettre de Berru, chargé par Bérardi de l'excuser auprès de moi de trois lignes bêtes et grossières de l'*Indépendance belge*. M. Bérardi était à Paris; ladite sottise est d'un nommé Tardieu, son rédacteur.

24 juin.

Lettre de Busnach. Henri Rochefort désire que j'écrive pour lui à Thiers.

Georges et Jeanne ont vu aujourd'hui pour la première fois un colimaçon, les cornes sortant et rentrant. Grande stupeur. Jeanne a d'abord ri, puis a fini par pleurer.

25 juin [2].

Alice excursionne à Diekirsch avec Mme Pauly.
— Marie Mercier (Vve Garreau) est venue me raconter en détail ce qu'elle a vu des fusillades et des mitraillades de Paris. Elle gagne chez moi, à coudre, 2 frs. par jour. Je lui procurerai un logement et, plus tard, les moyens de rentrer à Paris. Je lui donne, pour divers petits frais de la semaine, et pour qu'elle boive du vin aux repas, 5 frs.

– J'ai récapitulé ce que j'ai donné çà et là aux pauvres rencontrés dans mes promenades depuis que je suis dans le Luxembourg. Total : 183 frs. 50.

– Alice est revenue de Diekirsch avec Mme Pauly, que j'ai invitée à dîner avec nous [1].

26 juin [2].

Lettre de Victor. Il est à Rochefort. Il a vu passer sous sa fenêtre Pierre Bonaparte [3], qui lui a fait « *l'effet d'une bête fauve* ». Il reviendra à Vianden le 1er juillet.

– Toujours pluie et froid.

– La grande Louise, qui était cuisinière de Mme Charles, est partie aujourd'hui; elle retourne à Bruxelles.

27 juin [4].

– Nous faisons avec M. Pauly une excursion du côté de Diekirsch.

– Depuis deux jours, ces dames et moi, nous jouons le soir au nain-jaune. On peut gagner et perdre jusqu'à dix sous.

– Une femme du pays, nommée Suzanne, remplace Louise chez Alice [5].

– En 1849, j'ai présidé le Congrès de la Paix à Paris; j'avais trois vice-présidents : Cobden, Coquerel. Duguerry. Le 24 août, anniversaire de la Saint-Barthélemy, au moment de clore le Congrès, j'ai fait s'embrasser Deguerry et Coquerel [6]. Cobden est mort, Coquerel est mort, Deguerry vient d'être fusillé [7].

28 juin [8].

L'éditeur Le Bailly me demande l'autorisation de publier en musique *Vieille Chanson du jeune temps*. Comme pour d'autres pièces déjà publiées par lui, il m'offre 100 frs. Je l'autorise. Il déposera les 100 frs.

chez P. Meurice dont le reçu fera l'autorisation valable.

– Petite Jeanne souffre des dents.

– Georges vient de me dire : « – *Il y a ici une petite fille qui me donne des bêtes.* » Il avait un colimaçon dans une main et un hanneton dans l'autre.

– Les gens de l'*Hôtel Koch* ont pris dans la montagne un jeune renard qui fait l'admiration des enfants.

– J'ai envoyé une poupée à la petite fille du bourgmestre.

– Donné à Marie Mercier (Vve Garreau) 5 frs.

– Les journaux annoncent qu'un M. de Montépin demande aux Auteurs dramatiques que je sois exclu de la société comme ayant fait partie (occulte évidemment) de la Commune [1].

29 juin.

Nous nous sommes promenés avec les enfants le long de l'Our. La rivière est très grosse.

– Voyant que les habitants me saluent, les prêtres commencent à me saluer.

30 juin [2].

Victor est revenu ce soir à 9 heures. Alice et Georges sont allés au devant de lui jusqu'à Diekirsch. Il m'a apporté une nouvelle affiche d'un meeting à Liége contre mon expulsion.

– Je reçois une adresse du Comité des instituteurs belges contre l'acte du gouvernement belge envers moi.

– Victor étant revenu, nous avons repris toutes nos bonnes habitudes de famille.

– J'ai assis Petite Jeanne sur une vache qui la regardait doucement.

– Le brave Baptiste, mon ancien cocher [3] de 1862, 1863, 1864, 1865, est mort subitement d'une attaque d'apoplexie.

1er juillet.

– Les journaux annoncent que la liste radicale de
Paris commence ainsi : *Victor Hugo, Gambetta* [1]...
Gambetta désire être nommé. Moi point.

2 juillet.

Un M. Dandu, qui se dit proscrit; on en doute
autour de moi. Dans le doute, je le secours. Donné :
20 frs. [2].

– Nous avons joué aux quilles après le déjeuner,
Victor, Alice et moi.

– Hier, j'ai dessiné une vieille croix à la sortie nord
de la ville.

– Secours à Marie Mercier (Vve Garreau), 3 frs. 75.

– Cette nuit, au point du jour, clairon et fanfare.
A 5 h., comme je me levais, retour de la fanfare,
passant sur le pont. C'étaient les pompiers revenant
de l'exercice, clairon en tête, pompe en queue. Au
milieu, une immense et lourde échelle portée par
vingt hommes. Tous ces pompiers sont vêtus de toile
grise.

– Le bourgmestre m'avait invité à dîner pour
aujourd'hui dimanche. Nous y sommes allés à 6 h. 1/2
tous quatre, avec Georges. Georges, en fille, était
angéliquement beau. On a fait un peu de musique.
Dînaient avec nous quelques notables du lieu, le
notaire, un juge du tribunal de Diekirsch et sa
femme. Monde aimable, intelligent et cordial. Au
dessert, le bourgmestre m'a porté un toast. J'ai
répondu par un toast à la ville de Vianden. Pendant
le dîner, orage, éclairs, coups de foudre.

3 juillet [3].

En me levant, j'apprends que l'orage d'hier a tué
un homme sur la montagne. Un paysan avait oublié

sa chèvre attachée dans un pré tout au sommet. Au
plus fort de la tempête, il est allé la chercher. Un
coup de foudre a tué le pauvre homme et la pauvre
bête. On ne se figure pas Dieu dépensant son tonnerre
pour tuer un homme et une chèvre.

– J'ai eu quelque chose qui, j'en ai peur, est une
attaque de gravelle. En déjeunant, brusque et vive
douleur à la région gauche du ventre. Je me lève,
je marche, la douleur reste fixe et devient plus
intense. J'ai vomi mon déjeuner. Je me suis appliqué
un fer à repasser chaud sur la partie douloureuse.
Cela s'est éteint peu à peu. La crise a duré trois
heures. Je vais revenir au vin blanc et aux salades,
et boire du bicarbonate.

4 juillet [1].

Lettre de Mme Colet me racontant les détails
affreux de la victoire de l'Assemblée, qu'elle a vue
de ses yeux.

– Marie Garreau a raccommodé mon paletot. *Torse.*
Je lui paie sa journée plus cher, malgré son refus;
4 frs. 50. C'est elle qui m'apprend que cette noble
et vaillante Louise Michel a été fusillée [2].

5 juillet [3].

Comme je le savais d'avance, je n'ai pas la moindre
chance d'être en ce moment nommé à Paris [4]. Le
plus que la réaction puisse porter, c'est Gambetta.

– Après le déjeuner, j'ai joué à la boule dans le
jardin avec Victor.

6 juillet.

Mauvaise nuit.

– J'ai tiré sur Hetzel, par la Banque Berger de
Luxembourg, les 2.100 frs. qu'il annonce me devoir
pour le nouveau tirage des *Châtiments.*

– Après le déjeuner, promenade avec J. J. sur la rive droite de l'Our en remontant jusqu'à la chapelle.

– Marie Garreau (Suisse. Osc.), 3 frs. 75.

– L'homme foudroyé avant-hier a été frappé de la foudre au lieu dit Fontaine-au-Chat. J'ouvre une souscription pour sa veuve et ses enfants (20 frs.).

7 juillet [1].

Marie Garreau. Suisse. Sec., 3 frs. 75.

8 juillet [2].

Désormeaux. Diaphane. Rep. demain. Sec., 40 frs.

– Victor et Alice sont allés aujourd'hui à Clairvaux. Ils reviendront à 7 h. 1/2.

– Mariette, pour me suivre, a déplacé son argent de la Banque des Etats, de Guernesey. Elle a emporté 1.200 frs. qui lui rapportaient 3 pour 100. Il y aura, le 15 août, une année d'intérêts perdus pour elle (36 frs.). Je trouve juste de les lui rembourser.

– J'ai recommencé à faire manger de la viande crue (mouton ou bœuf) à Petite Jeanne. Je la lui râpe moi-même. Elle la mange avidement.

9 juillet.

Lettre de Meurice. Il a dû partir de Paris vendredi. Je l'attends pour aujourd'hui peut-être.

– Je tire à vue pour le deuxième semestre des consolidés anglais, échéant en juillet, et par l'intermédiaire de la Banque Berger et Cie de Luxembourg, sur Heath and Co, pour la somme de 302 livres (7.550 frs.).

– A une pauvre vieille femme [3], 5 frs.

10 juillet.

Meurice et Mme Meurice sont arrivés. Nous dînons ensemble. A partir d'aujourd'hui, ils sont mes hôtes.

11 juillet.

Ce matin, j'ai lu, après déjeuner, trois pièces de *l'Année terrible* : « *Et voilà donc* [1]... », « *Les Sept* », « *Les Fusillés* ».

– Orage, pluie. Cette nuit, éclairs et tonnerre.

– Sec. à Marie Garreau. *Toda*. 3 frs. 75.

12 juillet.

J'envoie à MM. Berger, banquiers à Luxembourg, une traite de 600 frs. sur Hetzel, solde du dernier tirage de *Napoléon le Petit*.

– Sec. à *misma* [2] (un thaler), 3 frs. 75.

– Pluie. Promenade mouillée par le sentier de la colline à travers la forêt. Sur la montagne, passe un paysan en blouse blanche, une branche de broussaille à la main, menant trois cochons. C'est le comte de Falkenstein. Le gentleman prussien, châtelain de Roth, l'a accosté et lui a dit : « *Good Tag, Graf of Falkenstein.* »

– Je suis enroué et enrhumé. Alice a mal à la gorge. Les enfants sont bien.

13 juillet.

Lu en famille quelques pièces de *l'Année terrible*.

– J'écris à M. Porte, à Bordeaux, qu'il peut tirer sur moi, à Vianden, pour les 40 frs. 60 que lui redoit Alice.

– J'ai invité à dîner M. André, de Roth [3].

14 juillet.

Ce soir, j'étais rentré me coucher à 10 h. Je dormais. On frappe violemment à ma porte. Je m'éveille. Je vois une grande clarté. Il semblait qu'il fît soleil dans ma chambre. Il était minuit. Je vais à la

fenêtre. Je l'ouvre. Lueur immense sur la ville, sur
la montagne et sur la ruine. Je me retourne et je
vois à deux cents pas de la maison, comme un cratère
en éruption. Dix maisons brûlaient, toutes à toits de
chaume. La ville s'éveillait avec un bruit de fourmi-
lière effrayée. La rue était pleine de femmes fuyant
et d'hommes arrivant. On sonnait le tocsin. Une
[   ]¹ arrivait par le pont. Le vieil évêque de pierre
qui est au milieu était tout rouge. Je me suis
habillé et j'ai roulé dans un mouchoir le manuscrit
de *l'Année terrible*. En ce moment, Mariette est
arrivée. La brave fille avait peur pour nous seulement, pour Jeanne et pour moi. Je suis allé à l'*Hôtel
Koch*, portant mon manuscrit. Tout, dans l'hôtel,
était terreur et ténèbres. Je suis entré dans le couloir
d'en bas en courant. Tout à coup, je me heurte et
je tombe. On venait de descendre une malle qu'on
avait roulée au bas de l'escalier sans prendre la peine
de l'éclairer. Le choc fut rude. Pourtant, je n'ai eu
que trois contusions, aux deux genoux et à la hanche.
Ces dames étaient réveillées. Alice se trouvait mal.
Les enfants dormaient. On poussait dans la rue des
cris d'épouvante : « *Feuer, Feuer! Au feu! Au feu!* »
    L'incendie était tout près, mais le vent portait à
l'est, ce qui diminuait notre danger. Victor, arrivant
de l'*Hôtel de Luxembourg*, m'a dit que M. et Mme Paul
Meurice étaient hors de tout péril. J'y suis allé. Sur
le seuil, il y avait Mme Meurice et Marie Garreau.
J'avais donné à J. J. le manuscrit de l'*Année terrible*
à garder. Je suis entré dans une des maisons qui
brûlaient. J'ai offert ma chambre à une jeune femme
effarée qui avait dans ses bras un enfant. Puis j'ai
organisé la chaîne. J'ai fait mettre les femmes et les
enfants en file jusqu'à la rivière pour les seaux vides
et les hommes en file, en face, pour les seaux pleins.
Je me suis mis du côté des seaux pleins. J'ai fait la
chaîne depuis minuit et demi jusqu'à deux heures
du matin. A un seau par seconde, il m'est passé plus
de 5.000 seaux d'eau par les mains. L'incendie,

effrayant pendant une heure, s'est peu à peu circons-
crit. Il y avait peu de vent. A deux heures, il était
à peu près éteint. Je suis allé me coucher. M. Pauly,
bourgmestre, était absent (à Luxembourg). Je l'ai
suppléé de mon mieux.

En faisant la chaîne, un paysan, à côté de moi,
me disait : « – *Nous sommes un pays religieux. Ma
mère m'a conté* (à ce moment, le curé doyen de
Vianden passait) *qu'à un grand incendie de quinze
maisons qu'il y a eu de son temps, le curé est arrivé,
au moment le plus terrible, portant la Très Sainte
Hostie; il l'a présentée à l'incendie, qui s'est éteint
subitement.* » « – *C'est beau*, lui ai-je dit. *Eh bien, voilà
votre curé; voilà un incendie; il est menaçant; il faut
l'éteindre; pourquoi ne pas aller chercher l'Hostie?* »
Il m'a répondu : « – *J'aime mieux l'eau.* »

15 juillet [1].

Le bourgmestre, revenu ce matin, est venu déjeuner avec moi. Je lui ai conseillé d'ouvrir une souscription pour les pauvres incendiés, et je lui ai remis
pour eux 300 frs.

16 juillet.

Excursion à La Rochette. Nous sommes partis à
10 h. et demie du matin, ces deux dames, Meurice,
Pauly, Victor et moi, en char à bancs. Alice, toujours
un peu souffrante de son mal de gorge, n'a pu nous
accompagner et est restée avec les enfants. Nous
sommes arrivés à La Rochette à 2 heures. Ce brave
Knaff nous a fait servir un luncheon dans la magnifique salle que fait le grand donjon sans toit. J'ai
tout revu avec émotion, le puits, les tours, la chapelle. J'ai vu cela pour la première fois avec toi,
mon Charles.

– Jouets achetés à la foire (c'était le jour de la
Kermesse) pour les petits; 5 frs.

– Visite du garde général des domaines de Luxembourg, qui m'a présenté son fils, soldat dans l'armée prussienne.

– J'ai dessiné la ruine. Nous sommes repartis à 5 heures. Nous étions de retour à 8 heures. Joie des enfants en recevant les joujoux. Mme Meurice les en a comblés.

– Nous comptons aller demain à Beaufort.

17 juillet.

Payé trois mois de double abonnement au journal *L'Avenir international de Luxembourg* auquel je ne savais pas être abonné. On m'a envoyé une quittance, et j'ai payé 12 frs.

– Excursion à Burscheid. Nous sommes partis à midi et demi dans le char à bancs d'hier. Nous sommes allés non par Brandebourg, comme en 1865, mais par Diekirsch et la route haute. Vue admirable de la ruine, du haut de la montagne environnante. Arrivés au village d'en bas à 4 h. 1/2, nous avons bu de la bière et du lait, puis nous sommes allés à pied à la ruine. Vieille forteresse féroce. Un burg. Tout le onzième siècle avec ses spectres qui sont maintenant des tours. J'ai dessiné la tour d'entrée où il y avait en 1865 deux femmes, la mère et la fille, réfugiées là comme deux orfraies. Le nid est resté terrible. Les femmes n'y sont plus. Un portier m'a présenté un livre où j'ai écrit mon nom à côté de Paul Meurice et de Victor.

Nous étions de retour à 9 h. 1/2 du soir.

– Alice étant toujours souffrante, nous avons contremandé notre excursion à Esch-le-Trou.

– J'ai lu après déjeuner quelques pièces de *L'Année terrible*. L'autre publication, qui contiendra les documents, avec un *post-scriptum* de moi [1], à paraître la première, sera intitulée : « *Actes et Paroles en 1870 et 1871.* »

Cela fera environ un demi-volume [2].

18 juillet.

Aujourd'hui, elle s'est mise à marcher tout à fait, la Petite Jeanne. La voilà partie. Elle refuse la main qu'on lui tend.

19 juillet [1].

M. E. modèle, route du Nord, Sec., 3 frs. 75.

20 juillet [2].

La Saint-Victor.

Décidément, Petite Jeanne marche toute seule. Elle me donne cela pour ma fête.

Force bouquets ce matin. Alice est mieux.

— Nous déjeûnions. Le bourgmestre entre dans le jardin où est notre table et me dit : « — *Je vous présente deux compatriotes.* » Il me les nomme. Ils arrivent de Paris. Ils y étaient il y a cinq jours. L'un s'appelle M. Lacombe. M. et Mme Meurice semblent le connaître. Je les ai fait asseoir. Le bourgmestre s'en va. Alors M. Lacombe me dit : « — *Je suis le général La Cécilia* [3]. » Nous causons. Il vient exprès à Vianden pour m'expliquer l'affaire Johannard [4]. Il la nie quant au fait d'un *garçon* fusillé avec son consentement. Ce n'était pas un enfant, mais un homme fait, espion avéré et avouant. Je n'admets pas même qu'on fusille un espion sans jugement. Mais je l'engage à m'écrire une lettre que je publierai. C'est un homme distingué, de figure très douce. Il est très brave.

La Cécilia m'a conté qu'il avait été sauvé par une femme. Cette femme le connaissait à peine et pourtant avait consenti à le cacher chez elle. Un matin, vers quatre heures, tout le monde étant encore couché, on frappe. Visite domiciliaire. La femme ouvre, en chemise. Voix de sergents de ville. Coups de crosse sur les marches de l'escalier. « – *Laissez-moi passer un jupon!* » dit-elle en poussant sa porte. La Cécilia, couché dans une chambre à côté, entendait tout. Elle se précipite dans sa chambre, le couvre d'édredons et de robes décrochées en hâte, puis met un jupon et dit aux hommes de police : « – *Entrez!* » Ils entrèrent. « – *Cela nous ennuie bien, toutes ces recherches* », dit le commissaire de police. Ils visitèrent la chambre où était La Cécilia, ne firent pas attention au lit, et s'en allèrent. Sans cet édredon pas dérangé, La Cécilia était fusillé.

– Cette nuit, vers 2 heures, très fort frappement à mon chevet.

– J'ai invité à dîner, pour ma fête et celle de Victor, le bourgmestre et sa femme, Knaff (de la Rochette), le médecin d'Alice, M. André (de Roth) et les petites Pauly qui, avec mes petits, ont fait une table d'enfants présidée par Georges. On avait tendu des toiles au-dessus des tables. Nous dînions dans le jardin, qui était illuminé de lanternes chinoises. Un orchestre était dressé pour trente-cinq musiciens. La société *La Lyre ouvrière* est venue me donner une sérénade. Les tables étaient couvertes de fleurs. Ces vaillants travailleurs sont de rares artistes. Il y a eu un chant admirable d'un ouvrier, à voix haute, auquel les autres répondaient à voix basse. C'était comme un esprit dialoguant avec une foule. Je les ai félicités. Le bourgmestre et Knaff m'ont porté des toasts. J'ai répondu [1]. J'ai offert aux musiciens un immense gâteau et vingt-cinq bouteilles de vin de Moselle.

Georges était heureux, Petite Jeanne éblouie, marquant la mesure de sa petite main pendant le concert. Malheureusement Alice, encore alitée, n'a pu descendre. Il y avait foule dans le jardin. Le peuple de Vianden m'aime. En somme, douce fête.

21 juillet.

Tristesse après joie. M. et Mme Meurice sont partis ce matin.

– Secours à C. Montauban, par un bon sur Meurice (envoyé à Metz), 50 frs.
– Sec. à M. E. modèle (un thaler), 3 frs. 75.

22 juillet.

Victor est parti ce matin, après déjeuner, pour Bruxelles. Alice était encore au lit, souffrante. J. J. et moi avons reconduit Victor jusqu'à Diekirsch. Ce cher enfant nous a quittés à 1 heure.

– J'invite M. et Mme Pauly à dîner dans la chambre d'Alice.

– Après le dîner, concert improvisé par Mme Pauly.

23 juillet.

Petite Jeanne a quatre dents de plus. Elle ne dit plus « *apas* », elle dit « *non* ». Elle a un mot nouveau : « *boutom* », qui est devenu le fond de sa langue. Elle voit une fleur, *boutom;* elle désire une pomme de terre, *boutom;* elle boit de la crème, *boutom;* elle regarde la ruine de Vianden, *boutom;* elle voit passer un prêtre, *boutom.*

– L'horloge du pavillon des Tuileries marque neuf heures moins dix minutes, le moment précis où l'incendie l'a touchée et arrêtée.

– Petit Georges, comparé à ce qu'il était il y a un an, est prodigieux. Il y a deux ans, en août 1869, il n'avait que deux mots : « *euh!* » et « *tah!* »; *euh* exprimant l'ordinaire et *tah* l'extraordinaire. Il voyait un fiacre et disait « *euh* »; il voyait une locomotive et disait « *tah* ». En juin 1870, il disait « *dau* » (la mer), « *fiume* » (les bateaux à vapeur), « *ouaoua* » (les chiens), « *coco* » (tout ce qui a, ou suppose, des ailes, depuis une omelette jusqu'à un ange, en passant par les poules), « *momome* » (un homme, et tous les hommes). Aujourd'hui, il dit tout, et l'on pourrait presque ajouter, il pense tout. C'est un enfant beau et puissant et charmant; tout son père au même âge.

– Je visite presque tous les jours les maisons brû-
lées dans la nuit du 14 au 15. Intérieurs sinistres. La
vie toute récente et la mort toute chaude. Il n'y a
plus de toits aux maisons ni de plafonds aux
chambres. Des tas de cendres aux rez-de-chaussées,
épais de deux ou trois pieds, résument toute la maison. Les portes et les fenêtres, qui ont été des vomi-
toires de flammes, sont calcinées. Dans des façades
toutes rongées par le feu, il y a des croisées dont les
carreaux ne sont pas cassés. Dans les arrière-cours où
pleuvait la braise, des tas de fumier n'ont pas pris
feu. Çà et là, les poutres d'un plafond, restées à claire-
voie et se découpant noires sur le ciel, ressemblent
aux côtes d'un squelette. Des touffes d'herbe dans
des coins sont restées vertes. On a commencé la
reconstruction. La souscription marche; le prince
Henri des Pays-Bas, vice-roi du Luxembourg, a dit :
« *Je dois donner le double de Victor Hugo* »; et il a
donné 600 francs.

– J'envoie à Julie [1] 672 frs.

– Ce soir, elle est très souffrante. Vive attaque de
goutte.

24 juillet.

Mauvaise nuit; elle passera la journée au lit.

– Visite de M. Nephtaly Bloch. Il vient de Luxembourg à Vianden déjeuner avec moi.

– Je recommande à M. Bloch Mlle Désormeaux,
à M. Pauly la veuve Garreau, à M. Couvreur, le neveu
Knaff.

– 5 h. du soir. Elle est un peu mieux.

– Le curé de Vianden a dit hier dimanche en
chaire : « *Le diable avait sur la terre trois religions, les
luthéristes, les calvinistes et les jansénistes. Maintenant
il en a une quatrième, les hugonistes.* »

Ce curé est un vieux brave homme qui possède la
seule oie qu'il y ait dans Vianden. Il va dans les rues

avec elle. Ils sont inséparables; tantôt l'oie suit le curé, tantôt le curé suit l'oie.

— Dépenses de la semaine à l'*Hôtel Koch* : 466 frs.

25 juillet.

J. J. est mieux, ce matin. Elle a bien dormi. Il lui reste une forte douleur néphrétique. L'application d'un fer à repasser chaud sur le côté la soulage.

— Pluie.

— Marie Mercier, veuve Garreau, est venue prendre congé de moi. Elle part pour Liége. Je lui donne, pour viatique, 50 frs. Osc. Elle part à 5 heures.

— Le jour du départ de Victor, comme nous étions dans la voiture, en route pour Diekirsch, en montant la côte de Vianden, le cocher s'arrête brusquement, et fait pleuvoir avec une sorte de rage une grêle de coups de fouet sur un point de la route. Nous regardons et nous voyons une misérable bête se tordre sous le fouet au grand soleil. C'était une couleuvre qui traversait le chemin. Elle est restée là coupée en tronçons. J'ai dit au cocher : « — *Pourquoi la tuer?* » Il m'a répondu : « — *Ces bêtes-là font peur aux chevaux.* »

26 juillet.

Me revoilà seul avec ces deux dames, souffrantes. Hier soir, nous avons repris le nain-jaune. Il est convenu que le gagnant donnera son gain à une pauvre vieille femme, servante dans l'hôtel.

— Ce matin, j'ai dû, à regret, dire quelques paroles sévères à Mariette, qui est excellente mais irritable et violente parfois. Quoi qu'il arrive, je lui maintiendrai le don de 3.000 frs. que je lui ai fait dans mon testament. J'ai fait le même legs à Suzanne.

— J'ai dessiné la vieille maison en face de ma fenêtre.

— En dînant, nous recevons les journaux belges.

Ils nous apportent une lettre de Victor, qui est à Bruxelles. Incident inexprimable. Tout est possible. Le gouvernement belge, à la requête du gouvernement français, fait une instruction judiciaire, non pour savoir qui a tenté de m'assassiner dans la nuit du 27 mai, mais pour savoir si les quelques petits tableaux que Victor a dans sa chambre depuis 1865 n'ont pas été volés au Louvre depuis le 18 mars 1871. Victor serait le voleur; je serais le receleur.

28 juillet.

Les journaux allemands et belges publient l'affiche du meeting de Liége contre mon expulsion de Belgique.

— Hier un paysan entre dans le jardin de l'*Hôtel Koch* où j'étais. Il s'approche et me dit :

Et s'il n'en reste qu'un, je serai celui-là

Je le regarde; il ôte son chapeau.

« — *Salut, Victor Hugo* », dit-il. Et il ajoute : « — *On ne dit pas monsieur.* »

Je lui tends la main, et le voilà qui se met à me réciter des vers de la *Légende des Siècles*, des *Châtiments* et des *Contemplations*.

Cet homme est vieux, en blouse et en sabots, et parle bien français. Je lui ai demandé : « — *Qui êtes-vous? Que faites-vous?* »

Il m'a répondu :

« — *Je cultive la terre et je lis Shakespeare en anglais et Victor Hugo en français.* »

— Nous nous sommes promenés, ces deux dames et moi, avec les deux enfants; distribué aux pauvres pendant ma promenade : 6 frs.

— Ce matin est arrivé de Luxembourg, sous le nom de M. Lacombe, le général La Cécilia, accompagné de sa femme, qui paraît intelligente et vaillante, et de l'ami français qui loge à Luxembourg et qui était déjà venu avec lui le 20 juillet. Je les invite à dîner,

La Cécilia est décidément un homme très distingué. Il dément énergiquement l'allégation de Johannard relative à l'enfant fusillé. Je publierai son démenti. Au dessert, il a voulu porter ma santé. Il part demain matin et ira à Londres, par Liége, Maestricht et Rotterdam. Je lui ai donné une lettre pour Rascol, directeur du *Courrier de l'Europe*.

– Aujourd'hui, j'ai dessiné la maison que j'habite.

29 juillet.

Reçu une lettre de Meurice. Une traite de Charles, contresignée Barbieux, a été présentée par la Banque le 26 juillet. Elle se monte à 1.806 frs. Meurice offre de faire avancer la somme par le *Rappel*. Je paierai plus tard. J'accepte et je remercie Meurice.

– Distribué aux pauvres, 10 frs.

– Promenade avec ces dames et les enfants jusqu'au pont-frontière de Prusse.

30 juillet [1].

Promenade à Diekirsch avec ces dames. Séjour d'une heure et demie à l'*Hôtel des Ardennes;* filles se baignant dans la rivière.

31 juillet.

Visite d'un docteur Pickar qui habite le Rio Grande (Brésil) [2].

– Dépenses de la semaine à l'*Hôtel Koch*, 269 frs. 90.

– Distribué à divers pauvres, 10 frs.

1er août.

J'envoie à Paul Meurice, par lettre chargée, pour le volume *Actes et Paroles*, le fascicule contenant l'*Incident belge* (1 fr. 80).

– A 5 h. après-midi, M. Pauly nous a invités, ces

dames et moi, à une promenade en bateau. Nous
sommes allés chercher le bateau à une portée de fusil
en aval, tout près d'un barrage où il y a une petite
chute. En entrant dans le bateau, ces dames sont un
peu tombées. M. Pauly a saisi l'aviron, mais l'eau
était très grosse, et nous avons, malgré ses efforts,
dérivé vers la chute. Cependant nous avons pu atter-
rir à la rive opposée, qui est un escarpement. Au
pied de cet escarpement, nul moyen de grimper.
M. Pauly a essayé de gagner seul l'autre bord, mais
il a dérivé et a dû se jeter à l'eau. Le bateau vidé
a franchi la chute. Du reste, c'était un bain pour
M. Pauly; il n'y avait que trois pieds d'eau. Des
enfants ont crié. Un homme du métier est venu à
notre aide; on a traîné le bateau sur la prairie
au-dessus de la chute, puis on l'a remis à flot, et
l'homme est venu nous chercher dedans. M. Pauly
en sera quitte pour changer de vêtement, et ces dames
de chaussures.

2 août.

Alice, souffrante, est partie ce matin pour Bruxelles.
Elle veut consulter son médecin. Elle emmène Petit
Georges. Elle compte revenir vers la fin de la semaine.
Nous voilà seuls tous deux.

— Il fait beau. Nous recommençons à déjeuner et
à dîner dans le jardin.

— Lettre de Liège [1]. Mercerie recherchée.

— A 4 heures et demie, promenade en voiture.
M. Pauly nous guidait. Nous sommes allés par le
haut plateau au-dessus de Vianden, route de Cler-
vaux, puis à travers champs, à pied, voir une magnifique vallée de l'Our. Un cirque de hautes collines
entourant comme un amphithéâtre une sorte de mont
figurant un proscenium ou une estrade. Un peu en
arrière de ce mont, la croupe escarpée qui porte la
ruine de Falkenstein. Au fond, en bas, la rivière tordue comme une couleuvre.

– Le pauvre petit renard captif nous intéresse. Il gémit dans sa chaîne. J'ai offert à Mlle Koch de me le vendre pour le remettre en liberté. Elle accepte (5 frs.).

3 août.

Ce matin, M. Pauly est entré dans ma chambre; il m'a apporté la traduction, faite par lui, de quelques lignes d'un journal allemand confirmant la visite que Garibaldi viendrait me faire. Je crois le bruit peu fondé.

– Il pleut. Pas de promenade aujourd'hui.

– La justice belge renonce à nous accuser d'avoir volé le Louvre. Ordre de rendre à Victor ses tableaux. Du reste, le déchaînement de calomnies contre moi continue avec une rage inouïe. Il y a évidemment, en ce moment, haute paie.

4 août.

Nous sommes allés nous promener avec Petite Jeanne dans sa voiture; nous nous relayions pour la traîner. Arrivés à la frontière de Prusse, nous avons vu venir à nous M. André de Roth. Il nous a priés d'entrer chez lui. J'ai vu Roth; vieille église romane avec une abside très curieuse, du neuvième siècle, à galeries superposées de cintres engagés. Ici le roman est presque encore romain. A côté, dans le mur extérieur, une pierre tombale du onzième siècle. Le clocher est du douzième. Le manoir de Roth est une ancienne commanderie de Templiers, puis de Malte. Il a encore très bon air. Dans l'intérieur quelques vestiges, des cheminées de pierre, une vis d'escalier en pierre sculptée; au dehors, quelques inscriptions. Il y a sur la porte d'entrée des trous de mitraille du maréchal de Boufflers qui mit une batterie sur la haute colline en face. Roth regarde deux vallées où coule l'Our. C'est très beau.

J'ai ramené M. André dîner avec nous. Il a de
l'esprit et cause bien. Il est d'une famille française
devenue allemande, de même que je suis d'une famille
allemande devenue française. Il pleuvait. Il nous
a ramenés à Vianden dans sa carriole de chasse.
M. André m'a conté la très curieuse noce du dernier
comte de Falkenstein, devenu paysan.

5 août.

Nous avons promené Petite Jeanne dans sa voiture. Elle est gaie.
— Metz. Nouvelles [1]. Mercerie.
— Alice écrit qu'elle ne peut revenir aussitôt qu'elle
le croyait.
— Depuis quelques jours, beaucoup d'officiers prussiens en uniforme, sabre au côté et casque en tête,
viennent à Vianden, stationnent sur le pont devant
ma maison et, quand je parais à la fenêtre, me
saluent. Cela va m'empêcher de me mettre à la
fenêtre.

6 août [2].

Promenade, nous deux et M. Pauly, dans la vallée
de l'Our, jusqu'à Wallendorf. En revenant, nous
avons rencontré Mariette et Suzanne traînant dans
sa petite voiture Jeanne couverte de fleurs par une
bande d'enfants du pays qui la suivaient avec des
cris de joie.

7 août.

J'ai profité d'un rayon de soleil pour dessiner un
aspect assez détaillé de la ruine de Vianden.

8 août.

Visite d'un avocat de Mons qui, me dit-on, est le
chef du parti radical du Hainaut. Il était accompagné
d'une dame, qui est sa fille.

– Promenade tous ensemble, cet après-midi, sur la route de Roth. J'ai traîné la voiture de Petite Jeanne.

9 août [1].

Lettre de Meurice nous envoyant des plans d'appartements à louer à Paris, et le prix (variant de 500 à 3.600 frs.).

– Le renard dont j'avais acheté la liberté, 5 frs., était encore là, dans sa boîte, au jardin. Je voulais le porter moi-même dans la montagne et puis j'hésitais un peu, pensant à toutes les pauvres petites bêtes des bois qu'il allait dévorer. Las d'attendre, il a pris le parti de se délivrer tout seul. Il est parti cette nuit. On a trouvé sa chaîne cassée et sa boîte vide.

10 août [2].

J'ai dessiné hier un grand fardier chargé de troncs d'arbres qui était devant ma porte.

– Excursion sur la montagne tous les trois (nous deux et M. Pauly). Voiture à deux chevaux. Retour au haut du plateau d'où l'on voit Falkenstein. J'ai fait une ébauche de ce grand paysage. De là, nous sommes allés sur le plateau voisin d'où l'on voit Vianden. Nous sommes allés à pied jusqu'au bord de l'escarpement. Vue splendide. Rien de plus grand. Cette immense ruine dans cet immense entassement, ce donjon dans ce tas de collines, c'est mélancolique et sauvage. Un pas de plus et l'on voit la ville au fond de la vallée, et la rivière. C'est plus pittoresque et moins sublime. Il n'y a plus la solitude. L'homme apparaît. Il semble que Dieu, qui emplissait tout, diminue.

– J. J. est souffrante. Je suis inquiet.
– Victor reviendra samedi.

Vendredi 11 août [1].

Jusqu'à ce jour, j'ai eu mes trente-deux dents. Une du fond branlait depuis quelques jours. Je l'ai fait arracher par le médecin d'ici, qui est prussien. Il ne m'a pas arraché ma dent contre la Prusse.

— Mariette m'annonce qu'une grosse dent pousse dans la petite bouche de Jeanne. Les siennes viennent, les miennes s'en vont. La vie dit à Jeanne : « — *Il te faut des dents pour manger* », et à moi : « *tu n'en auras bientôt plus besoin.* »

— J'envoie à Mme Chenay le ravitaillement ordinaire de Hauteville-House, pour aller du 15 août au 3 septembre : 240 frs.

12 août [2].

Joie. Victor et Alice sont revenus aujourd'hui. Petit Georges est accouru vers moi, m'ouvrant ses charmants petits bras. Il était 7 heures du soir. Nous avons dîné tous ensemble, plus le bourgmestre que j'avais invité.

13 août [3].

J'ai lu à Victor et à ces dames les vers à Trochu, « *L'Enfant enterré* » (Mme La Cécilia) et « *La Voix sage et la voix haute* [4] ».

— J'ai dessiné sur mon livre de voyage la grande toile d'araignée à travers laquelle on aperçoit la ruine de Vianden comme un spectre. Vraie besogne d'un 13.

14 août.

Secours à C. Montauban, envoyé par la poste; 45 frs.

— A 5 heures et demie, nous sommes partis à pied, Alice, Victor et moi, pour aller dîner à Roth, chez

MM. André; J. J., souffrante, a voulu rester avec les enfants.

Il y avait à dîner un avocat de Trêves et sa femme, tous deux républicains. Les deux frères André sont des hommes très distingués et très libéraux. Mme Philippe André est une très belle jeune femme, et fort spirituelle, et on ne peut plus charmante. Elle a deux petites jumelles de sept ans, toutes gentilles. La soirée a eu un grand intérêt. Nous sommes rentrés à l'*Hôtel Koch*, en compagnie de M. et Mme Pauly, à une heure et demie du matin.

Mme André est française d'origine. Sa famille s'appelle Rollin. Elle a voulu nous reconduire jusqu'au pont-viaduc qui est la frontière de Prusse. Elle a pris mon bras. *Osc. mano. boca. pié* [1].

15 août.

Visite de M. Léon Lyon, peintre français qui habite le Luxembourg.

— J'écris à Berru pour l'inviter, lui et sa femme, à venir passer quelques jours avec nous à Vianden.

— Orage, tonnerre, éclairs.

— Distribué dans ma promenade : 5 frs. 50.

16 août.

Ce matin procession de Saint-Roch contre le choléra. Bannières. Cloches. Chants. Saint promené. J'ai un peu scandalisé les gens en demandant si on l'avait laissé entrer dans l'église avec son chien.

Promenade à Wallendorf tous les quatre. Au départ, beau temps. Au retour, tempête. Presque une trombe. Nous étions au grand galop sur la montagne. Il paraît qu'il y avait du danger. Éclairs aveuglants. J'ai pris mon caban, je me suis mis sur le siège dehors, et je les ai mis tous les trois dans la voiture bien fermée en leur décochant ce quatrain :

Puisque sur nous l'orage plane,
J'entends rester seul sur mon banc;
Je me fourre dans mon caban,
Fourrez-vous dans votre cabane.

Ces dames ont ri. Faire rire, c'est rassurer. L'averse était si formidable qu'il a fallu s'arrêter. Nous nous sommes remisés dans une ferme. Ces dames ont bu du lait. Nous sommes rentrés à 8 heures du soir.

Jeanne a été un peu effrayée du tonnerre. Elle l'appelle « *le gros ouaoua* » et elle essaie de l'imiter. Nous ruissellions en rentrant.

17 août.

Cette nuit, j'ai fait ce rêve : un homme, dans ma chambre, un revolver à la main : « – *Que voulez-vous?* » – « *Vous tuer.* » Je me jette à bas du lit en appelant Victor et je me précipite dans la chambre voisine. Il y avait six hommes qui me couchent en joue. Je me suis réveillé.

– M. André de Roth est venu. Je l'ai invité à déjeuner.

– Mon caban n'est pas encore sec.

– Est arrivé pour me faire visite M. Léon Dommartin, de Spa. Je l'invite à déjeuner et à dîner tout le temps de son séjour. Il loge chez le bourgmestre.

– A une femme pauvre, 25 frs.

18 août [1].

Visite de la fille de Mme Popp, de Bruges, accompagnée de sa fille et de son mari, qui est auditeur militaire à Gand. Il s'appelle M. de Latte.

– J'ai eu à dîner M. et Mme Philippe André, M. et Mme Pauly et M. Léon Dommartin, plus les deux enfants Pauly, les petites jumelles de Mme Ph. André, les deux jeunes filles de l'avocat Schönbrod, de

Trêves. Il y avait deux tables, une de dix couverts
pour nous, et une de neuf couverts pour les enfants.
— *La mano* [1]. Suite.

19 août [2].

M. Léon Dommartin nous a quittés ce matin. Il
retourne en Belgique.

20 août.

Nous avons déjeuné chez M. Pauly, avec M. et
Mme Philippe André. Osc.

— Vu la procession et la ménagerie.

— Hier, avec Victor et ces deux dames, j'ai été
revoir Brandebourg; route charmante, ruine superbe,
entre deux ravins, l'un doux et vert, l'autre terrible.
Le vieux burg est admirable. J'y ai fait trois dessins.
Une porte, style Médicis, soutient une tour romane
qui va crouler. Elle plie et fait ventre à droite et à
gauche. Au fond de la ruine, une tour carrée du
dixième siècle, tragique. A la porte de Brandebourg,
un bas-relief romain en grès. Les savants du pays
disent que c'est un autel du bœuf Apis, à qui un
prêtre offre une pomme. C'est un zodiaque.

Nous sommes revenus à 8 heures du soir.

21 août.

J'ai mis en ordre mes papiers. Nous faisons nos
malles [3].

— Après le dîner, je suis allé à Roth. Vu l'église
romane, malheureusement badigeonnée; beaux piliers
et beaux chapiteaux. Le portail, refait fâcheusement
au xviiie siècle par le grand-père de M. André de
Roth, pourrait aisément être rétabli. On voit sous le
plâtrage rococo les pleins cintres romans. Dans le
cimetière, vieilles croix gothiques. Au coin du cimetière, un tilleul aussi vieux que l'église. Un chicot du

tronc dessine une gueule d'hydre, ou du moins de
grosse bête de la mer. Ce monstre animal sortant de
ce monstre végétal est curieux.

Mme Ph. A. Osc. Nous sommes revenus ensemble
dîner chez moi à l'*Hôtel Koch*. Pendant le dîner est
venu M. Ph. André, arrivant de Diekirsch, et un
télégramme de M. Pauly, nous annonçant des loge-
ments à Mondorf.

— J. J. est souffrante. Je suis inquiet.

— J'ai remis à mes invités des médailles frappées
pour mon arrivée à Paris.

— *Boca. Pié. Mano.*

— Nous avons dîné, ce soir 21, pour la dernière fois,
dans le jardin de l'*Hôtel Koch* où nous avons vécu
deux mois et demi. MM. Théodore et Philippe André
étaient du dîner, et Mme Philippe André. Soirée
douce et charmante. Reverrons-nous Vianden ? Nous
partons demain pour Diekirsch ; pour l'inconnu.

                                          22 août [1].

Payé à l'*Hôtel Koch* notre dépense de la dernière
semaine : 471 frs. 60.

— Le jour où je pars, l'évêque arrive. Il s'appelle
Adamus. On l'attend ce matin. Cloches, reposoirs, etc.
La petite ville est pavoisée et endimanchée.

— Jeanne dit maintenant beaucoup de choses.
Elle dit : « *Mais non ! Cat'don !* (regarde donc !),
petaine (tartine), *gamin, mimi, hop là !* »

— Nous avons quitté Vianden dans le char à bancs
de l'*Hôtel des Ardennes*, qui est venu de Diekirsch
nous chercher. Nous étions tous les quatre dans la
voiture avec les deux enfants et Mariette, moi sur le
siège. Nous sommes partis de l'*Hôtel Koch* à 1 heure.
Nous avons monté la côte. A 1 h. 28 j'ai perdu de vue
la maison que j'habitais, sur le pont, et où ma
fenêtre était restée ouverte. A 2 h. moins cinq, j'ai
perdu de vue en même temps Vianden et Roth, le
château de Vianden à un bout de la vallée et le châ-

teau de Roth à l'autre bout. Grande gaîté des enfants
en route.

Nous sommes arrivés à 2 h. 1/2 à Diekirsch, et
descendons à l'*Hôtel des Ardennes* où j'occupe le
n⁰ 15, chambre et salon. A 3 heures, nous étions au
palais de Justice. Le procureur général, M. Jurion,
était venu de Luxembourg pour me recevoir, ainsi
que le procureur d'Etat. J'ai fait d'abord ma protestation contre la justice belge, puis ma déposition [1].
Victor et Mariette ont déposé ensuite. Grande poli-
tesse de tous ces magistrats.

– Nous avons dîné à la table d'hôte avec M. Philippe André qui est ici depuis hier, et la famille Popp,
de Bruges.

– Le soir, le greffier est venu me lire ma déposition, rédigée par lui. Je l'ai signée.

23 août.

Ce matin, Georges m'a dit : « – *J'ai de bonnes amies
dans la maison.* »

– L'évêque de Luxembourg, revenu de Vianden,
a rencontré Petite Jeanne dans la rue et lui a donné
une image.

– M. Ph. André est parti ce matin pour Vienne et
Prague.

24 août.

A 9 heures et demie, après avoir pris le café, nous
sommes partis en char à bancs tous les quatre pour
Esch-le-Trou. La famille de l'auditeur militaire,
gendre de Mme Popp, et sa sœur la comtesse de Vedel
nous accompagnaient dans une calèche. Nous sommes
arrivés à Esch-le-Trou à midi et demie. On descend
une grande côte, on longe une rivière, la Sure (ainsi
nommée parce qu'il n'y est jamais arrivé d'accident),
on passe un tunnel creusé dans le roc vif, et l'on entre
dans une vallée assez sauvage. Il y a là, au-dessus

d'un village, un vieux burg; une tour ronde et une
tour carrée, toutes noires, se regardent des deux
bords d'un précipice; derrière la tour carrée s'éche-
lonnent sur les crêtes du rocher trois ou quatre
autres tronçons de tours. C'est du dixième siècle et
très farouche. Nous avons déjeuné, avec nos compagnons d'excursion, à une auberge primitive qui est
là. Puis nous sommes montés au burg. Il est habité.
Les paysans ont remis aux tours effondrées des toits
de paille et ils ont fait du donjon une énorme chaumière. Revanche du village sur la seigneurie. Rien de
fauve et de misérable comme ces intérieurs. Une
fille couche là, dans un trou sans vitres, sur de la
paille, presque en plein air, hiver et été. J'ai vidé là
mon porte-monnaie. J'ai fait quelques croquis de
toute cette ruine. La fille de Mme Popp est une femme
charmante. Nous étions de retour à Diekirsch à
7 h. 1/4 par un beau soleil couchant.

Le tunnel d'Esch-le-Trou me rappelle la coupure
faite à ciel ouvert au rocher qui fermait la vallée de
Vianden, où est maintenant la frontière de Prusse.
Ce rocher a été dur à couper. Il a fallu le pic et la
mine. Un des travailleurs a été lancé un jour par
l'explosion de la mine du haut de la montagne au
fond de la vallée au delà de la rivière. Il ne s'est fait
aucun mal dans cette chute énorme. Il est encore
vivant. Il y a de cela quarante ans. M. André m'a
montré le trou de mine qu'on voit encore; M. André
a été témoin du fait. Il alla voir l'homme qu'on
venait de relever tout en vie. « – *A quoi pensiez-vous
en l'air?* » lui demanda M. André. « – *A ceci, qu'on
était bien en l'air, et mal sur la terre.* »

25 *août.*

Nous partons demain pour Mondorf.
– Excursion, par Mersch, au château en ruine
d'Anselmburg. Mersch, je dessine le beffroi; Hollen-
fels, le rocher-tour, belle ruine gâtée par un logis

bourgeois; Marienthal, vallée magnifique, rochers comme des tours; Schœnfels, Belleroche, vieux château absurdement restauré. La ruine d'Anselmburg est admirable. Je la dessine. Forteresse du quatorzième siècle avec des choses de la Renaissance. Il y a un revenant.

Nous sommes partis de Diekirsch après déjeuner à 2 heures; j'ai offert, dans notre calèche, deux places aux deux dames de la famille Popp, la mère et la fille, charmante (osc.). J'ai dessiné le vieux château. Arrivés à 6 heures; repartis à 7. Lune. Vallée mystérieuse. Lueur extraordinaire. Flamme qui s'éteint, comme si l'on soufflait dessus, dans un lieu inaccessible, à la lisière d'un bois. J'ai pensé au mot d'Hamlet à Horatio [1]. Vers 8 heures du soir, la lune disparaît. Pluie commençante. Gros nuages. Nous arrivons à Mersch. Je crains l'ondée nocturne pour ces dames; je décide que nous quitterons la calèche et que nous reviendrons en chemin de fer. Nous quittons la voiture à Mersch, et nous prenons le train à 9 h. 1/2 du soir pour Diekirsch (six première classe : 10 frs. 20). Nous arrivons à Diekirsch à 10 h. 25. Nous soupons avec ces dames. Les enfants sont couchés et dorment. Je me couche à minuit et demie.

Nous partons demain matin pour Mondorf.

26 août.

Départ de Diekirsch.

— Dépenses, depuis le 22, à l'*Hôtel des Ardennes*, 323 frs. 40.

— Sept première classe pour Luxembourg, 24 frs. 20. Nous sommes partis à 11 h. 15; arrivée à Luxembourg à 1 h. 1/4.

— Nous avons trouvé à la gare de Luxembourg M. Kausman, maître de l'*Hôtel de Paris* à Altwies, près Mondorf, qui nous attendait avec un char à bancs. Descendons à l'*Hôtel de Paris* à 4 heures.

— Marie, la petite servante attachée à Georges, est

tombée en descendant du wagon. Je crains qu'elle ne
se soit blessée au genou.

27 août.

Je n'interromps pas mon travail.
— Marie m'a montré son genou. C'est une simple
contusion. Elle souffre peu.
— A 3 h. 1/2 nous sommes allés à pied à Mondorf.
Victor et moi avons bu chacun deux verres d'eau
minérale et pris notre première douche. La douche
fait plaisir; le breuvage pas.

28 août.

A Mondorf, aristocratie et bourgeoisie. Grande
curiosité de me voir, mais curiosité hostile. Mariette
a entendu un homme à qui un autre disait : « — *Tour-
nez-vous, voilà Victor Hugo* » répondre : « — *Je ne le
connais pas.* »
— Jeanne parle de mieux en mieux. Pourtant, elle
ne peut prononcer « *Mariette* »; elle continue à l'appeler « *Oua Oua* ». Elle tape dans ses mains, et dit
« *Bavo!* » *(bravo!)*.
— Nous sommes allés à Aspelt. Il y a là une vieille
croix de pierre, une église gothique avec un clocher
roman, et un château du seizième siècle, le tout en
mauvais état. J'ai dessiné la croix, le clocher et le
château. Un paysan est venu nous ouvrir. J'ai voulu
lui donner une pièce de monnaie. Il a refusé et m'a
dit : « — *Je voulais vous voir, je vous ai vu, je suis
content.* » Je lui ai demandé : « — *Etes-vous luxembourgeois?* » Il m'a dit : « — *Non, je suis prussien aujour-
d'hui. Mais français toujours.* » Je lui ai tendu la
main qu'il a serrée les larmes aux yeux. C'est un lor-
rain cédé. Je lui ai dit : « — *Nous vous délivrerons.* »
Il m'a dit : « — *Vous nous avez défendus, nous le
savons bien.* » Je lui ai répondu : « — *Et je vous défendrai encore.* » Tout le village m'a entouré. Je me suis

senti aimé là. Impopulaire parmi les bourgeois, populaire parmi les paysans d'Aspelt.

– Nous avons vu le médecin des eaux, le docteur
Marchal. Il prescrit à ces dames et à moi le traitement thermal et à Victor le traitement hydrothéra-
pique non minéral.

– Donné à divers pauvres : 10 frs. 80.

– J'offre à ces dames et à Victor une voiture pour
les conduire aux bains tous les matins.

29 août.

Nous avons été invités à l'*Hôtel de Luxembourg* par
M. Pauly. Le docteur Marchal et Mlle Amélie Désormeaux y étaient. Mlle Désormeaux a chanté *Patria*.

30 août.

Après déjeuner, à 10 h. 1/2, nous sommes partis
pour Thionville, ces deux dames, Victor et moi avec
les deux petits et Mariette. M. Pauly nous accompa-
gnait. Il y a eu des incidents de route. Un cheval s'est
abattu, un trait s'est cassé; de là un retard. Nous ne
sommes arrivés à Thionville qu'à 1 h. et demie.

Je raconterai en détail cette journée. J'ai vu cette
ville que mon père a défendue en 1814 et 1815, et
qu'on n'a pas prise. L'Allemagne la tient. Il y a une
sentinelle prussienne aux portes.

La ville a été épouvantablement bombardée. La
pluie d'obus a duré cinquante-trois heures. Sur toute
la ville, environ quatre cents maisons, cinq seulement
n'ont pas été atteintes; elles ont seulement leurs
vitres brisées. Tout le reste mitraillé, écrasé, brûlé.
La ville est morne, je devrais dire morte. Les habitants sont indignés et consternés. Partout des ruines.
Pourtant on commence à rebâtir.

Nous sommes allés à la mairie; la maison de ville
étant brûlée, la mairie se tient dans un logis quel-
conque sur lequel on lit ce mot écrit à la main au-

dessus de la porte : *Mairie*. Nous sommes entrés dans
une salle basse où des hommes étaient assemblés.
J'ai demandé : « – *Quelqu'un pourrait-il m'indiquer
la maison où a logé en 1814 et 1815 le général qui a
défendu Thionville?* » Un vieillard, le maire, m'a dit :
« – *Le général Hugo?* » J'ai répondu : « – *Oui.* » Alors
un d'eux, m'ayant reconnu, a dit à demi voix aux
autres : « – *C'est son fils, Victor Hugo.* » Tous se sont
levés. On a parlé. Mon père a laissé une grande trace
dans cette ville. On l'admire et on le vénère. Ces
hommes étaient les membres du conseil municipal.
Ils étaient en séance. J'y étais entré brusquement.
L'émotion était grande; un d'eux s'est écrié : « – *Si
nous avions eu en 1870 l'homme que nous avions en
1814, Thionville ne serait pas aujourd'hui prussienne!* »
Un d'eux, un nommé M. François, s'est offert pour
me conduire à la maison que mon père avait habitée.

J'ai demandé au maire, M. Arnould : « – *Où sont
vos archives? Je voudrais voir les dossiers relatifs au
siège de 1814 où mon père commandait.* » Il m'a
répondu : « – *Nous n'avons plus d'archives. Tout est
brûlé. Nous avions, dans la grande salle de la mairie
où se tenait le conseil municipal, le portrait de votre
père. La salle a été brûlée, le portrait aussi.* » J'ai
répondu : « – *Tant mieux. Du moins mon père n'est
pas prisonnier de la Prusse. Il méritait d'être tué ici
en effigie avec votre liberté.* » L'émotion nous gagnait.
Les yeux étaient humides. Nous sommes allés rue
des Vieilles-Portes, nº 326. C'est là qu'était, et n'est
plus, la maison habitée par mon père en 1814 et
1815. Elle a été brûlée. On l'a rebâtie. Il en reste
pourtant une grande porte cochère et la façade inté-
rieure sur la cour, avec les écuries, les remises, les
cuisines, petit corps de logis style Louis XIV, surmonté d'un jardinet en terrasse dont le haut mur
laisse voir les arbres du rempart. Aux deux angles du
petit jardin, il y a deux pavillons, même style, dont
les vitres sont brisées par le bombardement. Entre
ces pavillons une petite porte par où mon père allait

sur le rempart auquel la maison est comme attenante.
A l'intérieur, il ne reste rien de ce qui a vu mon père,
qu'un escalier de pierre et une petite glace trumeau
encadrée d'une baguette dorée avec des bergers et
des moutons peints dans le goût Louis XVI. La maîtresse du logis, jeune, nous parlait de mon père avec
respect. C'est la tradition de Thionville.

Une vieille dame a connu mon père. Elle s'appelle
Mlle Durand. Elle a aujourd'hui soixante-dix-huit
ans. On m'a offert de me conduire chez elle. J'ai
accepté. Un lycéen qui était là, coiffé d'un képi,
figure intelligente, m'a prié de lui permettre de me
conduire. Il est le petit-neveu de la vieille dame. Il
nous a menés dans une rue voisine. Nous sommes
entrés dans une maison de la Renaissance ayant
encore ses pilastres et ses médaillons, mais badi-
geonnés en jaune et en blanc. On entre par un beau
porche à voûte ogive. La vieille dame, prévenue de
mon arrivée, m'attendait au rez-de-chaussée. Elle
est infirme et marche difficilement. En 1814, c'était
une belle jeune fille de vingt et un ans. Elle s'est levée,
m'a fait la grande révérence lorraine, et m'a dit :
« – *Ah! monsieur, je vous ai vu bien jeune!* » C'est
mon frère Abel qu'elle a vu. Je ne suis jamais venu
à Thionville qu'aujourd'hui. Je ne l'ai pas détrom-
pée, ce qui lui eût fait de la peine. En 1814, Abel avait
seize ans, et était aide de camp de mon père. Il était
officier depuis l'âge de quatorze ans, sous-lieutenant
en sortant des pages du roi d'Espagne. Quand vint
la Restauration, à seize ans, il avait déjà porté trois
cocardes, la rouge d'Espagne, la tricolore de l'empire,
la blanche des Bourbons. Ce n'était pas la faute de
cet enfant.

La vieille demoiselle, très majestueuse et encore
belle, m'a parlé de mon père : « – *Il avait été si bon
et si brave en 1814, qu'en 1815 la ville a redemandé à
l'empereur le général Hugo. Il est revenu. Nous l'avons
reçu en triomphe. Le jour de son arrivée, il est allé au
théâtre. Toute la salle s'est levée en criant : Vive le*

général Hugo! J'étais là. » Et la vieille dame pleurait.
Je lui ai baisé la main. Victor aussi pleurait, et moi
un peu.

Le salon où nous étions est aujourd'hui moderne,
mais il a été antique, il y a une magnifique cheminée
du plus beau goût de Louis XIV en marbre rouge
avec médaillons de marbre blanc. Celui du centre, qui
est ovale, représente Sémélé; cette cheminée monte
jusqu'au plafond.

J'ai quitté la vieille dame très ému. Elle a fait
effort pour nous reconduire jusqu'au perron de la
cour. Son neveu, charmant adolescent, nous a un peu
conduits dans la ville. Il y a une vieille tour dite la
Tour aux puces. Le château, du temps de Charles-
Quint, a de beaux restes. J'ai dessiné une tour, et
une autre de l'entrée.

Thionville a de beaux restes de l'époque espagnole.
Une des rues de la ville est remarquable par la quantité de maisons à portes basses et à tourelles enga-
gées. J'ai dessiné une des masures du bombardement.
M. François nous a menés à ce qui a été la maison de
ville. Ruine. J'ai dessiné les quatre murs qui restent
de la salle où était le portrait de mon père. Il y a, à
côté du jardin, le jardin public.

Pendant que je dessinais, j'entendais des enfants
dans le jardin chanter la *Marseillaise.* J'ai dit à
M. François : « – *Cela fera de mauvais prussiens.* »

Dans la rue, on me saluait; on me regardait, les
larmes aux yeux, et je disais aux passants : « – *Soyez
tranquilles, nous vous délivrerons. Ou la France cessera
d'être la France, ou vous cesserez d'être prussiens.* »

Je suis rentré à l'*Hôtel de Luxembourg.* J'ai trouvé
le fils du maire qui m'attendait, mais j'étais forcé de
repartir pour Mondorf. Chemin faisant, j'avais vu
l'église. Elle est du mauvais style de Saint-Sulpice;
mais le baldaquin rococo de l'autel est admirable.
Il rappelle celui de Spire. Les voûtes ont des trous de
bombes. Le cadran du beffroi a été brisé par un obus.

Georges et Jeanne ont fait émotion. On les entou-

rait, on les admirait. Un officier prussien a dit à
Georges : « – *Vous êtes un bel enfant. Donnez-moi la
main...* » Georges a croisé ses deux mains derrière son
dos et l'a regardé fixement.

Le cheval qui s'était abattu a dû être changé;
il a fallu raccommoder le harnais; tout cela a pris
du temps. Nous n'avons quitté Thionville qu'à
six heures. J'étais sur la banquette du devant. J'ai
pris sur mes genoux Georges qui s'est endormi. Nous
sommes rentrés à notre hôtel d'Altwies à 8 h. 1/2
par un beau clair de lune.

31 août.

Secours envoyé à Metz à Mlle Brener, 21, Trou-
aux-Rats, 15 frs [1].

1er septembre.

Beau temps. Chaleur.
J'envoie à P. Meurice pour la réapparition du
Rappel la pièce « *A ceux qu'on foule aux pieds* [2] ».
– Pas un baigneur ne m'ôte son chapeau. Je sens
ici la haine des bourgeois de plus en plus profonde.
– En m'en revenant de Mondorf, j'ai rencontré sur
la route un cavalier, vieux, en blouse bleue, l'air
militaire, deux pistolets à ses arçons de cuivre; soldat
devenu paysan. Il m'a salué en passant; son cheval
s'est arrêté et a baissé la tête. Le vieux homme m'a
dit : « – *C'est un geval vrançais; il vous zalue.* »

2 septembre.

Cinq heures du matin. De ma fenêtre, je viens de
voir partir pour la chasse l'hôtelier, fusil en bandoulière, avec son chien remuant la queue. Le soleil se
levait. Rien de plus charmant. Cela va tuer. Le monde
est triste. Cela n'est pas notre faute.
– Paul de Koch est mort. Thiers est nommé par
l'Assemblée président de la République.

– Je remets à Victor une traite de 1.000 frs. sur Hachette; sur ces 1.000 frs., il enverra à Adèle son trimestre (1er octobre-1er janvier) : 945 frs.

– L'évêque de Luxembourg, Nicolas Adamus, a refusé la musique qui avait donné *une sérénade à Victor Hugo*. Alors les habitants de Vianden ont crié sur son passage « *Vive Victor Hugo* »! Et il a quitté la ville. Le bourgmestre a déclaré qu'il rompait toute relation avec le clergé local. Le *Wort*, journal allemand et jésuite, a dit que j'étais *Satan en personne*.

3 septembre.

Maria. Pierna. Parece amorosa [1].

– Après le déjeuner, nous sommes allés tous dans le char à bancs de l'hôtel à Remich où l'on passe la Moselle sur un pont hollandais par un bout et prussien par l'autre, et de là Nennig, où il y a des débris romains, un reste de palais, un bas-relief, un sarcophage en pierre, une colonnette étrange avec figure engagée, plutôt romane que romaine, de vieux murs, le parpaing d'une salle carrée avec tronçons de colonnes (une entière), et, dans un grand bâtiment construit exprès, une magnifique mosaïque romaine à médaillons, représentant les divers aspects du cirque, les gladiateurs s'entretuant, les bêtes s'entre-dévorant, les bêtes mangeant les hommes, les hommes tuant les bêtes, le gladiateur qui a vaincu le tigre et qui demande grâce, l'ours forcé à coups de fouet de manger un homme, le tigre dévorant l'âne, image involontaire de l'empereur et du peuple, le lion dompté par le belluaire, autre symbole, et la musique, un orgue hydraulique et un cor de chasse, sorte de trompette circulaire traversée d'une flèche. J'ai dessiné la tête du tigre et celle du lion. Cette mosaïque est très grande et admirable; elle a un aspect de grisaille que le temps lui a donné. Des paysans l'ont découverte à coups de pioche, et, sans leurs coups de pioche, elle serait intacte.

On m'a présenté le registre des voyageurs; je n'ai pas voulu y écrire mon nom, étant en Prusse.

Un peu de pluie, mais en somme beau temps. Nous sommes allés de Nennig à Dalheim voir l'emplacement d'un camp romain. On y a élevé un pilier carré surmonté d'un aigle avec cette inscription :

ROME A CAMPÉ SUR CE PLATEAU

Dans le village, un rocher mêlé de restes de maçonnerie romaine est curieux.

— Mlle Amélie Désormeaux m'envoie deux joujoux pour Georges et Jeanne.

— Dépenses de la semaine à l'*Hôtel de Paris* : 446 frs. 25.

4 septembre.

Ton anniversaire, ma fille bien aimée [1], — et anniversaire de la proclamation de la République, après Sedan. La réaction célèbre cet anniversaire par des condamnations à mort.

— Je reçois de Meurice les premiers placards d'*Actes et Paroles*. Sa lettre, datée du 1er septembre, a mis quatre jours pour venir de Paris ici.

— Petite boutique [2]. Poële. Suisse, *n.*

5 septembre.

Il y a un an, je rentrais à Paris. Quelles acclamations, alors! Quelle réaction aujourd'hui! Et qu'ai-je fait? Mon devoir.

— *Modesta. La misma de ahier* [3].

— Sec. à une femme pauvre, 5 frs.

6 septembre [4].

Nous avons déjeuné dehors, sous les arbres. Beau soleil. Après le déjeuner, j'ai fait, à l'ombre, un lit avec deux chaises à Petite Jeanne et j'ai veillé sur son sommeil à cause des mouches et des guêpes (que Georges prononce « *guêtes* »).

– On attend l'évêque ici demain. On bâtit des reposoirs sur la route. Il y aura procession.

Trois prêtres et une religieuse, en passant près de moi, m'ont salué.

– J'ai envoyé à Meurice les premières feuilles revues d'*Actes et Paroles*.

7 septembre.

Victor et Alice sont allés, avec quelques personnes des bains, déjeuner à Remich. Nous avons, nous, déjeuné avec les enfants sous les arbres, près de la rivière.

– L'évêque est arrivé. Procession qui a charmé Georges et Jeanne.

– Cet après-midi, comme j'entrais à l'Hôtel des Bains, une femme voilée s'est approchée et m'a dit : « – *Vous êtes Victor Hugo? – Oui, Madame. – C'est pour vous voir que je viens ici.* » Je lui ai baisé la main.

– *Esta tarde, a las nueve, Maria como Modesta* [1].

8 septembre.

Marie. Les Saints. Poêle.

– En allant aux bains, j'ai rencontré la dame qui est venue pour me voir. Elle est logée au *Grand Chef*. Elle n'est plus jeune, mais a été et est encore jolie. Elle a des enfants et est séparée de son mari. Elle était vêtue d'une robe de satin couleur thé, bien chaussée; une sorte de femme à la mode. Elle s'occupe un peu trop d'idées religieuses mêlées de libre-pensée. Elle m'a dit qu'elle resterait encore deux ou trois jours, et qu'elle tâcherait de me rencontrer. Je ne lui ai pas demandé son nom.

– Deux personnes, nouvelles amies d'Alice et de Victor, Mme Doucet et une jeune fille, sont venues passer la soirée avec nous. On a joué au nain-jaune.

9 septembre.

Deuxième envoi de placards corrigés d'*Actes et Paroles* à Meurice.

– Même poële qu'hier.

10 septembre.

C'est dimanche, et foire à Luxembourg. Victor et Alice sont allés y passer la journée.

– *Misma. Pecho y todo*[1].

– « *Monsieur le Président, je me suis un peu baissée*[2]. »

– A trois heures, nous sommes partis pour Rodemach en char à bancs, nous deux[3] et les deux petits, avec Suzanne, Mariette et Marie. Rodemach est célèbre parce qu'en 1814 une garnison de soixante-quinze hommes détachée de Thionville, et mise dans Rodemach par mon père, a tenu tête à 45.000 allemands. A l'heure qu'il est, Rodemach est démantelé. Ce vieux bourg a encore un grand aspect. Un reste d'enceinte du treizième siècle avec porte de ville entre deux tours rondes; un reste de haute muraille qui a été la citadelle des 75 hommes de mon père; tout cela est saisissant. Dans l'intérieur, il y a quelques vieilles maisons, une entre autres avec un joli porche de la Renaissance. Je retournerai à Rodemach.

– Revu la dame qui est venue exprès pour moi. Elle reviendra, dit-elle, me voir à Paris. Elle part demain pour les bains de mer.

– *Me ha dicho : todo lo que usted quiera, lo haré*[4] (gratification, 5 frs.).

11 septembre.

Misma. Se dixe tomas, y toma[5].

– Nous sommes retournés aujourd'hui à Rodemach, augmentés d'Alice et de Victor. J'ai dessiné la

13

porte entre deux tours. Pendant ce temps-là, Victor
et Alice ont dessiné la forteresse en ruine qui a, elle
aussi, une vieille porte flanquée de tours.

— La personne qui m'a dit être venue à Mondorf
exprès pour me voir s'appelle Mme Trigand de la
Tour.

— *Osc. Quiero que usted me haga un nino* [1].

— M. Thessalus est venu de Luxembourg me voir.
Je l'ai invité à dîner. Après le dîner, on a joué au
nain-jaune. J'ai gagné quatre sous. Telle est l'orgie.

12 septembre.

Victor et Alice sont allés, avec le docteur Marchal
et quelques amis des bains, en pique-nique à Sierck.
Ils reviendront pour le dîner.

— *Ahora todos los dias y a toda hora misma Maria* [2].

— Une chose amuse énormément les deux petits,
c'est de se mettre une serviette sur le visage et de la
relever brusquement. Ils ont peur et ils rient. Ils
appellent cela le *momomme*.

— Nous avons déjeuné dans le jardin. Beau temps.

— Victor et Alice sont revenus avec Mme Doucet
que j'ai invitée à dîner. Victor dit Sierck intéressant.
Il y a une vieille tour qu'il veut que je dessine. Arrive
un message avec une lettre du propriétaire de la
tour, M. Colard, nous invitant tous à déjeuner
demain. J'hésite un peu. Victor me presse. J'y
consens.

Ce soir, comme je revenais du bain, la nuit tom-
bait, j'étais arrivé à un lieu assez sauvage où il y a
un entrecroisement de routes au pied d'une haute
colline de roche. J'avais remarqué là une cabane
d'aspect farouche, quatre murs, une porte, une
fenêtre, la paille pour toit, le rocher pour plancher.
En passant devant cette cabane, j'ai entendu des
cris désespérés. J'ai regardé dans le crépuscule.
C'était un petit garçon de quatre à cinq ans, en hail-
lons, qui pleurait, criait, et frappait des poings et des

pieds la porte de la cabane. J'y suis allé. J'ai soulevé
le loquet, la porte était fermée. J'ai dit à l'enfant :
« – *Viens à moi.* » Alors il s'est sauvé dans le rocher
derrière la masure comme un chat sauvage. Je l'ai
fait revenir en lui tendant une pièce de monnaie. J'ai
encore essayé d'ouvrir la porte. Inutile. J'ai frappé.
Il n'y avait personne dans la maison. L'enfant s'est
remis à crier et à frapper la porte. Il avait peur de
moi, parlait allemand, et ne voulait pas me suivre.
Je suis allé jusqu'aux premières maisons d'Altwies,
qui est tout proche. Mais là, personne ne me compre-
nait. On ne parle qu'allemand. Enfin j'ai déterminé
deux jeunes filles à me suivre jusqu'à la masure. On
entendait toujours les cris de l'enfant de la nuit. Il
semblait et se croyait abandonné; les jeunes filles lui
ont parlé. Elles lui ont pris chacune une main, et il
s'est laissé emmener. Je l'ai suivi. Elles l'ont fait
entrer dans une maison, et une vieille femme qui
était sur le seuil m'a dit en français que le père et la
mère étaient là. Mais pourquoi avoir laissé dans cette
solitude le pauvre petit?

13 septembre.

Nous sommes partis en char à bancs à 10 h. 1/2 du
matin, sans les enfants, et avec Mme Doucet, pour
Schegen, près Sierck, où est le château de M. Colard.
Nous y sommes arrivés à midi et demi. Une famille
charmante; un jeune père, une jeune mère fort belle,
et six enfants. Quelques hôtes, dont un officier hollandais au service de la Prusse. Cet officier a parlé
de la France avec admiration et presque avec amour.
Cela m'a permis de bien déjeuner. Après déjeuner,
pendant qu'hommes et femmes faisaient une promenade en bateau sur la Moselle, j'ai dessiné la vieille
tour qui est vraiment très rare et très belle. Elle est
du treizième siècle et à demi couverte de lierre.
Mme Colard, en voyant mon croquis, m'a dit : « – *Je
donnerais la tour pour ce dessin.* » Je lui en ai promis
un croquis.

– En me déshabillant, j'ai laissé tomber de ma
poche une pièce de cinq francs que mon doucheur,
Jean, a ramassée sous prétexte de la chercher. Je n'ai
pas eu l'air de m'en apercevoir. Il m'a dit : « – *Je ne
l'ai pas trouvée.* »

14 septembre.

Victor et Alice sont partis avec Mme Doucet pour
deux jours à Trèves. Ils emmènent Georges avec
Marie.

– J'avais envoyé un secours de 15 frs. à une
pauvre [1], à Metz, par la poste de Mondorf. On n'a pu
trouver l'adresse. La poste m'a remboursé ces 15 frs.

15 septembre.

J'envoie à Alice, à Trèves, poste restante, ce télégramme : « *Jeanne est très bien. Docteur conseille
bains. Soyez bien tranquille. Nous vous attendons et
embrassons.* »

– J'ai donné ce matin, aidé de Mariette, à la pauvre
petite Jeanne, sa première affusion d'eau froide.
Elle a bien pleuré et crié. Elle m'a haï, un moment,
la douce petite fille. J'ai pourtant fait le plus vite
que j'ai pu.

16 septembre [2].

Reçu un télégramme de Meurice. Il a loué pour un
an un appartement rue La Rochefoucauld, 66.

17 septembre.

Misma. Mismas cosas [3].

– J'envoie à Mme Collard, à Schœgen, le portrait
de sa tour, que je lui ai promis.

18 septembre[1].

J. J. prend aujourd'hui son vingt et unième bain.
Elle s'en tient là; moi, je continue.

– Visite de M. Nephtali Bloch. Je l'invite à dîner.
Deux jeunes alsaciens de Strasbourg, venus pour me
voir, déjeunent à une table dans le jardin près de
nous. Je les invite à boire un verre de chartreuse et à
fumer un cigare avec ces messieurs.

– Lettre de P. Meurice. L'appartement de la rue
de La Rochefoucauld est loué moyennant 3.500 frs.
M. Chilly demande *Ruy Blas* pour l'Odéon. M. Per-
rin demande tout mon répertoire pour le Théâtre-
Français.

– Lettre de Berru. Il paraît que les journaux de
Paris me disent très malade. *Paris-Journal* donne des
détails. C'est d'une pleurésie que je serais en train de
mourir.

19 septembre.

J'ai interrompu, jusqu'à nouvel ordre, les ablutions
froides de Petite Jeanne [2].

22 septembre.

M. Arnoul, fils du maire de Thionville, vient me
voir. Je l'invite à dîner.

– Arrive un télégramme de Bochet annonçant la
condamnation de Rochefort à la déportation dans
une enceinte fortifiée. Cela me détermine à partir le
plus tôt possible pour Paris [3]. J'espère pouvoir partir demain.

– A Jean, mon doucheur, 5 frs.

– *Misma. Toda* [4].

23 septembre.

A moins d'incident inattendu, nous quittons
Altwies aujourd'hui.

– Dépense de la semaine à l'*Hôtel de Paris :* 502 frs.
(dans ce chiffre sont compris quelques frais divers,
notamment les 10 frs. que je paie pour la vieille
plaque de cheminée qui se rouillait dans l'arrière-
cour, et que j'emporte).

– Voici notre itinéraire D. V. [1]. Aujourd'hui 23,
Thionville; demain 24, Reims; après-demain 25,
Paris.

– Nous quittons Altwies par une pluie battante. A
Mondorf, on s'aperçoit d'un essieu cassé. Changement
de voiture. Retard. Nous n'arrivons à Thionville qu'à
cinq heures. Nous descendons à l'*Hôtel de Luxembourg.* Mme Doucet nous accompagne. Je la défraie
jusqu'à notre départ de Thionville.

24 septembre.

– Six première classe, 149 frs. 10.

– Nous partons à 6 heures du matin pour Reims
par le chemin des Ardennes. Nous avons traversé le
champ de bataille de Sedan. Le chef de train nous l'a
expliqué. La plaine est couverte de petites éminences
couvertes de touffes de chanvre qu'on y a semé. Ce
sont des tombes. Dans une petite île de la Meuse, il y
a quinze cents chevaux enterrés. La place est mar-
quée par l'épaisseur de l'herbe. Tout ce pays est
sombre et a un air indigné.

A l'horizon, on voit sur une hauteur, dans un bois,
le château où était logé Guillaume, et sur une colline
plus basse, dans un autre bois, le château où Bonaparte est venu signer la capitulation. On distingue
des faîtes aigus. Ce château, nous dit le chef de train,
se compose de quatre tourelles reliées par des ponts.
Je vois en effet les toits pointus des quatre pavillons.
Les deux châteaux appartiennent aux deux frères.
Ces deux autres frères, Guillaume et Bonaparte, y
ont signé une paix qui sera la guerre.

Un peu plus loin, au bord d'une route près de
Donchery, nous avons aperçu la maison, une auberge,

où Bonaparte a rendu son épée. C'est du moins ce que nous a dit le chef de train. Je crois qu'il se trompe. C'est à cette auberge que Bonaparte a rencontré Bismarck et c'est dans le château qu'il a rendu son épée.

– J'ai revu, sans y entrer, Mézières, que j'avais vue, avec elle [1], en 1840, il y a trente ans. Nous l'avons revue ensemble. La pauvre ville a été affreusement bombardée.

– Arrivée à Reims à trois heures. Nous descendons au *Lion d'or*, sur la place de la cathédrale. C'est là que nous logeâmes en 1840. C'est la quatrième fois que je vois Reims. La première fois, en 1825, je venais d'être nommé, en même temps que Lamartine, le 16 avril, membre de la Légion d'honneur. J'avais été invité au sacre de Charles X par lettre close du roi. J'étais avec Charles Nodier. Cailleux [2] et Alaux le romain [3] nous accompagnaient. Nous logions chez Salomé, directeur du théâtre et ami de Taylor. Nous campions. Je partageais presque la chambre d'une jolie actrice, Mlle Florville, qui était la maîtresse de Duponchel [4].

La seconde fois, en 1838, je venais de terminer *Ruy Blas*, le 11 août; je voyageais pour me reposer avec elle. Le 28 j'étais à Reims. Je visitais les combles de la cathédrale. J'ai entendu de là le canon braqué sur la place annoncer la naissance du comte de Paris.

La troisième fois, en 1840, je n'ai fait que traverser en poste la place de la cathédrale.

Aujourd'hui, en 1871, je reviens vieux dans cette ville qui m'a vu jeune, et au lieu du carrosse de sacre du roi de France, j'y vois la guérite blanche et noire d'un soldat prussien.

Nous avons tous les quatre été voir l'église. C'est toujours la merveille qui m'a ravi il y a cinquante ans. Cependant une restauration froide lui ôte un peu de ce mystère que le temps lui avait donné. Je ne sais quel archevêque idiot a fait remplacer par une grille le mur de l'archevêché où était adossée une charmante construction de la Renaissance, tout près de la façade de la cathédrale. C'était un bijou près d'un colosse. Rien de plus charmant que le contraste. Il a disparu. C'est un des effets de la restauration peu intelligente à laquelle la cathédrale est en proie. Dans l'intérieur, tapisseries magnifiques du quinzième et du seizième siècle. Les vitraux sont ce que je les ai vus, splendides.

— Quand j'ai passé la frontière, j'ai été prévenu que le commissaire de la frontière télégraphiait à Paris mon arrivée.

25 septembre.

J'écris ceci le 25 au matin, avec le soleil levant et la cathédrale devant les yeux. Ma chambre (nº 36) donne sur la place. Les corbeaux et les hirondelles volent à leurs nids, les corbeaux dans les tours, les hirondelles sous les portails. J'écoute les cloches. Elles sont deux qui dialoguent, une grosse et une petite. La grosse dit : « — *Oh! que je t'aime!* » La petite répond : « — *Oh! que non!* »

L'auberge du *Lion d'or* a pour compensation la cathédrale. On y dîne mal, mais on y est ébloui. Mauvais gîte, mais belle façade.

— Nous sommes partis de Reims pour Paris à midi et demi (six première classe : 107 frs. 10). Pluie pendant le trajet. Vu une belle ruine et une jolie femme à Crépy-en-Valois. C'est à y retourner. Nous arrivons à Paris à 6 heures et nous allons à l'appartement 66, rue de La Rochefoucauld. Les tapissières de Bruxelles ne sont pas encore arrivées. Nous allons descendre rue Lafitte, *Hôtel Byron*.

FRAGMENTS ÉPARS [1]

1. J'ai réparti ces fragments en deux groupes, plaçant dans une première section les textes datés par Hugo lui-même ou dont la teneur permet d'indiquer, approximativement, la date; et dans la seconde section ceux dont je sais seulement qu'ils sont de 1870-1871.

I

Il y a une certaine grandeur, étant pape, à se déclarer infaillible. N'être qu'un homme et se déclarer Dieu, il y a du courage à cela.

Ou

Il faut certes du courage pour se déclarer Dieu lorsqu'on n'est qu'un homme, pour s'affirmer infaillible lorsqu'on n'oserait se dire impeccable.

Je ne veux rien que faire mon devoir et qu'aider, si je puis, et dans l'humble mesure de mes forces, à chasser l'envahisseur. Après quoi, mort, on m'enterrera sous la muraille de Paris; vivant, je rentrerai dans ma solitude.

Quand le danger appelle, je réponds : présent.

Je n'accepte pas d'autre fonction que le danger.

Un parisien de plus désire se faire tuer pour Paris.

Quant à l'ambition que j'ai, la voici toute;
Je la dis en deux mots et vous en laisse juges :
Part aucune au pouvoir, part entière au danger [1].

Si je suis tué, je lègue Georges et Jeanne à la nation.

V. H.
Bruxelles, 19 août 1870.

Si je suis tué, et si mes deux fils sont tués, je prie Meurice, Vacquerie et Saint-Victor de publier mes œuvres inédites, les unes terminées, les autres inachevées ou ébauchées, et de faire ce que feraient mes fils.

20 août.

Je les prie de ne publier ces œuvres qu'avec des intervalles, à raison d'un volume tous les deux ans.
21 août.

Je donne mes manuscrits à la Bibliothèque Nationale.

V. H.
21 août.

Pour le poème *Religions.*
Résumé. Dernière partie.

Rien qui ne soit latent, rien qui ne soit patent;
Tout est profonde nuit, tout est jour éclatant;
On voit sortir du Temps, de l'Espace et du Nombre
Une grande clarté qui s'achève en grande ombre.
Que faire, hélas! Vouloir suffit-il pour savoir?
Non; quand l'un ne peut faire autrement que de voir,
L'autre a beau regarder, il ne peut rien connaître.
L'homme tremble, aveuglé par l'énorme fenêtre,

Et c'est avec amour, et c'est avec terreur,
Que dans cette évidence où flotte tant d'erreur,
Dans la diffusion de toute cette vie
Prodiguée et reprise et rendue et ravie,
Dans l'aube, dans les cieux qui sont aussi des mers,
Dans les abîmes noirs, dans les abîmes clairs
Et dans l'immensité des astres en poussière,
L'âme cherche ce Dieu caché par sa lumière [1].

> *Bruxelles, 22 août 1870.*

Dictature. J'en porterai la peine. Si j'échoue, je m'en punirai en m'exilant à jamais.

Si je réussis, la dictature est un crime. Le bonheur d'un crime ne l'absout pas. Ce crime, je l'aurai commis. Je me ferai justice et, eussé-je sauvé la République, je déclare que je sortirai de France pour n'y plus rentrer.

Heureux ou malheureux, je me punirai de la dictature par l'exil éternel.

Voici les conditions :
> la dictature sans limite
> la dictature sans défense.

Je dirai : la dictature est un crime. Ce crime, je vais le commettre. J'en porterai la peine. Ce crime est de salut public, mais, impliquant la suspension possible des principes, il reste un crime.

Après l'œuvre faite, que j'échoue ou que je réussisse, quand même j'aurais sauvé la République et la Patrie, je sortirai de France pour n'y plus rentrer.

Coupable du crime de dictature, je m'en punirai par l'exil éternel.

Cette nuit (nuit du 30 au 31 août) en rêvant, j'ai fait ce vers étrange qui a surnagé dans mon esprit après mon rêve :

Pallida mors, vigila pro vivis, sis hic noster [1].

Dans ma pensée, c'étaient tous les morts dans les affreux champs de bataille qui devaient se lever et prendre la défense des vivants. La mort gardant Paris.

Je suis venu pour défendre Paris, et pas pour autre chose. Je ne veux pas le pouvoir; je ne veux que le danger.

La République existe, de droit comme de fait. Ecartons tout ce qui peut nous désunir; acclamons la République, une et indivisible, la République qui veut Strasbourg comme elle veut Paris.

De cette République mère sortiront les Etats-Unis d'Europe. [*En attendant, serrons nos cœurs les uns contre les autres. Ne soyons qu'un seul citoyen et qu'un seul soldat. Quant à moi, je défendrai Paris n'importe sous quel drapeau, pourvu que ce soit le drapeau de la France et de la révolution* [2].]

J'ai une certaine quantité de pouvoir spirituel. Veux-je autre chose? Non. Le pouvoir matériel? Pourquoi? Etre ministre, président, etc.? A quoi bon? Ministre de quoi? Président de qui? Je suis sur la terre un Esprit. Je veux rester cela.

Je n'ai pas besoin d'être fonctionnaire des hommes. Je suis le fonctionnaire de Dieu.

Un mortier et un pilon, voilà toute la bataille de Sedan. Le mortier, c'est la vallée; le pilon, c'est l'armée allemande.

J'évite les ovations en rentrant en France. On s'en
étonne. Pourquoi? Voici ma règle : il faut vaincre, et
il ne faut pas triompher.

Autrefois (en 1830) j'allais me voir siffler; aujour-
d'hui je ne vais pas me voir applaudir.
Humillimus esto[1].

Etre tué, c'est une bonne fortune qui peut arriver
à tout le monde. Je n'ai pas la prétention d'être plus
favorisé qu'un autre, à cet égard. Mais je ne veux pas
l'être moins.

Il ne faut pas faire exprès de mourir, mais il ne
faut pas faire exprès de vivre.

Il faut que les rois d'Europe sachent ceci : ils ont
affaire à la révolution.

Roi de Prusse, c'est, dans Paris, la guerre des
pavés et, hors de Paris, la guerre des buissons[2].

Une guerre entre européens est une guerre civile.

A mes enfants.

Je lègue, en reconnaissance de leurs bons et fidèles
services, à Suzanne Blanchard[3], 2.000 frs. et à Marie
Leclanche, dite Mariette[4], 2.000 frs.

V. H.

15 septembre 1870, Paris.

8 octobre 1870.

Ajournement de la Commune de Paris. Faute.
Une autre faute serait de jeter bas le gouvernement.
Le péril de le renverser est plus grand que le péril de
le maintenir.

Si je meurs en faisant mon devoir dans le péril
suprême où est la France, on trouvera dans ce por-
tefeuille, sur diverses pages, çà et là, dans des
marques au crayon rouge, plusieurs de mes dernières
indications et de mes dernières volontés.

VICTOR HUGO.
Paris, 28 novembre 1870.

La mort, qu'est-ce que ça me fait? Moi tué, c'est
bien. On donnera un drap pour m'ensevelir, et l'on
dira : c'est un honnête homme de moins, voilà tout.

Je viens d'entendre un garde-national passant
dans la rue, qui résumait ainsi la situation : « *J'en
suis malade* (puis, après un silence mélancolique)
d'emmerdement. »

Etre de l'opposition, c'est mesquin.
Je n'en suis pas. *Les Châtiments*, soit; mais les
taquineries, non. J'ai la grande colère, je n'ai pas la
petite.

Je bénis ma fille Adèle. Je lui promets de veiller
sur elle. La mort, c'est la présence invisible. Mon âme
lui sourira et la protégera.

2 décembre 1870.

Ce soir, 20 décembre 1870, M. P., dînant chez moi, m'a dit : « – Savez-vous pourquoi Michelet a quitté Paris? – Non. – Parce que vous y arriviez. – Bah! – Il veut être seul à Paris. Vous présent, c'est vous de trop. – Mais pourquoi? – Il est jaloux. – Ah, çà! Est-ce qu'il a peur que je ne lui baise sa femme? – Non; mais il a peur que vous ne baisiez sa gloire. »

Il y a une ville-mère; songez-y, peuples de l'Europe. *Parricide*, cela peut s'écrire *Pariscide*.

A l'Europe.
Est-ce que l'Europe ne fera pas son devoir?
Est-ce que l'Europe, elle aussi, trahira la France?
Est-ce que le monde civilisé consent à redevenir le monde barbare?
Est-ce que nous allons assister à une lâcheté suprême, éternelle honte de l'histoire?

Le parisien, désormais, est le mètre de l'homme.

Roi de Prusse, une de vos bombes vient de tomber sur ma maison [1]. Je ne suis pas Pindare, mais vous n'êtes pas Alexandre.

V. H.

et Paris,
Comme un homme qu'étreint une pieuvre, déchire
Les suçoirs de la Prusse, affreux hécatonchire.

Si Paris succombe, je ne succomberai pas. Je conserverai l'espérance altière. Je rentrerai dans la solitude. J'allumerai sur mon rocher d'exil la lumière

14

de l'avenir. Je crierai : *Etats-Unis! République!* Et
je montrerai à l'Allemagne devenue Prusse, la France
devenue Europe.

Un peu d'histoire naturelle pour terminer.

Le *trochus* est un gastéropode poetinibranche, très
distingué comme mollusque, à cause de sa coquille
en forme de mitre, ce qui, du reste, le fait plutôt
évêque que général.

Janvier 1871.

Conférence à Londres [1]. Y aller? Non. La France
n'a que faire là. Elle est enfermée dans ce dilemme [2] :
être victorieuse ou vaincue. Victorieuse, elle domine
les gouvernements d'Europe. Vaincue, elle les ignore.

Si vous me laissez réduit à moi-même, je ferai mon
devoir avec l'énergie d'un homme. Si vous versez
votre force en moi, je ferai mon devoir avec la puissance d'un peuple.

29 janvier.

Un nain qui veut faire un enfant à une géante.
C'est là toute l'histoire du gouvernement de la
Défense Nationale. Avortement.

29 janvier.

Je suis venu à Paris dans l'espérance d'y trouver
un tombeau. J'irai à Bordeaux avec la pensée d'en
remporter l'exil [3].

2 février 1871.

Des deux nations, laquelle est la plus à plaindre?
L'une perd deux provinces, l'autre gagne un empereur.

Faire sa fin soi-même et la bien faire est beau.
Savoir mourir intact prouve un instinct lucide.
Pas de petit tombeau pour un grand suicide [1].

Argent que j'ai reçu pendant mon séjour à Paris,
à partir du 5 septembre 1870.

1. de M. Hachette :

15 septembre.	1.000 frs.
15 octobre.	1.000
15 novembre.	1.000
15 décembre.	1.000
15 janvier 1871.	1.000

2. Institut :

(Semestre fin 1870).	1.000

3. De M. Hetzel, à valoir sur nos comptes
pour l'exécution des traités relatifs
aux *Châtiments* et à *Napoléon le Petit.*

A la signature.	500
26 octobre.	1.500
18 novembre.	2.200
28 novembre.	3.900
4 janvier 1871.	1.500

Février 1871.

Désormais, deux nations sont en présence. Une
nation [victorieuse] [2], l'Allemagne, qui a (énumérer :
un empereur, des rois, aucune liberté) les ténèbres;
une nation [vaincue], la France, qui a (énumérer :
la République, la liberté, la gloire, etc.) la lumière.

Il paraît que c'est la seconde qui est vaincue.

Français, réservons-nous pour délivrer l'Allemagne.
Sa délivrance est la seule vengeance digne de nous.

Paris a été victime de la défense autant que de
l'attaque.

Eloquence. Ce qui convient aux Assemblées, c'est le grog. Délayez! Délayez! J'essaie de leur faire avaler de l'élixir, mais quelle grimace elles font!

Ma conscience est ma supérieure.

Le peuple chasse [honteusement] [1] de leurs sièges les individus qui, depuis dix neuf ans, sous le nom de magistrats, ont déshonoré la justice française [2].

Je promène Petit Georges et Petite Jeanne à tous mes moments de liberté. On pourrait me qualifier ainsi : *Victor Hugo, représentant du peuple et bonne d'enfants* [3].

... Quant à M. Delescluze, nous n'avons qu'un mot à lui dire : nous le méprisons. Il ne me déplairait point que cela lui déplût.

Mon discours contre la paix [4] :

> *J'ai la propriété, sitôt que je prononce*
> *A la tribune un mot, de faire fuire le nonce*
> *Et de mettre en déroute en masse les muftis.*

Je suppose Corneille dans cette Assemblée. Voilà comment cela se passerait :

CORNEILLE : – *Que*
M. DORIVAL : – Queue?
M. BELCASTEL : – Rouge!

LA DROITE, en masse : – Queue rouge! *(Longs éclats de rire.)*

M. RAOUL DUVAL, à Corneille : – Respectez les lois!

CORNEILLE : – *Vou...*

M. ANISSON-DUPERRON : – Hou! Hou!

LA DROITE : – Hou! Hou! *(Hilarité générale.)*

CORNEILLE : – *...liez*

M. BABIN-CHEVAYE : – Liez? Oui! Liez les fous!

M. PRAX-PARIS, à Corneille : – Comme vous!

LA DROITE : – Bravo!

CORNEILLE : – *Vous*

M. MICHEL-LADICHÈRE : – Encore *vous*!

M. BEAUCARNE-LEROUX : – Ce Corneille rabâche!

LA DROITE : – Assez! Assez!

CORNEILLE : – *qu'il*

M. COURBET-POULARD : – Quille? Qu'est-ce que cela veut dire?

M. LAFON-FONGAUFIER : – A la question!

M. BOIS-BOISSEL : – A la question!

CORNEILLE : – *fît*

M. CARAYON-LATOUR : – Fi! Vous nous dîtes fi!

M. BRETTES-THURIN : – C'est une insulte!

M. PONTOI-PONTCARRÉ : – L'orateur outrage l'Assemblée!

M. MONNOT-ARBILLEUR : – A l'ordre!

CORNEILLE : – *Contre*

M. MATHIEU-BODET : – Contre qui?

M. VAST-VIMEUX : – Contre nous?

M. BOREAU-LAJANADIE : – Vous insultez l'Assemblée!

M. HUON-PENANSTER : – Expliquez vos insultes!

M. DAGUILHON-LASELVE : – Monsieur le Président, l'orateur continue d'injurier l'Assemblée.

M. KOLB-BERNARD : – Nous demandons formellement qu'il soit rappelé à l'ordre!

LA DROITE, *en masse* : – Queue rouge! *(longs éclats de rire.)*

TOUTE LA DROITE, *se levant* : – A l'ordre! A l'ordre!

CORNEILLE : – *Trois*

M. Cornulier-Lucinière : – Troyes?

M. Pontoi-Pontcarré : – En Champagne! *(On rit)*.

La droite : – A l'ordre! A l'ordre!

Corneille : – *qu'il*

M. Dietz-Monin : – Encore!

M. Vimal-Dessaignes : – Encore quille! *(Longs éclats de rire.)*

M. Beaucarne-Leroux : – Quand je vous disais qu'il rabâche!

M. Doré-Graslin : – Assez!

Toute la droite : – Assez! Assez!

Corneille : – *mou...*

M. Jocteur-Montrosier : – de veau! *(Les rires redoublent.)*

M. l'abbé Jaffré [1] : – Ce langage est indigne de l'Assemblée.

M. de Lorgeril [2] : – Monsieur le Président, retirez la parole à M. Corneille. Il ne parle pas français!

Corneille ouvre la bouche pour continuer.

La droite, *en masse* : – Assez! Assez!

La fin de ce que voulait dire Corneille se perd au milieu du bruit.

> *Oui, je m'en vais...*
> *Donnez Strasbourg et Metz et livrez la frontière!*
> *Vous ne comprenez pas cette retraite altière*
> *D'un homme qui n'a rien à vous dire, sinon*
> *Qu'il ne veut rien couvrir d'injuste de son nom.*

Si le danger reparaissait, je reviendrais, et si le peuple m'assignait un poste, j'irais. Je ne serai jamais sourd à un suprême appel de mon pays.

Frappé dans la patrie, frappé dans la famille, je rentre dans la solitude qui convient au deuil [3].

En ce moment, voici toute ma pensée en deux mots : la Commune me fait pitié, l'Assemblée me fait horreur. Pourquoi? Parce que l'une et l'autre font rire la Prusse aux dépens de la France.

Et l'immense Paris entre deux écueils flotte.
Charybde a nom Versailles et Scylla Charenton.

La Colonne.
C'est le second empire qui a tué le premier.

Et le démolisseur de l'oncle est le neveu.

Vous dites : jamais la France n'a été plus bas; elle est morte. Je vous l'accorde et j'ajoute : jamais elle n'a été plus haut; elle est immortelle.
Vous dites : Paris est horrible. Soit, avec cette variante : Paris est sublime [1].

C'est la fin. Mais de quoi? La fin de la France? Non. La fin des rois? Oui.

Si je me croyais bon à quelque chose, je serais à Paris, en dépit des devoirs de famille que m'impose la loi, et malgré la communauté à liquider qui m'a appelé à Bruxelles. Rien, certes, ne me retiendrait; mais je ne ferais, je crois, qu'irriter la situation. J'ai le tort de dire toujours la vérité, rien que la vérité, toute la vérité. Quoi de plus désagréable! Un généreux esprit, M. Rey, dans la *Nation souveraine*, me réclame comme intermédiaire entre l'Assemblée et la Commune. Il oublie que l'Assemblée n'a pas voulu m'écouter et que la Commune, probablement, ne voudrait pas m'entendre.

L'Assemblée ne m'accepte pas. La Commune ne me connaît pas. C'est évidemment ma faute.

J'ai cru devoir être présent à la guerre étrangère et absent de la guerre civile.

Hideux décret des otages [1], imbécile en attendant qu'il soit féroce.

A l'assassinat de Duval, il fallait répondre par la mise en liberté de vingt officiers prisonniers, de l'armée versaillaise.

Raison des deux côtés et tort des deux côtés. Pas de situation plus inextricable.

Le propre de Paris, c'est de tout élever à sa stature, les crimes comme les gloires.

Férocité des deux côtés. La Commune a exécrablement tué 64 otages. L'Assemblée a riposté en fusillant six mille prisonniers (fait du général Cissey : cent pour un; sans compte les autres faits : Gallifet, Vinoy, etc.)

Ces hommes, ils disent [2] : *tout avec la loi, tout pour la loi, tout par la loi.* Qu'avez-vous fait? Fusillades sommaires, tueries sans jugement, cours martiales de hasard, justices improvisées, c'est-à-dire aveugles.

On a tué beaucoup au hasard; ceux-ci [3], on les tue à coup sûr. On sait qui ils sont; voilà l'avantage.

A l'entrée des troupes de Versailles dans Paris, un soldat venait de tuer au hasard devant lui. M. Revu l'accosta, lui parla, finit par lui inspirer confiance, et le soldat, tout en causant, lui donna ce livre de prières [1], distribué aux troupes par les soins des chefs, et que tous les soldats, en tuant, avaient sur eux.

[J'ai été appelé à Bruxelles, dernier domicile de mon fils, par des formalités légales. . . . .
. . . .
. . . .
dans le deuil qui m'accable, je ne pourrais remplir utilement ces hautes et graves fonctions. Je remercie le peuple. Il comprendra quel douloureux motif en ce moment. . . . . .dans la retraite [2]].

Je ne pourrais rentrer utilement dans cette Assemblée évidemment impuissante pour le bien.
Je prie mes concitoyens de ne point me donner leurs suffrages.

L'Assemblée actuelle est puissante pour le mal et impuissante pour le bien. Je ne veux pas être le coopérateur du mal. Je juge inutile d'être le collaborateur de l'impuissance.

Je prie les électeurs de Paris de ne point m'envoyer à l'Assemblée actuelle. Je ne pourrais accepter ce mandat.

(A revoir [3].)

Je suis curieux de savoir si je suis revenu d'exil pour entrer en prison.

A mon âge, on peut avoir le temps de rentrer en exil, mais on n'a plus le temps d'en revenir. J'accepte cette éventualité.

Mourir dans l'exil est maintenant mon droit [1].

Il y a les faits permanents et le fait momentané. Celui qui gouverne l'un ne gouverne pas les autres. L'homme du siècle n'est jamais l'homme de la minute.

Hier, l'homme de la minute, c'était Ollivier. Puis ce fut Trochu; aujourd'hui, c'est Thiers.

Il faut reconnaître un fait nouveau. Ce fait, je le qualifierai : les événements électeurs. 1869, Ollivier; 1870, Trochu; 1871, Thiers. La chose publique a eu, coup sur coup, ces trois présidents-là. Eh bien, les événements sont bêtes; ils choisissent des hommes médiocres.

C'est M. Louis Bonaparte qui a fait le 2 décembre et perdu la France, et l'on demande l'extradition de Razoua [2]. C'est M. Rouher qui a présidé le Sénat, et l'on met Rochefort en prison. C'est M. Devienne qui a fait partie des commissions mixtes, envoyant en exil 40.000 citoyens dont 8.000 sont morts, et l'on condamne à mort Maroteau. C'est M. Lebœuf qui a désorganisé l'armée et l'on guillotine Mlle Marchais [3]. C'est M. Bazaine qui a livré Metz et l'on va fusiller Rossel [4].

Je ne comprends pas. Ce n'est pas ma faute. A mon âge, l'intelligence est affaiblie.

... [1] qui reprochent au 18 mars M. Darboy et oublient de reprocher au 2 décembre l'enfant de la rue Tiquetonne. Un enfant de sept ans, cela vaut bien un archevêque.

Argent touché par moi depuis mon départ de Paris (13 février).

1. Echéance Hachette, 15 février .	1.000 frs.
2. Semestre anglais	7.651,35
3. Echéance Hachette, 15 mars . .	1.000
4. De Hetzel (pour un nouveau tirage, 5.000 *Châtiments*, 2.000 *Napoléon-le-Petit*, fait en mon absence).	2.100
5. De Bruxelles, 31 mars.	4.427,40
6. Semestre italien	323,85
7. Année touchée à la Banque Nationale [2]	39.150
8. De Hachette (15 avril, 15 mai, 15 juin).	3.000
9. De l'éditeur L. Bailly.	100
10. De Hetzel (dernier tirage des *Châtiments*)	2.100
11. De Hachette (15 juillet). . . .	1.000
12. De Heath and Co. (semestre des consolidés anglais)	302 L. S.
13. 10 juillet, droits de théâtre . . .	1.400
14. De Hetzel, 12 juillet, nouveau tirage de *Napoléon le Petit* .	600
15. De Hachette, 15 août.	1.000
16. De Hachette, 15 septembre . .	1.000

Ces façons commodes de laver les crimes ne lavent pas les gouvernements.

Paris est responsable de la civilisation. Paris accepte cette responsabilité, et l'accepte jusqu'à la mort.

Le roi de Prusse, caporal divin.

Paris. Il nous a manqué Hoche dedans et Danton dehors.

Paris malade, le monde a mal à la tête.

peuple, qui montre ta fureur
Qu'un roi te prenne, toi qui sors d'un empereur.

La France est la tête humaine. Coupez cette tête, si vous l'osez.

Pauvre petite Jeanne! Elle est faible et délicate. Peut-être ne vient-elle que pour un moment. J'ai dans l'idée qu'elle et moi nous mourrons ensemble et que c'est l'ange chargé de m'emmener [1].

Je ne suis pas avec un parti; je suis avec un principe. Le parti, c'est le feuillage; cela tombe. Le principe, c'est la racine; cela reste. Les feuilles font du bruit et ne font rien. La racine se tait et fait tout.

Les hommes comme moi sont impossibles jusqu'au jour où ils sont nécessaires.

On ment sur mon compte. Qu'importe! Voilà plus de quarante ans qu'on m'abreuve de toutes les inventions de la haine. Je bois avec calme ces ciguës et ces vinaigres. Cela passe, et je n'en meurs pas. Poisons inutiles qui n'aboutissent pas à l'empoisonnement. Je suis le Mithridate de la calomnie.

Ma vie se résume en deux mots : solitaire, solidaire.

J'aspire à m'en retourner au bord de la mer, ayant pris cette habitude de grandeur.

Quand donc serai-je aussi, moi, couché sous la terre?

Monsieur,
Je n'attache aucune importance à être fils d'un menuisier ou fils d'un empereur.
Jésus-Christ, qui était fils d'un charpentier, était en même temps fils de rois.
Arrangez ma naissance comme vous voudrez. Cela m'est absolument égal.

V. H.

Royer-Collard me dit un jour : « – Vous êtes le seul poète épique qu'il y ait eu depuis Dante; mais prenez garde; vous avez de l'esprit; c'est grave. » Ceci me frappa. Depuis, j'ai tâché d'avoir la réputation d'être bête, et je crois que j'y ai réussi.

La maison cité Rodier n⁰ 26 a été démolie pour faire une rue. C'est là qu'a habité, de 1848 à 1851, celle [1] qui m'a sauvé la vie, au péril de sa vie, en décembre 1851, et qui, depuis, a partagé mon exil.

> *Dans une salle ogive à porte trilobée*
> *Où l'on voit sur la dalle errer le scarabée.*

On peut avoir tous les vices dans son encrier et commettre tous les crimes avec sa plume.

Tout grand écrivain frappe la prose à son effigie.

> *Une religion, parfois, cela s'encrasse*
> *Jusqu'à diviniser Cucufin et Pancrace.*

Légende.

> *Trois chevaliers français ont conquis la Sicile.*

La rime riche ne fait pas la poésie, mais la rime pauvre la défait.

...où veux-je
Aller? — Diable! La rime aboutit à Maubeuge.
Elle me mène là de Spa [1].

Voici la Vénus de Milo, et voici la Vénus hotten-
tote. Toutes deux font les fonctions de la femme;
toutes deux peuvent faire des enfants; toutes deux
sont l'idée. La seconde est l'idée sans la forme; la
première est l'idée avec la forme. Choisissez.

Le jour où Michel-Ange mourut (1564), Galilée
naquit; le jour où Galilée mourut, Newton naquit [2].

Ceux qui sont petits seront grands. Ebauchons dès
aujourd'hui la fraternité des générations futures.
Laissons aux solutions des questions sociales l'em-
preinte de notre souci paternel. Jetons dans l'avenir
inconnu la bénédiction mystérieuse des petits enfants
pauvres sur les petits enfants riches.

La spoliation des émigrés a changé la glèbe en
terre et l'a rendue au peuple.
Ou : a changé la glèbe du serf en champ du paysan,
et a rendu le sillon au laboureur et la terre au peuple.

Le citoyen est absolument souverain; le représentant ne l'est que relativement. Il est limité par son
mandat. Le citoyen ne doit de comptes qu'à lui-
même; le représentant en doit au peuple. La souve-
raineté diminue à mesure que la puissance augmente.

Th. Gautier a dit ceci : « — *Un jour, le néant*
voulut faire une punaise; il la manqua et fit Gustave
Planche [3]. »

La Révolution a pu être une opération chirurgicale; mais la civilisation doit être une opération chimique. Ne confondez pas l'une avec l'autre, et faites en sorte que toutes deux soient d'accord et aillent au même but.

Ce sont des chauves-souris égarées en plein jour [1].

Le matin est un moment de fraîcheur. On n'y peut supporter aucune ombre. Aussi les hommes ennuyeux sont-ils plus ennuyeux le matin que le soir.

On quitte avec regret tout lieu où on a eu le temps de prendre des habitudes. Les habitudes sont nos racines [2].

La preuve que cette vie n'est pas la vraie, c'est la brièveté des regrets. Nous disons : ce mort est-il mort? Non. Il est vivant, plus vivant que nous. Et nous l'envions, et nous disons : « – *Qu'il est heureux! Quand serons-nous près de lui?* »
Comment regretter ceux qu'on envie?

Peut-être vaut-il mieux être vaincu que vainqueur. Le vaincu, s'il le veut, a plus que le vainqueur chance de rester grand.

Actes projetés que ma démission m'a empêché d'accomplir :
Abolition de la peine de mort.
Abolition des peines infamantes et afflictives.

Réforme de la magistrature.
Actes préparatoires des Etats-Unis d'Europe.
Instruction gratuite et obligatoire.
Droit de la femme.

Pierre a toujours aidé César dans ses massacres.
.....
Voilà mille ans qu'ils font payer les émeraudes
Des tiares à ceux qui n'ont pas de souliers.

Nous sortons d'une guerre, la guerre des épées,
nous entrons dans une autre, la guerre des idées.
Dans celle-là, la France est sûre de vaincre l'Allemagne.

On a tort de conserver certaines institutions après
que la forme sociale, qui était leur raison d'être, a
disparu. Ces institutions, survivant à ce qui les faisait vivre, se sentent minées par la logique et par le
progrès, et il arrive qu'elles se défendent trop, et
alors, chose grave, les peuples deviennent rêveurs
devant l'hypocrisie du clergé et l'effronterie de la
magistrature.

Hélas, des oppresseurs sortent les terroristes.
Il n'est pas bon d'avoir, ô vieilles races tristes,
Pour père le haillon et pour mère la nuit.
L'ignorance appartient au mal qui la séduit.
La misère au front morne élève mal les âmes [1].

La France n'a pas déchu, et si, pour l'instant, elle
n'a dans une main qu'une épée brisée, elle continue
d'avoir dans l'autre un flambeau.

15

La presse noire fait un vacarme effrayant.

La marche de cette année terrible s'est imprimée sur mon esprit pas à pas, jour à jour, griffe à griffe.

Quand même les hommes se tairaient, la vérité crie. Voilà ce que savent ceux qui pensent, ceux qui font quelque distinction entre une plaie fermée et une plaie guérie, qui ne confondent pas les affirmations du code avec les solutions du droit, et qui ne croient pas que la volonté momentanée de la loi suffise pour réprimer l'éternelle révolte de la réalité méconnue. Faire le silence, ce n'est pas faire la paix. Il y a quelque différence entre un consentement et un bâillon.

NOTES
ET
ÉCLAIRCISSEMENTS

1. Ce 14 juillet 1870, Hugo avait noté dans son carnet :
« *Aujourd'hui 14 juillet 1870, à une heure de l'après-midi, mon jardinier Tourtelle m'assistant, en présence de mon fils Charles, de MM. Duverdier et Busnach, de Mesdames Charles Hugo, Duverdier, Chenay, Joséphine Nicole et Marguerite Duverdier, Petit Georges et Petite Jeanne étant là, j'ai planté dans mon jardin le gland d'où sortira le chêne que je baptise* Chêne des Etats-Unis d'Europe. » Le 21 juillet 1857, Hugo avait terminé une longue pièce de vers sur ce chêne dont la pensée était déjà dans son esprit; la pièce parut dans les *Quatre Vents de l'Esprit.*

2. Charles Hugo, fils aîné du poète, qui avait quitté Guernesey en 1861 et s'était marié, à Bruxelles, en 1865, était enfin revenu, pour un court séjour, à Hauteville-House, avec sa femme et leurs deux enfants, le 7 juin 1870. Il avait quarante-quatre ans. Etaient également chez Victor Hugo, en juillet 1870, Joséphine Nicole (dite « Miss Joss ») avec laquelle les Hugo s'étaient liés, jadis, à Jersey, Duverdier, vieil ami jersiais, et William Busnach, auteur dramatique, ami de Charles Hugo. (« Miss Joss » était la sœur de Mme Duverdier).

3. Julie Chenay, sœur de Mme Victor Hugo. Pratiquement séparée de son mari, le graveur dont Hugo avait eu à se plaindre, elle vivait à Hauteville-House.

4. Les initiales « J. J. » désignent toujours, dans les carnets du poète, Juliette Drouet, que Victor Hugo appelait « *Juju* ».

1. Le petit Georges, fils de Charles, était né le 16 août 1868; Jeanne était venue au monde le 29 septembre 1869.

2. Le proscrit Hennet de Kesler, ancien journaliste républicain, était mort, à Hauteville-House, le 6 avril 1870. Sur sa tombe, le 8 avril, Hugo avait prononcé un discours qui figure au tome II d'*Actes et Paroles*, p. 320.
3. Il est question de cette « maison *visionnée* », c'est-à-dire hantée, dans les *Travailleurs de la Mer* (I. I. VII).
4. La saint Victor.
5. Il s'agit de Marie Leclanche, dite « Mariette », domestique entrée au service de Hugo le 15 février 1868. C'était une orpheline, née à Saint-Brieuc. Elle avait vingt-huit ans en 1868.

Page 25

1. Hugo avait rencontré cette « veuve russe » à Jersey, autrefois. Elle avait bien connu Pierre Leroux qu'elle accusa d'escroquerie à son égard.
2. Voici le texte de cette lettre :

Hauteville-House, 22 juillet 1870.

Mesdames,

Il a plu à quelques hommes de condamner à mort une partie du genre humain et une guerre à outrance se prépare. Cette guerre n'est ni une guerre de liberté ni une guerre de devoir; c'est une guerre de caprice. Deux peuples vont s'entre-tuer pour le plaisir de deux princes. Pendant que les penseurs perfectionnent la civilisation, les rois perfectionnent la guerre. Celle-ci sera affreuse.

On annonce des chefs-d'œuvre. Un fusil tuera douze hommes, un canon en tuera mille. Ce qui va couler à flots dans le Rhin, ce n'est plus l'eau pure et libre des grandes Alpes, c'est le sang des hommes.

Des mères, des sœurs, des filles, des femmes vont pleurer. Vous allez toutes être en deuil, celles-ci à cause de leur malheur, celles-là à cause du malheur des autres. Mesdames, quel carnage! Quel choc de tous ces infortunés combattants! Permettez-moi de vous adresser une prière. Puisque ces aveugles oublient qu'ils sont frères, soyez leurs sœurs, venez-leur en aide, faites de la charpie. Tout le vieux linge de nos maisons, qui, ici, ne sert à rien, peut là-bas sauver la vie à des blessés. Toutes

les femmes de ce pays s'employant à cette œuvre fra-
ternelle, ce sera beau; ce sera un grand exemple et un
grand bienfait. Les hommes font le mal; vous femmes,
faites le remède, et puisque sur cette terre il y a de mau-
vais anges, soyez les bons.

Si vous le voulez, et vous le voudrez, en peu de temps
on peut avoir une quantité considérable de charpie.
Nous en ferons deux parts égales, et nous enverrons
l'une à la France, l'autre à la Prusse.

Je mets à vos pieds mon respect.

VICTOR HUGO.

Cet appel fut reproduit par un certain nombre de
journaux anglais. Hugo reçut, à Paris, des ballots
de charpie. Fidèle à sa promesse, il en remit la moitié,
par l'entremise de M. de Flavigny, au quartier général
prussien, à Versailles.

3. Prévost-Paradol, homme de gauche, s'était rallié à
l'empire devenu libéral et avait été fait aussitôt, par
Napoléon III, ministre de France aux Etats-Unis.
On a, sur sa mort, un saisissant témoignage, celui
du comte d'Hérisson (*Journal d'un officier d'ordon-
nance*, Paris, 1885), lequel vit Prévost-Paradol la
veille même de son suicide, à Washington. Le ministre
était sûr de la guerre, et sûr du désastre; par surcroît,
l'accueil des Américains l'avait glacé : « Ces gens-là
ne nous aiment pas », disait-il, le 10 juillet, à d'Hérisson (*op. cit.*, p. 4).

Page 26

1. H. Tupper était vice-consul de France à Guernesey.
2. Alexandre Jallais était un déserteur français (ancien
sergent) qui était venu, le 30 juin, demander secours
à Hugo. Le carnet du poète contient, collée au verso
d'une page, la lettre suivante, dont je respecte l'or-
thographe :

Monsieur, je ne sais comment trop m'exprimer pour
vous témoigner combien je vous suis reconnaissant de
la Bonté que vous avez eu à mon égard. Croyez-moi,
Monsieur, que jamais je ne vous oublierai, si un jour
vous auriez besoin de moi pour serviteur en n'importe
quel occasion, rien ne m'arrêterai pour venir à vous,

car il a été bien dur pour moi à 25 ans de souffrir la
faim que j'ai souffert pendant 11 jours ici sans travail,
je vous remercie donc mille fois de votre bonté et de votre
bon cœur. Je suis, Monsieur, votre très fidèle et très
humble serviteur.

JALLAIS ALEXANDRE.

Le 2 juillet, Hugo notait : « *J'ai donné une passe*
gratuite pour Londres pour le déserteur Jallais. Il par-
tira après-demain lundi. Je le nourrirai jusqu'à son
départ »; et, sous la date du 4 juillet : « *Le déserteur*
Jallais est parti pour Londres. »

3. Ce 27 juillet, Hugo termine la pièce qui, dans l'*Année*
terrible (*novembre*, IX), s'intitulera : « *A l'évêque*
qui m'appelle athée. »

4. Sur le verso de la page précédente de son carnet, et
en face des notes datées 27 et 28 juillet, Hugo a collé
la photographie, dédicacée, d'une petite fille, et il a
écrit au-dessous : « *Fille du colonel Berton, américain,*
consul de France en Californie; me demande d'être ma
déléguée, *pour fonder, en Californie, le dîner des Enfants*
pauvres. » (On sait que le poète avait institué chez
lui, depuis 1862, un dîner hebdomadaire qu'il offrait
à quarante enfants de Guernesey, choisis parmi les
plus pauvres de Saint-Pierre-Port.)

5. Marie-Létizia Bonaparte-Wyse, petite-fille de Lucien
Bonaparte, était née le 2 avril 1833, elle fut successivement Mme de Solms, Mme Ratazzi, Mme de Rute.
Sur le carnet de Hugo, en 1869, figure une photographie de Mme Ratazzi, au bas de laquelle elle avait
écrit : « *Toujours là. Marie Létizia.* »

6. Ce 28 juillet 1870, Hugo écrit les vers : « *Invocation du*
mage contre les deux rois », qui seront publiés dans
Toute la Lyre (pièce XI du livre I dans l'édition dite
« de l'Imprimerie nationale »).
Sur le verso de la page précédente de son carnet,
Hugo a collé l'avis qu'il venait de recevoir, signé des
deux constables (M. M. G. F. Carrington et Ch. Vau-
cour), à l'adresse de « *Victor Hugo, esq.* » (« *Tawn*
and Parish of St. Peter-Port »), et réclamant le ver-
sement de sa taxe annuelle (« *Tax of first class* »),
soit 18 livres, 6 sh. et 8 p. (« *440 frs.* », a noté le poète).

7. Nous sommes là en présence de notes volontairement

obscures, comme il en figure beaucoup dans les carnets du poète, et qui concernent ses divertissements érotiques. « *Poëles* » doit, je pense, s'interpréter phonétiquement, et il se peut que « *charbon* » constitue un jeu de mots, d'après le nom de cette « Alice Cole » (charbon, en anglais, se dit *coal*) qui s'est déjà manifestée deux fois, les 23 et 30 mars 1870, à l'attention particulière de Hugo.

Les carnets révèlent que Fermain-bay, non loin de Hauteville-House, était un lieu de rencontre souvent choisi par Hugo pour ses plaisirs secrets.

Quant à « *Yung* », ce nom propre désigne une certaine Louise Yung que l'on voit apparaître pour la première fois dans les carnets sous la date du 16 janvier 1867 : « *Mlle Louise Yung. Chambre de Kesler* »; le 14 juin 1867 : « *Visite de Mlle Louise Yung, arrivée à Guernesey* », et du 14 au 17, quatre fois l'indication : « *Fermain-Bay* »; le 17 : « *Se marcha mañana [Elle s'en va demain].* » La même année, en août, Hugo note au verso d'une page : « *Écrire à Mmes L. Yung, Plymouth, 1, Mulgrave Place; E. Roger des Genettes, Saint-Maur; Vve Godot, 24, rue d'Amsterdam, Paris.* » En juin 1868, Louise Yung revient à Guernesey et, de nouveau, quatre fois la mention : « *Fermain-bay* »; le 18 juin, Hugo note : « *muy blanca* [très blanche] », et, le 26, dans cet idiome dont il se réserve la clef : « *Poële et colonne* ». Aucune allusion à Louise Yung en 1869.

Page 27

1. « *Patte* » ou « *Patti* », ce nom figure plusieurs fois dans les carnets intimes du poète, à la fin de son exil. Je n'ai pu savoir qui il désignait.
2. « *Suisse* » est un mot de convention que V. Hugo emploie dans ses carnets pour désigner les seins de ses partenaires.
3. Lire, bien entendu : « *les seins* ».
4. L. Y., initiales de Louise Yung.
5. Hugo avait reçu la visite de ces deux personnes en janvier 1870. Il avait suggéré à son fils François-Victor l'idée d'épouser lady Diana, laquelle, lui disait-il, le 17 février, serait « *un ravissant parti* », et François-

Victor aurait eu « *pour beau-père le duc de Saint-Albans, pair d'Angleterre, très libéral et presque républicain* ». François-Victor fera la sourde oreille.

Page 28

1. Ce 7 août 1870, Hugo écrit à Paul Meurice : « *Au moment où je ferme cette lettre, le bruit arrive d'un grave échec des Français devant Wissembourg. Je me défie des exagérations anglo-prussiennes.* »
2. Un dessin qui devait être de l'automne de 1848. Evêque d'Orléans, Mgr Fayet fut député à l'Assemblée Constituante de 1848; il était, dit Hugo, un « adorateur béat » de Cavaignac. (cf. Hugo. *Souvenirs Personnels*, 1848-1851, p. 172); il mourut du choléra en 1849 et le poète lui consacra une page curieuse (cf. *Ibid.*, p. 226).
3. Ce jour-là, Hugo écrivit la pièce « *Georges et Jeanne* » qui figure dans l'*Art d'être Grand-Père* (I. VI).

Page 29

1. « Sénat » était le chien de Hauteville-House. Le poète l'avait ainsi nommé par allusion à la servilité des sénateurs de l'Empire.

   On appelle Sénat ce qu'on nommait chenil.

   dit un vers inédit du reliquat des *Châtiments*.
2. Sa tante Juliette Drouet.
3. « *Vous ne vous figurez pas quel chaos de papiers!* » écrivait Hugo, la veille, 10 août, à Paul Meurice; « *ce qu'il y a là de choses est énorme* ».

Page 30

1. Il est probable qu'il s'agit là de la « préface philosophique », longue et inachevée, dont Hugo avait songé à faire précéder ses *Misérables*.
2. Une partie de ce « journal » a paru dans les *Choses vues;* d'autres fragments ont vu le jour dans *Pierres*.
3. Chapitre supprimé des *Travailleurs de la Mer*.
4. Avant-propos des *Travailleurs de la Mer*.
5. Le 16 juillet 1870, Hugo écrivait à Paul Meurice : « Les Quatre Vents de l'Esprit *sont tout prêts. Je n'ai rien*

fait de mieux, et je serai là tout entier. » L'ouvrage, cependant, ne fut publié qu'en 1881.

6. *L'Homme* était le journal des proscrits français à Jersey.
7. L'essentiel de ce dossier passa dans le « reliquat » du *Théâtre en Liberté* (édition de l'Imprimerie nationale) et dans le volume contenant *Mille francs de récompense.*
8. *Religions et Religion* parut en avril 1880.
9. Un certain nombre des pièces de ce tome II, inédit, parut dans la section dite « *La Corde d'Airain* » de *Toute la Lyre;* d'autres servirent à constituer les *Années funestes;* ce qui demeurait inédit fut publié en 1910 dans le « reliquat » des *Châtiments.*
10. Ces « trois recueils projetés » constituèrent finalement *Toute la Lyre.*

Page 31

1. La plupart de ces textes furent répartis entre les *Quatre Vents de l'Esprit, Toute la Lyre,* la *Dernière Gerbe* et le reliquat des *Châtiments.*
2. *L'Intervention* a été publiée dans *Pierres.*
3. Léopoldine, fille du poète, morte à Villequier le 4 septembre 1843.

Page 32

1. Cf. *Tas de Pierres.*
2. Cf. *Post-Scriptum de la Vie.*
3. Une partie de ce dossier prit place dans les *Choses vues;* d'autres fragments parurent dans *Tas de Pierres;* cf. également *Pierres* et *Souvenirs personnels,* 1848-1851.
4. *Idem.*
5. Cf. *Post-Scriptum de ma Vie.*
6. Cf. *Actes et Paroles.*
7. Cf. *Tas de Pierres* et *Pierres.*
8. Une partie des procès-verbaux des séances de spiritisme auxquelles prit part Victor Hugo à Jersey, de septembre 1853 à octobre 1855, a été publiée par Gustave Simon en 1923 sous le titre : *Les Tables tournantes de Jersey.*
9. Cf. *Choses vues.*
10. Il s'agit de l'affaire des *Enfants de la Morte,* poème publié par Ch. Lafont en 1857 dans ses *Légendes de la Cha-*

rité; cf. à ce sujet la notice de M. P. Berret, au tome II de la *Légende des Siècles* (p. 741-757) dans son édition critique de 1922. Le dossier dont il est ici question n'a jamais été publié.

11. Cf. reliquat de *William Shakespeare*.

Page 33

1. Cf. reliquat de l'*Homme qui rit*.
2. Hugo avait commencé dès 1863 à préparer son roman *Quatre-Vingt-Treize* qu'il écrivit en 1872-1873.
3. Cf. *Tas de Pierres*.
4. *Idem.*
5. François-Victor, second fils du poète, avait vécu avec son père, à Jersey puis à Guernesey, jusqu'en janvier 1865; il l'avait quitté, à cette date, pour rejoindre, à Bruxelles, son frère et sa mère; il avait quarante-deux ans en 1870.
6. Le banquet dit « *des Misérables* », qui eut lieu à Bruxelles, en l'honneur de Victor Hugo, le 16 septembre 1862.
7. Cf. *Actes et Paroles, Tas de Pierres* et *Pierres*.
8. Cf. *Actes et Paroles*.

Page 34

1. Femme de chambre d'Alice Hugo.
2. Domestique de Juliette Drouet.

Page 35

1. Au domicile de Charles Hugo, 4, place des Barricades; son frère François-Victor y vivait également et il y avait un corps de logis réservé au poète.

Page 36

1. Ce 19 août, Hugo avait envoyé à Paul Meurice le télégramme suivant : « *Je rentre comme garde national de Paris. J'arriverai le 21 août* » et il lui disait dans une lettre : « *Je veux rentrer en France, rentrer à Paris, publiquement, simplement, comme garde national, avec mes deux fils à mes côtés. Je me ferai inscrire sur l'arrondissement où je logerai.* »

Paul de Laboulaye dans ses *Souvenirs de ma mission en Belgique*, publiés le 1er mars 1938 dans la *Revue de Paris*, raconte, comme suit, l'affaire du visa :

« Le Chancelier de la Légation, M. Verneuil, vint me trouver dans mon cabinet [...] je descendis aussitôt et me mis à la disposition du grand poète. « – D'abord, « me dit-il, j'éprouve le besoin de protester contre le « régime impérial qui, pendant 18 ans... » Je pris la liberté de l'interrompre en lui faisant observer que ses critiques passaient par-dessus ma tête. [...] « – Mais ne savez-vous pas, continua-t-il, combien j'ai été persécuté par la police? » et, prenant à témoin les cartons qui sont le seul ornement des chancelleries, « ces « cartons, ajouta-t-il, contiennent certainement des « dossiers où figure mon nom. » [...] Je répondis de l'air le plus aimable : « Mais, Monsieur Victor Hugo, votre « nom est partout! » Jamais mot aussi innocent ne fit plus d'effet. M. Victor Hugo se radoucit. [...] Je fis prendre les noms en promettant d'envoyer les passeports dans la matinée [Laboulaye télégraphie à Paris, observant qu'il ne se croyait pas le droit de refuser les passeports et que s'il n'avait pas de réponse dans la nuit, il les remettrait le lendemain matin].

« Le lendemain, avant 8 heures, je portai moi-même les passeports au grand poète, que j'étais désireux de revoir dans son intérieur de la place des Barricades. Il était déjà au travail. Je n'eus qu'à me louer de sa réception. »

Page 37

1. Meurice dissuadait Hugo de se rendre trop vite à Paris : « ...*vous piétineriez sur place, vous attendriez, vous useriez, pour ainsi dire, votre présence; on s'habituerait à vous savoir là, comme on y sait Ledru-Rollin et Schœlcher.* [...[*Pour la France, pour la République, pour vous, pour nous, pour tous, réservez-vous.* »

2. Ce 22 août, Hugo écrivait à Meurice : « *Paris ne sera vraiment menacé qu'après la perte d'une grande bataille au plateau de Châlons. J'espère qu'on la gagnera. Je voudrais y être.* »

Page 38

1. Et non « *Père* » comme on lit, inexactement, dans l' « Historique » d'*Actes et Paroles*, t. II, p. 582.
2. Le 26, Hugo écrivait à Meurice : « *Il est clair qu'une bataille suprême, victoire ou défaite, Iéna ou Rosbach, fera la lumière. La France a droit à la victoire; l'empire a droit à la chute. Qui Dieu va-t-il choisir?* [...] *En cas d'un Rosbach, je serai tout de suite à Paris, car le danger pourra être immense.* »

   Le 31 août, Hugo écrit la pièce « *Au moment de rentrer en France* » qui ouvrira l'édition parisienne des *Châtiments*.
3. Antonin Proust, ami de Charles Hugo, deviendra ministre sous Gambetta.
4. Gustave Frédérix était le critique littéraire de l'*Indépendance belge*. Hugo le connaissait depuis 1862.
5. Alfred Asseline, cousin et ami de Charles Hugo. Le père d'Alfred Asseline était l'oncle de Mᵐᵉ Victor Hugo (la sœur de M. Asseline père ayant épousé Pierre Foucher, père d'Adèle Hugo).
6. Berru avait fait partie en 1851 du comité de rédaction de l'*Evénement*. Proscrit, il avait vécu difficilement à Bruxelles, mais avait fini par devenir secrétaire de rédaction de l'*Indépendance belge*. Charles Hugo, qui l'aimait beaucoup, lui a consacré un chapitre de son livre : *Les Hommes de l'Exil*.

Page 39

1. Léopoldine.
2. Thiers ne faisait pas partie du nouveau gouvernement.

Page 40

1. Barbieux, ancien proscrit, était devenu le gérant du *Rappel*.

Page 41

1. Cette dernière phrase, placée entre crochets, a été barrée par Hugo d'un trait d'encre, sur son carnet, soit qu'il ne l'eût point réellement prononcée, soit qu'il se reprochât de l'avoir dite.

Page 42

1. Député à l'Assemblée Constituante en 1848, Rey avait combattu l'Empire; il sera préfet du Var sous la Troisième République.
2. Pièce XLII des *Années funestes*, sous le titre : « *Baudin.* »
3. Ancien pair de France, d'Alton-Shée était de l'opposition dynastique à la fin du règne de Louis-Philippe. Il s'est pleinement rallié à la République en 1870.

Page 43

1. Cf. *Actes et Paroles*, t. III, p. 37.
2. Journaliste républicain, puis député de Paris en 1871, Lockroy épousera en 1877 la veuve de Charles Hugo.
3. Cluseret, né en 1823, avait été reçu à l'école de Saint-Cyr et gagna le ruban rouge pendant les journées de Juin. Il prit part à la guerre de Crimée, se battit aux côtés de Garibaldi et en Amérique pendant la guerre de Sécession. La Commune le fit ministre de la guerre, mais le remplaça très vite par Rossel (cf. le texte du carnet, 5 juin 1871).
4. Né en 1840, Montfort fut blessé à la bataille de Saint-Privat; il soutenait, en février, la possibilité de continuer la guerre.
5. Rédacteur en chef du *Charivari*.
6. Luthereau avait été maître imprimeur. C'est chez lui, à Bruxelles, qu'était censé se rendre, le 11 décembre 1851, l'ouvrier Lanvin dont Victor Hugo avait emprunté le passeport pour gagner la Belgique (cf. une allusion aux Luthereau dans *Pierres*, p. 56).
7. L'acteur Laferrière (de son vrai nom Delaferrière) était né en 1806 et avait conquis une grande célébrité. Ses *Mémoires* (1874) sont pleins d'intérêt.
8. Louis Ulbach fut directeur de la *Revue de Paris*, puis critique dramatique du *Temps*.
9. Le « *n* », souligné, nous éclaire, grâce aux autres carnets; « *n* » signifie « nue »; craignant des regards indiscrets — ceux de Juliette Drouet avant tout — Hugo avait coutume de maquiller les noms des jeunes femmes dont il notait l'adresse, et de leur fournir un état civil

masculin et rassurant (il convient donc de lire :
« *Maria* »). C'est ainsi que sur un album de dessins,
en 1871, le poète, qui avait d'abord écrit : « *Anna,
15, rue Clausel, 2e, porte à gauche* », a retouché ce
prénom trop clair et en a fait : « *Johannard.* »

10. Henri Cernuschi (1821-1896), d'origine italienne, avait
soutenu les républicains français dans leur lutte contre
l'Empire. On sait qu'il a légué à la ville de Paris son
hôtel et ses collections d'art oriental. Le 22 novembre,
Hugo écrira à Chaudey : « *Quand vous verrez votre
ami M. Cernuschi, dites-lui combien j'ai été touché
de sa visite. C'est un très noble et très généreux esprit.
Il comprend qu'en ce moment où la grande civilisation
latine est menacée, les italiens doivent être français.* »

Page 44

1. Le docteur Emile Allix, ami de la famille Hugo depuis
vingt ans alors, avait souvent soigné Mme Hugo
pendant ses voyages à Paris.

2. Née en 1833, celle qu'on surnommera la « vierge rouge »,
signait assez souvent « *Enjolras* », du nom d'un des
personnages épisodiques des *Misérables*. Le « *n* » que
voici est d'une trop parfaite éloquence. Elle sera dépor-
tée à Nouméa, après la Commune.

3. Paul Foucher était le beau-frère de Hugo.

Page 45

1. Cf. *Actes et Paroles*, t. III, p. 42.

2. Lire, bien entendu, « *Berthe* ». Quant à « *pros.* » Hugo
destinait ces quatre lettres à suggérer le mot de « proscrit » (sous-entendu : « *ancien* proscrit »); mais il est
probable qu'il souriait un peu en les écrivant, car le
vrai mot qu'il avait dans l'esprit commençait également par ces lettres mêmes.

3. Louise Michel.

4. Hugo avait connu cette « Veuve Godot » en 1866 à
Guernesey; on lit dans son carnet de cette année-là,
le 18 décembre : « *Visite d'une femme venue de France
pour me voir, Mme Vve Godot, avec son enfant* »; le
23 décembre : « *Veuve Marie Godot. Toda* [toute].

Un jouet à l'enfant »; puis, le 25 décembre : « *Envoyé à Mme Vve Godot, pour l'aider à acquitter sa note d'auberge : 25 frs.* »

Page 46

1. Une lettre de Hugo à Meurice, le 4 mai 1871, nous renseigne un peu sur la jeune femme qui, ce 19 septembre 1870, offrit pour la première fois, semble-t-il, sa nudité au poète; c'est, dira Hugo, « *une pauvre et honnête fille qui meurt de faim; je l'ai empêchée de se jeter à l'eau.* [...] *Elle a été actrice* ».
2. Il s'agissait d'une protestation contre le bombardement éventuel des monuments de la capitale. Ce texte avait paru à l'*Officiel* le 18 septembre.

Page 47

1. Rien ne prouve qu'il s'agisse de la « *Maria* » du 10 septembre.
2. En face de cette page, dans le carnet, au verso de la page précédente, Hugo a collé la photographie d'une lettre de sa main, adressée à « *Mademoiselle Clotilde Jobert, Amelia Place* » : « *Je suis, Mademoiselle, aux ordres du charmant souvenir que vous rappelez si gracieusement. J'attends votre album et je mets mes hommages à vos pieds. Victor Hugo. Mercredi.* » Au-dessous de la photocopie, le poète a noté : « *On m'a envoyé cette lettre de moi, photographiée. C'est une lettre écrite par moi à une jeune fille de Jersey, il y a dix-huit ans.* »
3. « *Osc.* » est le début du mot latin « *osculum* » (ou « *oscula* ») qui signifie « *baiser* » (ou « *baisers* »). Cet « *Emile* » était donc une « *Emilie* ».
4. Félix Pyat (1810-1889) avait été député de gauche sous la Deuxième République, puis proscrit. Il était également auteur dramatique; il collabora au *Rappel*, puis fonda successivement le *Combat* et le *Vengeur*; c'était un jacobin et qui se défiait des socialistes.
1. Ce 25 septembre, Hugo faisait tenir à Trochu le billet suivant :

> *Général,*
>
> *Un vieillard n'est rien, mais l'exemple est quelque chose. Je désire aller au danger et je veux y aller sans*

16

armes. On me dit qu'un laissez-passer *signé de vous
est nécessaire. Je vous prie de me l'envoyer.
Croyez, général, à toute ma cordialité.*

VICTOR HUGO.

Page 48

1. Emmanuel des Essarts, né en 1839, fut élève de l'Ecole
normale supérieure; il publia, en 1870, une étude sur
« *Le Type d'Hercule dans la littérature grecque.* » On
lui doit de nombreux ouvrages de critique littéraire,
et quelques poésies.
2. Gustave Flourens, fils d'un physiologiste illustre, était
né en 1838; il fut nommé professeur au Collège de
France en 1863; républicain rouge, il prit part à
l'émeute du 31 octobre 1870, puis à la Commune,
et fut tué par les Versaillais, le 3 avril 1871; un capitaine de gendarmerie Desmarets lui fendit le visage
d'un coup de sabre, alors qu'il était désarmé et un
gendarme lui fit sauter la cervelle. D'après le comte
d'Hérisson (*Nouveau Journal d'un officier d'ordon-
nance*, 1339, p. 114), Desmarets devint juge de paix
à La Garnache, en Vendée, grâce à M. de Baudry
d'Asson.
3. « *Toda* » = « toute ».
4. Lire « *Zoé, rue Tholozé* ».
5. Lire, bien entendu, « *Louise* ».

Page 49

1. « *Elabre* »? Sous la date du 4 novembre, on lira plus loin
« *glaber* », pour désigner la même Zoé, 13, rue Tholozé.
2. Ce jeudi 29 septembre au matin, Hugo avait reçu,
comme chaque jour à son réveil, une petite lettre
de Juliette Drouet; mais le message de ce matin-là
était autre chose qu'un tendre bonjour. Juliette, très
imparfaitement renseignée, savait, devinait que son
vieil ami, dans ce Paris plein de tentations (la « molle
cité pleine de femmes », comme écrira Hugo lui-même),
se dispersait en aventures misérables. Elle lui disait :
« [...] *C'est pour t'obéir que je suis venue me loger
ici, c'est-à-dire tout à fait hors de la portée de ton cœur.*

Je ne me fais pas d'illusion, et je sens bien que tu te détaches de moi peu à peu et par tous les moyens que ma mauvaise destinée met à ta disposition. Je n'ai plus la force ni le courage de te retenir. D'ailleurs, j'ai su, de tout temps, que mon bonheur finirait le jour où tu rentrerais à Paris. Ce n'est donc pas une surprise pour moi. Dieu a donné dix-huit ans de répit à mon amour. Qu'il soit béni. C'est à ton tour maintenant d'être heureux, selon le goût de ton esprit et les besoins de ton cœur.

Je regrette d'avoir cédé à l'ordre que, par respect humain, tu as cru devoir me donner de t'accompagner jusqu'ici, tout en sachant que tu n'avais pas besoin de moi, au contraire. Je suis punie par où tu as péché.

Je te pardonne et je t'aime plus que jamais [...] »
On notera que, ce 29 septembre, Hugo n'ira point chez les prostituées.

3. Du même jour, la pièce « *A Petite Jeanne* » qui figurera dans l'*Année terrible* (*Septembre*, V).

4. Cf. *Actes et Paroles*, t. III, p. 46.

5. « *Eugène* » pour « *Eugénie* ».

Page 50

1. Les noms de comédiennes vont se multiplier dans les notes du carnet. Le *Dictionnaire des Comédiens* d'H. Lyonnet ne nous renseignera pas toujours sur ces artistes dont la notoriété n'était point également établie. Je n'y ai pas trouvé d'Eugénie Quinault.

2. Le 23 septembre, Hugo avait écrit à Nadar :

« *Je reçois votre excellente lettre en retard, mais l'occasion se représentera, j'espère. Si le gouvernement voulait, il n'aurait qu'à se servir de mes deux appels* Aux Allemands et Aux Français*; distribués par vos ballons, ils seraient très utiles. Tous nos exemplaires sont épuisés et le papier nous manque. Le gouvernement en a; dites-le-lui; qu'il fasse tirer à des millions d'exemplaires, et distribuer par vous, du haut du ciel, ces deux appels aux deux peuples; l'effet sera, je crois, incalculable. Si vous le pouvez, dites-le à qui de droit. Je presse vos vaillantes mains.* »

Page 51

1. Mme Olympe Audouard était née en 1830; romancière
   féconde, elle avait fondé en 1867 la *Revue cosmopolite*
   et publia en 1886 un intéressant *Voyage à travers mes
   souvenirs*. Fervente adepte du spiritisme et croyant
   aux réincarnations, elle voyait en Hugo l'âme même,
   revenue sur la terre, de Milton (cf. ses pages sur Victor
   Hugo dans *Silhouettes Parisiennes*, 1883, p. 9-19).

Page 52

1. « *Elle* », c'est Juliette Drouet.
2. Hugo fut chassé de Jersey, le 27 octobre 1855, à la suite
   de la « *Déclaration* » qu'il avait signée, dans l'*Homme*
   du 24 octobre, pour protester contre l'expulsion des
   trois proscrits Ribeyrolles, Pianciani et Thomas.

Page 53

1. Hugo a bien écrit « M ». Il ne doit donc pas s'agir de
   Louise Colet.

Page 54

1. « *Genua* » = genoux.
2. Louise Bertin, sœur d'Armand et d'Edouard Bertin,
   avait été très liée, jadis, avec les Hugo. Infirme, elle
   aimait les enfants du poète comme une seconde mère.
   Hugo ne l'avait jamais oubliée; il lui avait adressé une
   pièce des *Contemplations* (V, V).
3. Léon Say était administrateur du Chemin de Fer du
   Nord; il deviendra préfet de la Seine en 1871.
4. Ernest Lefèvre, neveu d'A. Vacquerie, était avocat. Il
   deviendra député de Paris en 1881. Hugo fera de lui
   un de ses exécuteurs testamentaires.

Page 55

1. Théophile Gautier, qui dédaignait la politique, n'avait
   point compté parmi les ennemis de l'Empire. Il n'en
   avait pas moins, en toute occasion, parlé publiquement
   de Hugo avec une admiration et une affection fidèles.

2. Après avoir envisagé une carrière théâtrale, Mlle Amélie Désormeaux avait ouvert une école de diction. Elle consacra une plaquette à Hugo : « *Quelques souvenirs sur Victor Hugo.* » Elle fit quelques autres confidences à M. Henri Allorge, qui les utilisa, discrètement, dans un article du *Figaro* le 2 février 1924; Amélie Désormeaux lui avait avoué que Juliette Drouet la « détestait »; elle disait aussi, à propos du poète : « *Je rêvais un Booz et j'eusse été heureuse d'être Ruth.* »

3. Vers le 12 juillet 1870, Meurice annonçait à Hugo la « déconfiture » de Lacroix, l'éditeur belge qui avait publié les *Misérables*, les *Travailleurs de la Mer* et l'*Homme qui rit;* Meurice avait obtenu de Lacroix qu'il cédât au *Rappel* les droits qu'il avait acquis sur la publication des *Quatre Vents de l'Esprit.*

4. Ce 16 octobre 1870, Hugo écrit l' « *Idylle du Vieillard* », qu'il publiera en 1877 dans la seconde « série » de sa *Légende des Siècles.*

Page 56

1. Au verso de la page précédente, en face de ce texte, Hugo a collé, dans son carnet, un carton où on lit : « *Départ du 20 octobre. 9 heures. Jardin des Tuileries. Prière de se tenir en dehors des cordes.* » La carte porte un tampon rouge, avec ces mots : « *République française. 1er aérostiers. Nadar. Dartois. Duruof.* » Au-dessous, le poète a noté : « *Carte d'entrée pour voir partir le ballon* Victor Hugo. »

2. Hugo a souligné ce mot.

Page 57

1. Brives avait été député de l'Hérault en 1848. Proscrit après le coup d'État, il s'était établi en Belgique.

2. « *Marthel* », pour « *Marthe* ».

3. Ce   figure dans le carnet, Hugo n'ayant pas voulu en écrire davantage; souvenir secret.

Page 58

1. Collée au verso de la page, cette coupure du *Rappel* : *Victor Hugo a adressé au* Siècle *la lettre suivante, avec la somme de 500 frs. :*

Paris, 22 octobre 1870.

Monsieur le Directeur du Siècle,

Les Châtiments *n'ont jamais rien rapporté à leur auteur et il est loin de s'en plaindre. Aujourd'hui cependant la vente des 5.000 premiers exemplaires de l'édition parisienne produit un bénéfice de 500 frs. Je demande la permission d'offrir ces 500 frs. à la souscription pour les canons.*

Recevez l'assurance de ma cordialité fraternelle.

VICTOR HUGO.

2. Autre coupure du *Rappel*, collée au verso de la page :

Un gourmet de la viande de cheval me propose cette variante du récit de Théramène :

> *Ces superbes coursiers qu'on voyait autrefois,*
> *Pleins d'une ardeur si noble, obéir à sa voix,*
> *L'œil morne maintenant et la tête baissée,*
> *Ne sont plus qu'un beefsteak et qu'une fricassée.*

Au-dessous, Hugo a noté : « Ma plaisanterie d'hier soir est ce matin dans le *Rappel.* »

3. Ce point d'interrogation entre parenthèses est bien dans le texte du carnet.

4. Clémence était la femme de chambre de Mme Paul Meurice.

Page 59

1. En face de ce texte, et collée au verso de la page précédente, la carte de visite de « *Edouard Thierry, administrateur général de la Comédie Française.* » Au-dessous, Hugo a écrit ce mot : « *Curiosité* ».

2. *Châtiments*, VI, XV.

3. Floquet, avocat et journaliste (il écrivait dans le *Temps* et dans le *Siècle*), avait été de l'opposition républicaine sous l'Empire. Il sera nommé député de Paris à l'Assemblée Nationale et fera une grande carrière sous la Troisième République. En octobre 1870, il était l'un des adjoints de la municipalité parisienne.

4. Le Flô, député royaliste, avait été chassé de France par Louis Bonaparte après le Coup d'Etat. Il avait partagé l'exil de Hugo à Jersey. Le gouvernement de la Défense nationale, en 1870, le fit ministre de la guerre.

5. Mlle Blanchecotte (Augustine-Malvina Souville), née en 1830, avait publié en 1865 un volume de vers *(Rêves et Réalités)* que Sainte-Beuve fit couronner par l'Académie; l'ouvrage était signé « M. B., ouvrière et poète ». (cf. le t. XV des *Causeries du Lundi*).

6. Le mot paraît bien être « *bande* ».

7. Adèle Rival avait connu de brillants succès aux Folies Dramatiques dans les premières années de l'Empire.

Page 60

1. Il me paraît douteux qu'il s'agisse ici de la même Mme Saint-Vallier qui débuta au Théâtre-Français en 1813.

2. Elisa Duguéret était née en 1841. Le *Dictionnaire des Comédiens* de Lyonnet signale qu'elle prit part à plus de deux cents manifestations de charité pendant la guerre de 1870-1871.

3. *Châtiments*, VII, VII (« Musique de Beethoven », portait la pièce, en sous-titre, dans l'édition française de 1870).

4. Pour « *Justine* ».

5. Hugo veut dire qu'il le *re*voyait pour la première fois depuis 1849. Ledru-Rollin avait toujours affecté de tenir le poète pour un républicain suspect.

Page 61

1. Charles-François Berton (1820-1874) jouait alors à l'Odéon.

2. Mlle Favart avait eu un très grand succès lors de la reprise d'*Hernani* en 1867.

3. « *Garter* », c'est « *jarretière* », en anglais.

4. Francis Riaux était le rédacteur en chef de la *Presse*.

5. A. de Chatillon avait exposé au Salon de 1837 un portrait de Hugo avec son second fils François-Victor. Dans une lettre inédite à son fils Charles, le 17 décembre 1867, Hugo écrivait : « *Chatillon, qui a fait les vilains vers bêtes que je ne lui pardonne pas, m'a demandé secours. Je lui envoie 50 frs. sans lui laisser ignorer que je sais sa mauvaise petite action.* »

6. J'ai placé cette phrase entre crochets, car Hugo l'a barrée d'un trait d'encre.

7. Raphaël Félix était directeur du théâtre de la Porte Saint-Martin.

Page 62

1. Gustave Chaudey, maire du IXᵉ arrondissement et adjoint au maire de Paris, défendit l'Hôtel de Ville, le 22 janvier. Raoul Rigault le fit fusiller en mai.
2. Audebrand était né en 1816; il avait fondé en 1856 la *Gazette de Paris* et publié, en 1867, d'amusants *Souvenirs de la tribune des journalistes*. Il fera la « chronique » de l'*Illustration* de 1871 à 1876.

Page 63

1. Marie Laurent s'était illustrée dans *Lucrèce Borgia* lors de la reprise de la pièce, en février 1870.
2. Le point d'interrogation entre parenthèses est de Victor Hugo.
3. Lire : « *en torse* »; autrement dit, les seins nus.
4. Travestissement de « *Montauban* ».

Page 64

1. Mˡˡᵉ Rousseil, née en 1840, avait conquis la célébrité en 1862. Elle entrera au couvent en 1887.
2. Cf. *Contemplations*, III, XXIII.
3. Au verso de la page précédente, cette adresse utile : « *Eugène* (pour *Eugénie*), *rue Neuve-des-Martyrs, 6 bis, au premier.* »

Page 65

1. L'acteur Taillade tenait le rôle de Gennaro dans *Lucrèce Borgia* (1870).
2. Hugo a souligné ce mot. Parfait s'appelait Noël; Hugo le baptise ici, par jeu, « *Toussaint* ». Né en 1813, il avait été, en 1833, condamné à deux ans de prison pour avoir glorifié les insurgés de juin 1832 dans ses vers : « *L'Aurore d'un beau jour.* » Gautier l'avait présenté à Hugo en 1845. Député de gauche en 1849, il fut proscrit après le Coup d'Etat. C'était lui qui s'était chargé de corriger les épreuves des *Contemplations* et de la *Légende des Siècles*.
3. Louise Périga, née en 1834, était entrée à l'Odéon en 1866.

Page 66

1. Encore une prudence, à l'intention de Juliette Drouet; « *Benoît Const.* », c'est Constance Montauban, domiciliée impasse Saint-Benoît.
2. Un lumbago? François-Victor Hugo mourra deux ans plus tard d'une affection tuberculeuse des reins.
3. En face des textes concernant les 12-13 et 14-15 novembre, Hugo a collé, sur son carnet, deux photographies qu'il désigne comme suit : « *paletot de Maximilien. Queretaro* » et « *gilet de Maximilien* ». Ces vêtements sont troués de balles. Hugo avait en vain, et trop tard, écrit à Juarez, en 1867, pour le conjurer de ne point faire exécuter Maximilien.

Page 67

1. J.-M. Destrem, né en 1842, collabora à la *Marseillaise*, au *Mot d'Ordre*, puis au *Rappel*.
2. Ce 16 novembre 1870, Hugo écrit la pièce de l'*Année terrible* commençant ainsi : « Je ne sais si je vais sembler étrange... » (*Novembre*, VII).

Page 68

1. Du même 17 novembre datent la pièce de l'*Année terrible* : « Qu'on ne s'y trompe pas... » (*Novembre*, VIII) et celle de l'*Art d'être Grand-Père* (VI, I) : « Mon âme est ainsi faite... »
2. De son vrai nom Mme Varcollier, Ugalde dirigeait les Bouffes Parisiennes depuis 1866; elle avait beaucoup chanté à l'Opéra Comique.
3. L'acteur E. Got avait adressé, le 9 novembre, à M. Valois, organisateur de la manifestation prévue au Théâtre-Français, une lettre ouverte où il déclarait qu' « admirateur passionné des *Châtiments* » il ne pouvait néanmoins s'associer à la lecture publique de ces vers « sur une scène qui acceptait si bénévolement, il y a quelques semaines, le titre de Théâtre des *Comédiens ordinaires de l'Empereur* »; et il ajoutait : « Si j'étais un des rares opposants de la veille, qu'on me permette aujourd'hui de me tenir encore à part des trop nombreux fanfarons du lendemain. »

4. Né en 1820, Asselineau, bibliothécaire à la Mazarine, avait publié en 1867 ses *Mélanges tirés d'une petite bibliothèque romantique* et, en 1869, son étude sur *Ch. Baudelaire*.

Page 69

1. La pièce *les Forts*, de l'*Année terrible* (*Décembre*, VI), est de ce 20 novembre 1870.
2. Nouveau déguisement de *Constance Mont*auban.
3. Dans son article du 19 novembre, intitulé « *M. Baroche* » (cf. Veuillot, *Paris pendant les deux sièges*, 1871, I, 352).
4. Je n'ai pu percer le mystère de ces initiales.
5. Ph. Burty, critique d'art à la *Presse*, puis à la *République française*, et éditeur de la correspondance de Delacroix, faisait alors partie de la commission chargée d'examiner les documents trouvés aux Tuileries.

Page 70

1. Guérin avait été l'un des compagnons d'exil du poète à Jersey.

Page 71

1. Cf. Hugo, *Souvenirs personnels*, 1848-1851, p. 213.
2. « *Sacer Esto* » ouvrait le quatrième livre des *Châtiments*.
3. Tony Révillon faisait du journalisme sous l'Empire, écrivant en particulier au *Nain jaune* et à l'*Evénement;* il parviendra à se faire élire député en 1881.

Page 72

1. Victorine Héricourt avait débuté en 1868 dans *Andromaque*.

Page 73

1. Refrain de la « *Chanson* » qui constituait la pièce VI du septième livre des *Châtiments*. L'actrice Lagier apparaît plus d'une fois dans la correspondance de Flaubert.
2. Hugo n'aimait pas Vallès qui, plusieurs fois, à la fin de l'Empire, l'avait attaqué dans ses articles. Sur une

feuille volante où se lisent des ébauches de vers à peu près indéchiffrables, on distingue du moins ceci, nettement : « ...*bravo, valet Vallès, continue!*... » de la main du poète.

3. Pour « Constance Man*tauban* ».

Page 74

1. Hugo s'imposait de faire, chaque jour, un peu de marche, au moins mille pas; son « *passus mille* », comme il disait en latin.

Page 75

1. Le texte se présente bien exactement ainsi : « *p. age* ». Faut-il lire : « *pucelage?* »
2. Le mot est souligné par Hugo, ainsi que le « *n* » qui suit; c'est son habitude, dans les carnets, de souligner ce qu'il écrit lorsqu'il s'agit d'autre chose que de nudités contemplées et un peu caressées. Les « *10 frs.* » indiquent du reste que, ce jour-là, le poète s'était montré plus exigeant.

Page 76

1. Nous savons qu'il s'agit de Juliette Drouet.

Page 78

1. Hugo écrit ce jour-là les vers commençant ainsi : « Je n'ai point de colère... », qui figureront dans l'*Année terrible* (*Juin*, VI).
2. Le sculpteur Vilain, né en 1813, avait fait un buste de Hugo en 1849.
3. Le journal que dirigeait Blanqui.
4. Au verso de la page précédente, une coupure de journal :
   Il y a dans Les Nouvelles *(9 décembre)* :
   « M. Victor Hugo avait manifesté l'intention de sortir de Paris sans armes, avec la batterie d'artillerie de la garde nationale dont ses deux fils font partie.
   Le 144ᵉ bataillon de la garde nationale s'est transporté tout entier avenue Frochot devant le logis du poète, où les délégués seuls sont entrés.

*Ces honorables citoyens venaient faire défense à
M. Victor Hugo de donner suite à ce projet, qu'il avait
dès longtemps annoncé dans son* Adresse aux Allemands.
Tout le monde peut se battre, *lui ont-ils dit.* Mais
tout le monde ne peut faire les *Châtiments.* Restez
et ménagez une vie si précieuse à la France. »

Au-dessous, Hugo a noté :

« *Je ne sais plus le numéro du bataillon. Ce n'est
pas le 144*e. *Voici les termes de l'adresse qui m'a été
lue par le chef du bataillon* :

« La garde nationale de Paris fait défense à Victor
Hugo d'aller à l'ennemi, attendu que tout le monde
peut aller à l'ennemi, et que Victor Hugo seul peut
faire ce que fait Victor Hugo.

« Fait défense *est touchant et charmant.* »

5. Les vers « *A ceux qui sont petits* » qui prendront place
dans *Toute la Lyre*, III, 51, sont datés « *9 décembre* »;
mais ils peuvent être de 1871.

Il n'y a pas, dans l'*Année terrible* de vers datés du
9 décembre 1870; les pièces de ce recueil, il est vrai,
ne sont pas toutes datées.

S'il s'agit bien des vers *A ceux qui sont petits*, la
pièce *A un malheureux*, qui s'y rattache étroitement
(voir *Toute la Lyre*, édition de l'Imprimerie nationale,
p. 377 et p. 442), serait du 15 décembre 1870.

Page 79

1. Cette indication me reste impénétrable.

Page 80

1. Ce 12 décembre 1870, Veuillot publie un article, grossier
et bas, à son usage, intitulé *les Fils Hugo.* On le trouvera dans ses *Etudes sur Victor Hugo*, publiées chez
Palmé, en 1886, (p. 296.)

Deux jours plus tard, le 14 décembre, Veuillot parlera de la « folie, hélas incurable » de « M. Hugo [...]
ce séditieux qui hurle la sédition » (*Ibid.*, p. 299).

Page 81

1. Mlle Raucourt avait débuté en 1862 à la Porte Saint-
Martin. Elle passera à la Gaîté, puis à l'Ambigu, puis
à l'Odéon. Elle jouait les soubrettes.

2. Juliette Bourgeois, dite Mme Borghèse, était une cantatrice en renom; elle avait débuté en 1856 au Théâtre lyrique dans les *Dragons de Villars*, et se retira tout à coup en 1872.

3. Toujours « Con*stance Mont*auban. »

Page 82

1. P. Stapfer avait vécu plus d'une année près de Hugo à Guernesey en 1866-1877. Il publiera en 1905 son intéressant ouvrage : *Victor Hugo à Guernesey*.

2. En face de ce texte, sur le verso de la page précédente, Hugo a noté :

« *Mon compte actuel avec Adèle : j'ai à lui payer :*
Le trimestre septembre-décembre.   945 frs. ⎱
Le trimestre janvier-mars. . . .   945 frs. ⎰ *1.990 frs.*
Je lui ai envoyé, en septembre, par Victor : 500 frs.
Je lui envoie aujourd'hui 20 décembre, par Rothschild : 750 frs.
Soit : 1.250 frs. J'aurai à payer pour solde 640 frs. »

Adèle Hugo, seconde fille du poète, s'était enfuie de Hauteville-House le 18 juin 1863, poursuivant en Nouvelle-Ecosse (Halifax) le lieutenant Albert Pinson avec lequel elle s'était crue fiancée en décembre 1861 et qui ne voulait plus d'elle. Elle était, en 1870, et depuis 1868, à La Barbade; Pinson s'était marié, à Londres, en février 1870.

Page 83

1. Léopold Hugo, fils d'Abel, était le neveu du poète.

2. Edmond Adam avait appartenu, en 1848, au groupe du *National* et Armand Marrast l'avait pris pour adjoint à l'Hôtel de Ville; préfet de police en octobre 1870, il démissionna au début de novembre; il deviendra député, puis sénateur.

3. Rédacteur au journal le *Siècle*.

4. Né en 1825, Bornier n'atteindra qu'en 1875 la célébrité véritable avec sa *Fille de Roland*.

Page 84

1. En face de ces lignes Hugo a collé une coupure du *Rappel* :

La Gazette de France *doute que nous sachions lire.
Nous savons lire, et, la preuve, c'est que nous lisons
quelquefois même la* Gazette de France. *Or, la* Gazette
de France *rend à Louis Bonaparte le service d'insulter
Victor Hugo. Nous négligeons, dans sa réplique d'hier,
quelques sottises sans portée et nous arrivons aux lignes
que voici :* « – *Si, plus tard, il (M. Victor Hugo) s'est
posé en adversaire implacable de l'empire, il faut avoir
perdu la mémoire pour ne pas se souvenir que ce nouveau changement de front fut motivé uniquement par
le dépit qu'il éprouva de ne pas être ministre de celui
qu'il appelait alors le* prince-président. » *Ceci n'est
pas simplement une niaiserie, c'est une calomnie. Cette
calomnie n'atteint pas Victor Hugo et il a le droit de
la dédaigner; mais elle atteint la* Gazette de France *et
nous la défions d'en donner la preuve.*

Au-dessous de ce texte, Hugo a noté : « *Cette som-
mation est restée sans réponse.* »

Page 85

1. Cf. plus haut, 23 septembre.

Page 86

1. L'édition des *Choses vues* (II, 166) donne : « *L'attaque
   prussienne continue* »; il y a deux mots et non pas
   un seul dans le manuscrit et la lecture « *continue* »
   est irrecevable. Je crois lire : « *semble vaincue* ».
2. Gustave Simon publiant ce texte en 1913, dans les
   Choses vues (II, p. 166), avait été effarouché par le
   mot « arrêté » appliqué à un cheval, et l'avait discrètement changé en « *réquisitionné* ».
3. La requête de V. Hugo au ministre de l'Agriculture et
   du Commerce (Joseph Magnin) en faveur du cheval
   de Th. Gautier a été publiée par Lucien Delabrousse
   dans son ouvrage : *Joseph Magnin et son temps.* On
   la trouvera reproduite dans la *Correspondance* de
   Hugo, t. III, p. 273. Le cheval de Gautier fut libéré.
   Dans la marge, Hugo a noté, postérieurement : « *J'ai
   sauvé le cheval.* »
4. Le journaliste Ernest Blum, né en 1836, ancien collaborateur du *Charivari*, était entré au *Rappel* en 1869;

il avait fait jouer plusieurs pièces de théâtre dont un
Rocambole en 1864; ses *Mémoires de Rigolboche*,
publiés en 1860, avaient eu du succès.

Page 88

1. De ce 1ᵉʳ janvier, semble-t-il, les vers qui ouvrent la
section « *Janvier* » dans l'*Année terrible :* « Enfants,
on vous dira plus tard... »
2. La pièce de l'*Année terrible*, « *Choix entre les deux nations* »
(*Septembre*, I), a été écrite ce 2 janvier 1871.
  Le même 2 janvier, un arrêté nommait Charles
Hugo capitaine d'état-major de la garde nationale
de la Seine.

Page 89

1. Cf. la pièce VI de la section « *Janvier* » dans l'*Année
terrible :* « *Une bombe aux Feuillantines.* »

Page 91

1. Ce 8 janvier 1871, Hugo écrit deux pièces : « *A qui la
victoire définitive?* » (*Année terrible; Décembre*, IX) et
« *A des régiments découragés* » (*Toute la Lyre, la Corde
d'Airain*, 2).
2. Le général Juan Prim, chef du pouvoir en Espagne
depuis la chute d'Isabelle II.
3. Mᵐᵉ Hugo était morte le 27 juin 1821, et Victor Hugo
épousa Adèle Foucher le 12 octobre 1822.
4. Du 10 janvier 1871 la « *Lettre à une femme* » (*Année
terrible; Janvier*, II).
5. Né en 1825, Chifflard avait obtenu un prix de Rome en
1851, et peint un portrait de Hugo en 1868; il se consacra ensuite à la gravure.

Page 92

1. C'est par Juliette Drouet que Hugo, jadis, avait connu
les Lanvin. Il ne cessera pas de leur être bienfaisant.
2. Le 12 janvier 1871, Hugo écrit la petite pièce : « *Autrefois j'ai connu Ferdousi....* » qu'il publiera en 1883 dans
la troisième série de sa *Légende des Siècles* et qui,

dans l'édition définitive, forme la pièce n° III des *Esprits* (*Légende*, XXXVIII). Ces vers développent une brève note en prose qu'on trouvera dans *Pierres*, p. 252.

3. Hugo avait été fort lié jadis avec M. et Mme Bouclier; le mari, notaire, avait aidé le poète à transférer sa fortune en Belgique, après le Coup d'Etat.

4. Sur le verso de la page précédente, Hugo a collé cette coupure du *Rappel* (13 janvier) :

> *C'est aujourd'hui que la Société des gens de lettres offre au gouvernement de la Défense Nationale les deux canons* Victor-Hugo *et les* Châtiments *que lui a gagnés la récitation des principales pièces du terrible poème* aere perennius. *Les membres de la Société qui voudront être de la fête sont invités à se trouver à une heure très précise au square des Arts et Métiers.*

Le poète a placé sous ce texte la note suivante :

> « *La Société des gens de lettres m'a demandé d'assister à la remise des canons à l'Hôtel de Ville. Je me suis excusé. Je n'irai pas.* »

Page 93

1. Hugo a oublié d'inscrire la date.
2. Constance *Montau*ban, bien entendu.
3. « *Dans le Cirque* » forme la pièce IX de la section « *Janvier* » dans l'*Année terrible;* le manuscrit porte, au bas, cette indication : « *Paris, 15 janvier 1871. Pendant qu'on bombarde.* »

Page 94

1. Ce 18 janvier 1871, Hugo écrit la pièce : « *Après les victoires de Bapaume, de Dijon et de Villersexel* » (*Année terrible; Janvier*, X).
2. Dans le langage convenu des carnets, « *Aristote* » désigne les incommodités mensuelles de la femme; Hugo avait-il choisi ce nom en raison de la « sagesse » temporaire qu'imposent à l'amant ces inconvénients féminins? (Inutile, je pense, de préciser que « *C. Tauban* » est Constance Montauban.)

Page 95

1. Gambon était né en 1820 et avait fondé avec Pyat en 1847 le *Journal des Ecoles;* député en 1848, il prit part à l'affaire du 13 juin 1849 et fut emprisonné à Corte. Elu député de Paris en février 1871, il sera l'un des membres du Comité de Salut public de la Commune et parviendra à échapper aux Versaillais; il trouvera refuge à Lausanne.

Page 96

1. Il faut comprendre, sans doute, que cette Mme de Rathstein, dont je ne sais rien, Hugo l'avait rencontrée en 1845.
2. Le 15 novembre, Hugo écrivait : « *Destrem* ».
3. En face des notes du 26 janvier, au verso de la page précédente, cette coupure du *Rappel :*
   Le Gaulois *nous donne des nouvelles des deux canons achetés par la Société des gens de lettres avec le produit de la lecture des* Châtiments; le Victor-Hugo *est au bastion 77 d'où il tire sans discontinuer; le* Châtiment *est au bastion 78 et a pour pointeur un peintre, M. Masson. Le* Châtiment *a fait sauter une poudrière du plateau de Chatillon.*

Page 97

1. Hugo, visiblement, s'amuse à varier les pseudonymes de sa protégée.
2. Le 23 avril 1863. Sa tombe est dans l'église Saint-Louis-des-Français, à Rome, avec cette inscription : « *Ici repose Jules Hugo, prêtre de Notre-Dame de Sion, né à Paris le 2 septembre 1835; mort à Rome le 22 avril 1863.* »

Page 99

1. Bancel, représentant du peuple au moment du Coup d'Etat et membre de la Montagne, avait été proscrit. Il avait été élu député par l'opposition en 1869.
2. Bourbaki tenta de se suicider, le 26 janvier 1871 et ne se fit qu'une blessure au cuir chevelu; il devint gouverneur militaire de Lyon.

3. Juste pronostic; Louis Blanc arrivera en tête des élus
de Paris avec 216.471 voix; Hugo sera second, avec
214.169 suffrages. Le nom du poète avait figuré sur
quantité de listes fort différentes les unes des autres;
l'Internationale des Travailleurs le présentait, comme
le Comité libéral républicain, et il se trouvait à la fois
sur la liste recommandée par le *Journal des Débats* et
sur celle du *Mot d'Ordre* de Rochefort; ne l'avaient
guère exclu que les blanquistes du Comité républicain,
démocratique et socialiste, et le Comité catholique
de Veuillot.

Il avait été le premier élu dans quatre arrondissements (les IVe, VIe, XVIe et XVIIe); l'arrondissement
qui lui avait assigné la moins bonne place était le
VIIIe, où il n'arrivait que neuvième élu.

Page 100

1. « *Spont.* »; entendons : émission spontanée. De temps à
autre, dans les carnets, des indications semblables.
L'innocente et pieuse Julie Chenay (elle a cinquante
ans) y est ici mêlée bien à son insu. Notons toutefois,
dans le carnet de 1862, sous la date du 26 juin, une
curieuse et laconique mention : « *Julie. Pas depuis
Fourqueux, 1836.* » Depuis la veille, 25 juin 1862,
Hugo était seul à Hauteville-House avec sa fille Adèle
et sa belle-sœur Julie, Mme Hugo, son fils François-
Victor et son beau-frère Paul Chenay étant partis
pour Jersey. C'est à Fourqueux, en 1836, que Léopoldine avait fait sa première communion; Julie Foucher
avait alors quinze ans.

2. Titre primitif du recueil qui deviendra l'*Année terrible.*

3. Le poème s'appellera finalement l'*Art d'être Grand-Père*
et ne sera publié qu'en mai 1877.

4. Il s'agit des notes mêmes que nous publions ici.

Page 101

1. Cette seconde pièce n'avait pas encore de titre; elle
devint « *A qui la victoire définitive?* » (*Décembre*, IX);
il est d'ailleurs possible que le poète ait fondu, finalement, en une seule, deux pièces dont la première
commençait par : « Sachez-le... » et la seconde par :

« Non, vous ne prendrez pas... » A la fin du manuscrit, ceci : « *Paris assiégé, 8 janvier 1871.* »

Page 102

1. L'avocat Louis Mie s'était spécialisé dans la défense des journaux républicains poursuivis sous l'Empire. Il avait fondé lui-même un journal, après le 4 septembre, *la République de Dordogne.*

Page 104

1. Ces quelques mots nous ont été conservés; ils figurent dans *Actes et Paroles*, t. III, p. 67.

Page 105

1. Alphonse Gent, né en 1813, avait été arrêté en 1850, comme organisateur d'une « société secrète » dans la vallée du Rhône, et déporté à Nouka-Hiva. Elu en février 1871 par le département de la Vaucluse, il est invalidé mais sera réélu en juillet.
2. Le capitaine Cremer (né en 1840) avait pu s'évader de Metz après la capitulation de Bazaine, et Gambetta l'avait nommé général de division à titre auxiliaire.

Page 106

1. Millière avait été déporté après le 2 décembre. Il rentra en France après l'amnistie. Militant d'extrême gauche, il prend part à la tentative révolutionnaire du 31 octobre, est élu député de Paris le 8 février 1871; les Versaillais le fusilleront au Panthéon en mai 1871.
2. Le lendemain 18, Hugo écrira à Meurice : « *L'Assemblée est une* Chambre introuvable; *nous y sommes dans la proportion de 50 contre 700. C'est 1815 combiné avec 1851. [...] Ils ont débuté par refuser d'entendre Garibaldi, qui s'en est allé. Nous pensons, Louis Blanc, Schœlcher et moi, que nous finirons, nous aussi, par là.* »
3. Le registre des délibérations du onzième bureau, conservé aux Archives nationales, nous fournit un résumé de l'intervention de Hugo, ce 20 février :

« *Parmi les pétitions déjà déposées se trouve celle qui proteste contre le décret du gouvernement de Bordeaux qui a frappé les magistrats compromis dans les commissions mixtes.*

*[...] M. Victor Hugo n'admet que l'inamovibilité absolue. L'inamovibilité avec avancement n'offre aucune garantie d'indépendance. L'orateur la qualifie d'*abominable, de plaie et de honte.

La justice n'a pas résisté au crime du 2 décembre. Les mêmes juges de la Haute-Cour, qui ont été au moment de condamner Bonaparte au 2 Décembre, lui ont prêté serment et ont rendu la justice en son nom. Il est impossible à l'orateur de leur reconnaître le bénéfice de l'inamovibilité. »

Page 107

1. Si Victor Hugo prend note de ce détail, c'est à cause du prénom de l'enfant, le même que celui de cette Mme Biard (Léonie d'Aunet) qu'il avait beaucoup aimée de 1841 à 1851 et qu'il n'avait jamais oubliée, lui ayant envoyé à maintes reprises, pendant son exil, des « secours ».
2. N. Peyrat avait fondé, en 1865, l'*Avenir national* (après avoir été rédacteur en chef de la *Presse*); c'est lui qui, dans une lettre retentissante, adressée à Nefftzer, et publiée par le *Temps* du 9 avril 1868, avait déclaré : l'Eglise, « c'est là l'ennemi ».

Page 108

1. Le 20 février, Hugo avait écrit : « *Kovalsky.* »
2. Extrait du registre des délibérations dans le onzième bureau, séance du 28 février :

« *[...] L'amiral La Roncière repousse l'expression* honteuse *appliquée à la paix; la paix était nécessaire, non honteuse. Comme membre de la commission militaire, l'amiral reconnaît qu'il n'y a plus d'armée depuis Sedan et Metz.*

[...] M. Victor Hugo examine ce qui vient d'être dit dans le bureau. Il répond à l'amiral, dont il admire la conduite, que la paix n'est pas honteuse pour lui ni pour les français qui ont défendu leur pays. Elle est

*honteuse, elle est infâme pour l'Allemagne qui viole
le droit et abuse de la force. La honte retombe sur
l'homme de Décembre. La honte est pour les prussiens,
usuriers de la victoire.*

*L'orateur se demande s'il convient de voter en silence,
mais il croit que quand il se présente une occasion pathé-
tique telle que la nation des nations lui disant : « Vous
êtes mon âme, vous êtes mon élu, venez-moi en aide! »
il ne croit pas pouvoir garder le silence. Ainsi il parlera,
mais il ne dira pas tout. On ne dit tout que dans les
bureaux. A la tribune, il dira à la France qu'elle n'est
pas morte et que cet affreux traité n'est pas un linceul
qu'on lui ait jeté sur la figure.*

*[...] M. Brun a entendu M. Victor Hugo dire qu'il
votera pour la guerre; il lui demande de dire quel moyen
il aura de la faire. Car il ne saurait s'agir de chercher
à Paris une vaine popularité.*

*M. Hugo répond qu'il sort d'une ville héroïque qui
a écarté de son vote ses défenseurs parce qu'ils ont capitulé. Il sent très bien que la France en ce moment est
épuisée et en défaillance. Il comprend très bien qu'on
veuille la sauver par la paix. Mais lui veut sauver la
France de l'avenir qui demandera compte de son vote
à la France d'aujourd'hui. Elle se plaindra d'avoir
été abandonnée. L'orateur ne veut pas l'abandonner. »*

3. Cf. *Actes et Paroles*, t. III, p. 68.

Page 109

1. Le carnet ne nous indique ni quand ni pour aller où
   Charles avait quitté Bordeaux. Le 2 mars au matin,
   Hugo écrivait à Meurice : « *Charles est assez gravement souffrant depuis dix jours.* » Le 14 mars, Hugo
   précisera : « *Depuis quelques semaines, Charles était
   souffrant. Sa bronchite, gagnée à faire son service d'ar-
   tilleur au siège de Paris, s'était aggravée. Nous comp-
   tions aller à Arcachon pour le remettre.* »

2. Ce même jour, Hugo disait à Paul Meurice : « *Entre nous,
   la gauche est en miettes. J'aurais voulu une démission
   en masse après le vote infâme du traité. Impossible.
   J'en viendrai probablement à ma démission isolée.* »

3. Né en 1827, André Lavertujon était devenu en 1855
   rédacteur en chef de la *Gironde;* le gouvernement

de la Défense nationale l'avait pris pour secrétaire général, lui confiant la direction du *Journal Officiel*. Il sera élu sénateur en 1877 et mourra en 1901.

4. Alexis Bouvier (1836-1892) s'illustrera surtout dans le roman-feuilleton.

Page 111

1. Il s'agit de l'actrice Jane Essler.
2. Cf. *Actes et Paroles*, t. III, p. 80.
3. « *Un* M. Lucien Brun »? Hugo devait pourtant assez bien connaître le personnage, député légitimiste, partisan de la paix à tout prix comme la plupart de ses collègues, et qui, dans le même onzième bureau, quelques jours plus tôt, le 28 février, avait aigrement insinué que les propos du poète, hostile à une paix honteuse, ne lui étaient dictés que par un vil souci de popularité.
4. Cf. *Actes et Paroles*, t. III, p. 84.

Page 112

1. Ce 8 mars, Hugo écrit la pièce « *La Lutte* », dédiée, sur le manuscrit, « A G.(aribaldi) » et qui sera la seconde pièce de la section « *Mars* » dans l'*Année terrible*.
2. Cf. *Actes et Paroles*, t. III, p. 369.
3. Cf. *Actes et Paroles*, t. III, p. 371.
4. Mlle Fargueil, née en 1819, avait « créé » la fameuse pièce de Sardou, *Patrie*. Le 15 août 1869, Hugo était allé voir la pièce, à Bruxelles; il avait noté dans son carnet : « *J'ai été féliciter Mlle Fargueil dans sa loge. Osculum.* »
5. A l'Assemblée nationale; cf. *Actes et Paroles*, t. III, p. 87.

Page 113

1. Il s'agit de Léonie d'Aunet (Mme Biard). Hugo lui donne, dans son carnet, par précaution, le pseudonyme littéraire — Thérèse de Blaru — qu'elle avait adopté, et que Juliette Drouet ignorait.
2. Mourot, ami de Rochefort et secrétaire de rédaction du *Mot d'Ordre*, sera condamné par les Versaillais à la déportation dans une enceinte fortifiée.

3. Gabriel Guillemot (1833-1835) ancien polytechnicien devenu journaliste sur les conseils de Rochefort. Il écrivait dans le *Siècle* et dans la *Marseillaise*.
4. Germain Casse, né à Pointe-à-Pitre en 1837; il se tint à l'écart de la Commune et fut élu député de la Guadeloupe puis député de Paris.

Page 117

1. Cette photographie, assez affreuse, est conservée aujourd'hui au musée Victor-Hugo, place des Vosges.

Page 118

1. Eugène Hugo, mort le 5 mars 1837, à Charenton. Le général Hugo était mort le 29 janvier 1828.

Page 119

1. Voici le texte de cette adresse : « *Réunion de la rue de Charonne. 1re séance (18 mars 1871). La réunion a voté à l'unanimité qu'avant d'ouvrir aucune discussion sur les affaires publiques, elle tenait à faire parvenir au citoyen Victor Hugo le témoignage de ses vives sympathies et de sa douleur profonde à l'occasion de la mort qui vient d'enlever, d'une façon si cruelle, un fils à son père et un vaillant champion à la démocratie.* »
2. Sur son carnet, le 31 octobre 1871, Hugo prendra une note qu'il est utile de reproduire ici : « *J'ai dit hier à Peyrat, en parlant des hommes de la Commune, le mot que j'avais dit aux quatre membres du Comité Central qui sont venus me consulter le 19 mars : — Prenez garde! Vous partez d'un droit pour aboutir à un crime.* »
3. En fait, dès le 20, Hugo était déjà décidé à partir pour la Belgique; il écrivait, en effet, ce jour-là, à Mme Edouard Bertin : « *Je pars, Madame, je vais à Bruxelles pour la liquidation de cette jeune communauté.* [...] » Il est hors de doute que sa présence était nécessaire à Bruxelles pour cette « liquidation »; il paraît probable également que ce départ, indispensable, venait à propos pour permettre au poète de se dérober aux sérieuses difficultés politiques en face desquelles il se fût trouvé, sous la Commune.

Le *Rappel* publia une note, dont le texte avait certainement été concerté avec Hugo, et qui s'appliquait à masquer la volonté d'absence du poète :

Victor Hugo n'a guère fait que traverser Paris. Il est parti dès mercredi [22 mars] pour Bruxelles où sa présence était exigée par les formalités à remplir dans l'intérêt des deux petits enfants que laisse notre regretté collaborateur.

On sait que c'est à Bruxelles que Charles Hugo a passé les dernières années de l'exil. C'est à Bruxelles qu'il s'est marié et que son petit garçon et sa petite fille sont nés.

Aussitôt que les prescriptions légales vont être remplies et que l'avenir des mineurs va être réglé, Victor Hugo reviendra immédiatement à Paris.

4. Mme Hugo était morte le 27 août 1868, à Bruxelles. Elle avait demandé à être ensevelie auprès de sa fille Léopoldine, à Villequier. Le poète accompagna le corps de sa femme jusqu'à la gare frontière de Quiévrain. On lit dans le carnet intime, sous la date du 28 août : « [...] *Un honorable habitant de Quiévrain, M. Pitot, nous offrait l'hospitalité* [...] », 29 août : « *La maison Pitot est tout près de la gare. L'hospitalité a été cordiale et attendrie. Nous y avons passé la nuit. Dans ma chambre, il y avait le volume illustré des Misérables. J'ai écrit dessus mon nom et la date, laissant ce souvenir à mon hôte.* »

Page 120

1. Jules Simon était ministre de l'Instruction publique. Son ministère occupait l'aile gauche du palais, au rez-de-chaussée, en face de l'Orangerie.

2. Rédacteur à l'*Indépendance belge.*

3. Constance Montauban.

4. A Julie Chenay pour le « ravitaillement » de Hauteville-House.

Page 121

1. Cf. un texte postérieur des carnets intimes, du 15 décembre 1871. Le duc d'Aumale, ce jour-là, était venu voir Victor Hugo : « *il m'a demandé ce que je*

pensais du 18 mars. Je lui ai répondu que c'est l'As-
semblée qui l'a fait; j'ai ajouté : Paris avait la fièvre
héroïque, Paris avait une sortie rentrée. L'Assemblée
a commis le crime de provoquer Paris et elle a eu le
reste de la colère de Paris contre la Prusse. C'est la
faute des gens de Versailles. Il a rêvé un moment et m'a
dit : – Vous avez raison; c'est vrai. »

2. Au verso de la page précédente, Hugo a collé le télégramme que voici : « *Je prends bien part à votre dou-*
leur. Suis avec respect votre affectionnée petite nièce.
Zoé. » Fille de Léopold Hugo, petite-fille d'Abel,
petite-nièce du poète, Zoé Hugo, née en 1856, devait
mourir, à vingt ans, le 27 juin 1876; cf. *Pierres*, p. 52
et 53.

3. Philologue et littérateur allemand, d'origine juive, Ludwig Wilh, né en 1802, avait dû quitter la Prusse pour
des raisons politiques en 1848. En 1870, il se rendit
à Bruxelles où il mourut en 1887.

4. Le même jour, Hugo écrivait à P. Meurice : « *J'ai trouvé*
ici les affaires de mes pauvres petits dans le plus déplo-
rable état. Le passif égalera au moins l'actif. » Hugo
découvrait avec stupeur que son fils Charles n'avait
cessé, depuis son mariage, de s'endetter, escomptant,
de toute évidence, la succession paternelle.

   Le 26 mars, ses surprises ne faisaient que commencer. Une pluie de reconnaissances de dettes, signées
de son fils, va s'abattre sur lui. Le 5 août, il reviendra,
dans une lettre, sur cette créance Conaes qui lui est
particulièrement amère, et notera que « *Conaes* » se
prononce « *Connas* ».

5. L'édition des *Choses vues* (II, 187) donne : « Paris est
épuisé »; fausse lecture.

Page 122

1. Le 18 mars dans l'après-midi en même temps que le
général Lecomte.

Page 123

1. Sarlabot VI est le nom d'un bœuf gras qui obtint le
premier prix au concours international de bétail à
Gand, en 1863 et qui fut acheté et débité par le bou-

cher du roi, à Bruxelles. Il devait son nom à son lieu
d'élevage, près de Dives, dans le Calvados. Le boucher
bruxellois fonda la même année une société de bou-
chers qui prit le nom de Sarlabot; de là le nom qui fut
donné, à Bruxelles, au cortège annuel du Bœuf-Gras.

   Hugo avait déjà utilisé ce nom propre à la fin d'un
quatrain de ses *Chansons des Rues et des Bois* (« *L'As-
cension humaine* »).

2. Hugo a bien écrit ces mots ainsi, sur son carnet, avec
   un trait d'union et deux majuscules.

Page 124

1. « Elle »? Juliette Drouet.
2. Lire « Henriette ».
3. Le docteur Deville était au nombre des proscrits de
   Jersey lorsque le poète vivait dans cette île. Son nom
   figure parmi au bas de la « *Déclaration* » parue dans
   l'*Homme* du 24 octobre 1855 qui provoqua l'expulsion
   des signataires. Deville alla s'établir à Londres, où
   le poète vint le consulter sur sa laryngite, à la fin de
   mars 1861.
4. Hugo oublie que, l'avant-veille, il avait inscrit la fille
   en question sous le prénom d'« *Henri* ».

Page 125

1. Notons que Victor Hugo orthographie « *dilemne* ».

Page 126

1. A la suite de ces mots, Hugo en avait écrit d'autres,
   formant une ligne et demie, et qu'il a soigneusement
   effacés sous une épaisse barre d'encre; on devine la
   fin : « *...avait de mieux à faire* ». Cf. le texte du 22 avril.
   P. Leroux avait beaucoup vu Hugo à Jersey, et avait
   obtenu de lui d'utiles interventions pour gagner quelque argent; il l'avait ensuite sournoisement attaqué;
   Hugo et ses fils l'appelaient « le Tartufe rouge ».
   (Cf. divers textes instructifs sur leurs rapports dans
   Pierres, p. 24 et 118-119.)

Page 127

1. Cf. *Année terrible* (*Avril*, IV).

Page 128

1. Je n'ai pu percer ce petit mystère.
2. Cf. *Année terrible* (*Avril*, V).

Page 129

1. Ces derniers mots, que j'encadre de crochets, Hugo les a barrés. Quand? Presque tout de suite après les avoir écrits, comme il avait fait des mots « durs » concernant Pierre Leroux? Ou seulement lorsque Delescluze, tué par les Versaillais, aura fait mentir cette remarque?
2. Hugo avait toujours aimé sincèrement les frères Deschamps, Emile et Antony, camarades de ses jeunes années. Antony était mort en 1869.
3. Autrement dit, je pense, « *Mathilde* ».

Page 130

1. Ce 27 avril, Hugo écrit une pièce contre les excès de la Commune : « *Quoi donc! avoir pour but cette lâcheté, plaire!* » Elle prendra place dans *Toute la Lyre* (*La Corde d'Airain*, XIV).
2. La grande lettre ouverte « *à MM. Meurice et Vacquerie* », sur la Commune, que Victor Hugo déclare avoir voulu publier dans le *Rappel*, et qui n'y put paraître, est datée de ce 28 avril 1871. On la trouvera dans *Actes et Paroles*, t. III, p. 108. Mais il n'est pas certain que cette lettre ait été vraiment écrite à cette date. Il est possible que Hugo ne l'ait rédigée qu'en vue de son recueil *Actes et Paroles* et afin d'y donner son opinion sur la Commune; ce qu'il dit à Meurice de ce document le 15 septembre 1871 (*Correspondance*, t. III, p. 294) laisserait supposer qu'il s'agit d'une lettre factice. Un autre texte important de Hugo, sur la Commune, a été publié en 1914 dans le Reliquat de l'*Année terrible*, p. 290.

3. Le dernier paragraphe de sa lettre « *à MM. Meurice et Vacquerie* » était ainsi conçu : « *Un dernier mot. Quelles que soient les affaires qui me retiennent à Bruxelles, il va sans dire que si vous jugiez, pour quoi que ce soit, ma présence utile à Paris, vous n'avez qu'à faire un signe, j'accourrais.* »

4. D'après les arrangements pris entre Hugo et ses fils après la mort de Mme Hugo, en 1868.

Page 131

1. Charles, en 1862, aidé de Paul Meurice, avait tiré des *Misérables*, plus exactement d'une partie de l'œuvre, une médiocre pièce de théâtre qui fut représentée à Bruxelles, avec un succès d'estime, en janvier 1863. Remaniée sur les conseils du poète, cette adaptation ne devait être portée à la scène, à Paris, que le 22 mars 1878, pour la première fois, à la Porte Saint-Martin.

2. La pièce de l'*Année terrible* (*Avril*, II), « *La mère qui défend son petit* » est datée, sur le manuscrit : « *Bruxelles, 29 avril 1871.* »

Page 132

1. Cf. *Année terrible* (*Mai*, I).

2. « *Montab* » pour « *Montauban* ». « *Voulez-vous*, écrit Hugo à Meurice, *être assez bon pour lui faire remettre 50 francs de ma part?* [...] *Si on pouvait la caser dans les* Misérables, *cela serait bien.* » (Entendez : lui donner un rôle dans la pièce.)

3. De la veille, 5 mai, est datée la pièce *l'Avenir* (*Année terrible; Juillet*, III).

4. La lettre de Garibaldi, datée de Caprera, le 11 avril 1871, figure dans les *Actes et Paroles*, t. III, p. 89.

Page 133

1. Sur la page d'en face, dans son carnet, Hugo avait collé une fleur, qui a disparu, et au-dessous de laquelle il avait noté : « *cueillie par Petite Jeanne au bois de la Cambre* ».

2. Cette note énigmatique signifie-t-elle simplement que

« *R* » désigne Rosalie Wolf? Alfred Tattet, l'ami de Musset, était mort en novembre 1856.

3. « *c* » = celle. Nous avons signalé que manquent dans le carnet les pages contenant les notes prises par Hugo à Bruxelles du 25 au 31 août 1870.

4. Cette dernière indication, concernant une « *Anne* », avec deux adresses, est assez obscure (cf. le texte du 23 mai).

5. Wilfrid de Fonvielle (1824-1914), connu surtout comme aéronaute, avait lancé, à Bruxelles, un pamphlet intitulé : *La Terreur de la Commune de Paris dévoilée.*

Page 134

1. « *t. n.* » = toute nue; cf. 13 et 27 mai.

2. Laussedat, député de l'Allier, fut proscrit après le 2 décembre et s'établit à Bruxelles.

Page 135

1. De ce 14 mai 1871 datent les vers « *Vous avez un an, Jeanne...* » qu'on trouve dans le Reliquat de l'*Art d'être grand-père* (p. 581).

2. L'abbé Jean-Hippolyte Michon (1806-1881) avait publié en 1863 un roman anticlérical en trois volumes *le Maudit*, qu'il avait signé : *l'Abbé XXX*, et qui se vendit beaucoup. Il se consacra plus tard à la graphologie.

3. Le titre de cette pièce sera modifié et deviendra : « *A ceux qui reparlent de fraternité* » (*Année terrible; Février*, IV). Le *Rappel* du 22 mai en publiera une partie sous le titre : « *Après avoir lu le traité de paix de Bismarck.* »

Page 136

1. Cf. notamment *Actes et Paroles*, t. III, p. 309 et 311.

2. Lisons « *Hortense* ».

Page 137

1. La fête de Juliette Drouet.

2. Billioray n'était pas tué; il fut pris et déporté; il mourut en déportation; mais les Versaillais avaient fusillé

quelqu'un qu'ils prenaient pour lui, en dépit de ses dénégations; dans les massacres exécutés par le Parti de l'ordre, bien des gens périrent de la même façon.

3. Paschal Grousset avait été Délégué aux Relations extérieures sous la Commune.

4. « *Turba* », la foule; ou la tourbe; c'était le titre de l'admirable pièce que Victor Hugo envoya au *Rappel* après le plébiscite de mai 1870, et qu'il plaça en tête de l'*Année terrible* en l'intitulant alors : « *Les 7.500.000 oui.* »

5. Cette fois, comme une fois déjà, la prostituée se mue, à l'intention des éventuelles curiosités de Juliette Drouet, en proscrit.

Page 138

1. Cf. *Actes et Paroles*, t. III, p. 118.
2. Cf. 10 et 13 mai.
3. Le général Dombrowsky, commandant en chef des armées de la Commune, était tombé, en combattant sur une barricade, rue Myrrha, le 22 mai.
4. Personnage épisodique de l'*Homme qui Rit*, dessiné par Hugo à sa ressemblance.

Page 139

1. Fausse nouvelle. Hugo sera détrompé le 14 juin.

Page 141

1. Ce 29 mai, Hugo écrit la pièce « *Une nuit à Bruxelles* » qui prendra place dans l'*Année terrible* (*Mai*, V).
2. Voici le texte de cet arrêté :

Il est enjoint au sieur Victor Hugo, homme de lettres, âgé de soixante-neuf ans, né à Besançon, résidant à Bruxelles,

De quitter immédiatement le royaume, avec défense d'y rentrer à l'avenir, sous les peines comminées par l'article 6 de la loi du 7 juillet 1865.

Notre ministre de la Justice est chargé de l'exécution du présent arrêté.

Donné à Bruxelles, le 30 mai 1871.

Signé : LÉOPOLD.

Par le roi, le ministre de la justice,
PROSPER CORNESSE.

3. Le 30 mai 1871, le poète avait écrit deux pièces : « *Est-il jour? Est-il nuit?...* » (*Année terrible; Mai*, IV), et « *En Belgique...*» (*Toute la Lyre; Corde d'Airain*, VIII).

4. L'*Indépendance belge* du 31 mai, relatant l'interpellation, au Sénat, du marquis de Rodes (lequel qualifiait la lettre de Hugo d' « outrage à la morale publique »), déclarait « déplorer profondément » la résolution, prise par le ministère, d'expulser Hugo.

Le 31 mai, à la Chambre des Représentants, M. Defuisseaux protesta en vain contre cette mesure; sa protestation fut écartée par 81 voix contre 5; quatre députés belges seulement l'approuvèrent : MM. Couvreur, Demeur, Guillery et Jottrand.

Page 142

1. Du 31 mai sont datés, dans le manuscrit, les vers : « *Je n'ai pas de palais épiscopal...* » (*Année terrible; Juin*, IV).

2. Le matin du 1er juin, Hugo écrit la pièce : « *En quittant Bruxelles* » *(Année terrible; Juin*, IV).

3 Femme de chambre d'Alice Hugo.

4. En particulier une lettre aux cinq représentants belges qui l'avaient défendu, à la Chambre (cf. *Actes et Paroles*, t. III, p. 134).

Page 143

1. Le 2 juin 1871, Sarcey, dans le *Gaulois*, insultait Hugo expulsé de Belgique : « M. Hugo se croit sublime; il n'est que grotesque », et le même jour Edmond About, dans le *Soir*, était encore plus éloquent. Hugo, disait-il, « millionnaire par la générosité des badauds et par sa propre avarice », et en dépit de « l'admiration qu'il inspire aux niais », n'est qu'un « marchand de paroles bariolées, une cymbale de charlatan »; chassé de Belgique, indésirable en France, qu'il aille donc en Amérique « où Barnum lui tend les bras ».

2. De ce 3 juin 1871 date la pièce « *Le Deuil* » qui sera publiée dans l'*Année terrible* (*Mars*, III).

3. Au vrai, le bourgmestre, inquiet, avait demandé des instructions au gouvernement luxembourgeois. Le

5 juin, Emmanuel Servais, ministre d'Etat, président
du gouvernement du Grand-Duché, lui répondait :

Monsieur le Bourgmestre,

*Le gouvernement n'a, jusqu'à présent, aucun motif
d'empêcher Monsieur Victor Hugo de faire un court
séjour dans le Grand-Duché. Mais il est entendu que
Monsieur Victor Hugo respectera nos lois, ne posera
aucun acte et ne publiera rien qui puisse nous brouiller
avec nos voisins.*

4. Félix Thessalus est principalement connu pour son
Traité de l'origine du Langage (Bruxelles, 1882).
5. Nephtaly Bloch était rédacteur à l'*Avenir de Luxembourg*.

Page 144

1. L'écrivain belge Emile Tandel, né en 1834, publia surtout des traductions, et notamment celle de l'*Histoire de la Franc-Maçonnerie* de Früdel.
2. Jean Joris, né en 1868, ancien instituteur, avait fondé,
en 1868, l'*Avenir* (« Organe des intérêts politiques,
commerciaux, industriels et agricoles du Grand-
Duché ») *de Luxembourg*.
3. C'est le 8 septembre que Cluseret avait rendu visite à
Hugo.

Page 145

1. Le 6 juin 1871, Hugo écrit deux pièces : « *La Prisonnière
passe...* » (*Année terrible; Juin*, IX) et « *Oui, l'on a
sauvé l'ordre...* » (*Toute la Lyre; Corde d'Airain*, VII).
Hugo écrivait les vers « *La Prisonnière passe...* »
d'après ce qu'on lui avait raconté. Il aura l'occasion
de voir lui-même, de ses yeux, des communards prisonniers; dans son carnet intime en effet, sous la date
du 31 octobre 1871, on lira : « *Il y a trois jours, quand
j'étais à Versailles pour voir Rochefort, j'ai vu passer
dans l'avenue de Paris un groupe d'hommes entourés
de soldats, marchant rapidement. C'étaient des prisonniers de la Commune qu'on emmenait je ne sais où.
Ils étaient une centaine, gardés par une cinquantaine
de fusiliers. La plupart avaient l'air fier, résolu et*

*insouciant. Tous portaient en bandoulière, ou à la main,
un sac ou un paquet; quelques-uns plusieurs. Ils allaient
pêle-mêle, en cohue, sans aucun alignement. Leurs vêtements avaient toutes les souillures de la promiscuité
dans la paille, qui est si vite fumier. Je les regardais.
J'étais ému. Un d'eux s'est mépris sur la fixité de mon
regard et m'a dit presque avec colère : « – Vous pouvez
nous regarder, allez! »*

2. Cf. *Actes et Paroles*, t. III, p. 135.

Page 146

1. Du 8 juin 1871 datent deux pièces de l'*Année terrible* :
« *Un jour, je vis le sang couler...* » (*Juin*, I) et « *A
Vianden* » (*Juin*, XIV).

Page 147

1. Ce 10 juin, Hugo écrit les vers qu'il intitulera : « *Expulsé
de Belgique* » (*Année terrible; Mai*, VI).

   Dans l'*Univers* du 31 mai, Veuillot, acclamant les
Belges qui avaient expulsé Hugo, l'appelait : « déplo-
rable citrouille à demi pleine de diamants. »

2. Au verso de la page précédente, Hugo a collé dans son
carnet un fragment imprimé, au-dessus duquel il a
noté : « *L'abbé Michon,* dans sa *Révolution plébéienne,*
cite un mot que je lui ai dit » :

   *Pendant deux mois, la France a été surtout un objet
de pitié pour l'étranger, parce qu'on ne savait que penser
de ces deux grandes décadences, l'une à l'Hôtel de Ville,
qui faisait de la politique d'écervelés, l'autre à Versailles,
qui faisait de la politique arriérée. On était ébahi devant
ces deux impuissances, et l'un des derniers hommes de
génie de la belle époque littéraire du XIX*e *siècle, depuis
que Lamennais et Lamartine ne sont plus, me disait
ici, à Bruxelles, il y a huit jours :* « Il faut se tenir
comme sur une lame de couteau entre les folies de
l'Hôtel de Ville et les folies de Versailles. »

3. De ce 11 juin date une courte pièce : « *Ils se sont accrou-
pis...* » dirigée contre les Versaillais, et qui figure dans
le Reliquat de l'*Année terrible* (p. 273).

18

Page 148

1. Le 12 juin 1871, au matin, Hugo écrit, contre Léopold II, les vers « *A un roi de troisième ordre* » qui seront publiés dans *Toute la Lyre* (*Corde d'Airain*, IX).

Page 151

1. Ce 15 juin, Hugo écrit les vers : « *O Charles, je te sens près de moi...* » (*Année terrible; Juillet*, X).

2. Rapprochons de ce texte les lignes suivantes, du 19 octobre 1871 : « *Henriette* [la servante de Julie Chenay, à Hauteville-House] *est arrivée ce matin de Guernesey. Elle nous raconte ce qui s'est passé à Guernesey à mon sujet. Il paraît qu'on y a voulu brûler ma maison, vu que c'est moi qui ai brûlé Paris et tué l'archevêque. Pendant que les curés catholiques disaient cela dans le Luxembourg, les curés protestants le disaient en Angleterre.* »

3. J'ignore de quoi il s'agit.

Page 152

1. De ce 17 juin sont datées deux pièces, l'une qui parut dans les *Quatre Vents de l'Esprit* (I, XXXV) : « *Paris, le grand Paris, agonise...* »; l'autre qu'on trouvera dans le Reliquat de l'*Année terrible*, p. 274 : « *Vers l'époque où Bazaine...* »

2. Hugo avait conservé dans ses archives deux notes rédigées par lui après ses conversations avec Marie Mercier, ainsi que la lettre écrite à la jeune femme par son mari qu'on allait fusiller; voici ces trois documents :

I

Garreau, directeur de Mazas, a refusé de mettre le feu à la prison. Il a fait ce qu'il a pu pour alléger le sort des otages. Sa femme, malgré les défenses, portait les journaux à l'archevêque, non, *dit-elle,* qu'elle l'aimât plus que les autres curés, mais parce qu'il s'ennuyait bien, et que cela lui faisait, à elle, de la peine.

Ce fut le mercredi 20 qu'on vint chercher les otages à Mazas pour les amener à la Roquette. Le président Bonjean disait en causant avec l'archevêque : « – Du côté de Versailles on commet des atrocités. Cela est dangereux pour nous. » Avant de partir, ils semblaient inquiets. L'archevêque fit distribuer aux prisonniers le vin qu'il laissait dans sa cellule et que lui avait apporté sa sœur, Mme de Beauregard. Il demanda à Garreau : « – Où nous mène-t-on ? – Je l'ignore », dit Garreau. Il le savait. Sa femme aussi. Elle avait les yeux pleins de larmes, quoique haïssant les prêtres, dit-elle. Mais on ne devait pas les tuer. Garreau, consterné, alla se coucher et dit à sa femme : « – Ne me parle pas. C'est affreux de tuer ces gens-là. » Les otages partirent dans de grands omnibus du chemin de fer, sans autre garde que deux gardes nationaux dans chaque voiture. La foule assemblée devant Mazas cria en les voyant : « – A bas la prêtraille ! » Les voitures partirent au galop. A la Roquette, ils furent mis en cellule, et ils vivaient encore le lendemain jeudi à cinq heures. Mais des furieux criaient : « – Les Versaillais fusillent les nôtres ! Est-ce qu'on ne va pas fusiller ceux-ci ? » Ceci détermina le meurtre. Quand on les fusilla, les troupes n'étaient qu'à un demi-quart de lieue de la Roquette.

Entre autres faits, voici comment une femme a été fusillée. Elle avait été blessée d'un éclat d'obus au fort d'Issy où elle combattait avec Mme Eudes, André Léo et Rochebrune. On l'avait portée à une ambulance du XIVe arrondissement. Les troupes de Versailles, victorieuses, sont entrées dans cette ambulance. Les soldats ont arraché de son lit la blessée. On l'a traînée au camp voisin. Elle était en chemise. Elle a écarté sa chemise et montré ses seins au peloton qui la couchait en joue en disant : « – Délivrez-moi ! » Les soldats tremblaient. Ils l'ont mal ajustée. Elle n'est morte qu'à la seizième balle.

Marie Garreau n'a pas vu ces faits, mais ils lui ont été racontés par un témoin oculaire. Elle a vu de ses yeux fusiller au faubourg Saint-Antoine la femme qui avait dans ses bras un enfant de six semaines.

Marie Garreau me dit : « – Que j'ai vu de ruisseaux de sang ! »

II

Marie Mercier m'a dit : « – Mon mari a été fusillé à Mazas. On l'a enterré à Bercy, dans le cimetière. Je

*suis allée reconnaître son corps. Il y avait là au moins
six cents fusillés parmi lesquels plusieurs femmes et
trois enfants. Il y avait une jeune fille d'environ dix-
huit ans. Elle demeurait dans un passage dont j'ai oublié
le nom. J'ai entendu dire : « – Tiens, cette fille-là demeure
« dans le passage... » Elle était vêtue de noir. Elle était
dans un coin du cimetière. J'ai vu sa mère venir sans
la reconnaître. J'ai vu fusiller à la barricade du faubourg Saint-Antoine une femme qui avait son enfant
dans les bras. L'enfant avait six semaines et a été fusillé
avec la mère. Les soldats qui ont fusillé cette mère et
son enfant étaient du 114ᵉ de ligne. On l'a fusillée pour
avoir dit : « Ces brigands de Versailles m'ont tué mon
mari. »*

*On a fusillé la femme d'Eudes, enceinte de sept mois.
Elle avait une petite fille de quatre ou cinq ans qui a
disparu. On la dit fusillée aussi.*

*A la petite Roquette, on a fusillé environ deux mille
enfants trouvés dans les barricades et n'ayant plus ni
père ni mère. Comme ils étaient sans domicile on les
a mitraillés. (C'était la mitrailleuse qui fonctionnait
pour ces tueries en masse.) Beaucoup d'enfants criaient :
« Ma mère! » pendant qu'on les enterrait.*

*Marie Mercier a suivi à la trace du sang trois four-
gons remplis de cadavres jusqu'au cimetière de Bercy.
Dans l'un des trois était son mari.*

III

Mazas, le 26 mai 1871.

Ma bien-aimée Marie,

*Esclave de ma parole et ayant un devoir d'humanité
à remplir en même temps qu'un ordre à faire exécuter,
celui de mettre en liberté tous les détenus placés sous ma
direction et qui étaient bombardés de tous les côtés et
qui n'auraient pu rester longtemps, attendu que nous
n'avions plus de pain et qu'il était impossible de s'en
procurer, lorsque je suis arrivé à la prison, M. Cautrel,
que j'avais prévenu le matin, avant de partir chercher
l'ordre d'élargissement, avait mis tout le monde en liberté;
il n'y avait donc plus rien à faire; je suis resté à mon
poste jusqu'au bout. Vers 9 heures, la prison fut envahie*

*par l'armée de Versailles et je fus fait prisonnier. Je
ne regrette pas de t'avoir quittée malgré toutes tes ins-
tances pour me retenir, car j'avais promis à mes employés
que je reviendrais et je ne voulais pas manquer à ma
parole; toi-même m'en aurais blâmé et j'aurais été un
infâme à tes yeux si j'eusse agi autrement. J'oubliais
de te dire que vers le soir je reçus l'ordre du Comité de
Salut Public de préparer l'incendie de Mazas; je répondis par écrit que je ne le ferais pas par humanité pour
les femmes et les enfants qui étaient restés à l'intérieur,
et du reste, tu me connais assez pour me savoir incapable
de commettre un crime surtout de cette façon-là. Je ne
sais pas encore ce qu'il adviendra, mais je suis parfai-
tement résigné, car on doit toujours supporter toutes les
adversités qui vous frappent, surtout quand on ne peut
les empêcher, et qu'on a toujours vécu dans la plus stricte
honnêteté. Console-toi, ma bien-aimée; je voudrais être
la dernière des victimes de cette malheureuse guerre
civile et je mourrais heureux si cela était, je te le promets.*

*Je souffre bien en pensant à la position où tu te
trouves, surtout de ne pouvoir pas donner un nom à notre
enfant. Ah! la vie! Quel fardeau dans ces moments terribles!*

*Ma bien-aimée, ce qui me mord le plus au cœur, c'est
de penser au coup terrible que tu vas ressentir en appre-
nant cette nouvelle et surtout de te trouver seule avec un
enfant à élever. Mais sois forte et surtout pardonne-moi
ce que je te fais souffrir. Elève l'enfant dans des sentiments honnêtes et surtout dans l'amour de l'humanité.*

*Je ne puis t'en dire davantage en ce moment. Je te
laisse la part qui me revient dans l'héritage paternel.
Tu t'adresseras pour cela à mon oncle, à Tours, rue
de la Grange Saint-Martin. Si jamais tu as des nouvelles de mon frère en allant à l'adresse que je t'ai donnée
et que tu puisses le voir, embrasse-le bien pour moi qui suis
toujours, quoi qu'il puisse arriver, celui qui t'aime et t'embrasse de cœur. Ma bien-aimée, adieu et au revoir.*

Ton mari,

MAURICE GARREAU.

*Quand tu recevras cette lettre, je te prie de bien vou-
loir venir réclamer ce que je possède à la prison où je me
trouve en ce moment.*

Mazas, 26 mai, midi moins dix.

Page 153

1. Le 26 septembre 1863.
2. Rascol dirigeait, à Londres, le *Courrier de l'Europe.*
3. « *Tu ne régneras pas aussi longtemps que Pierre* », dicton dont l'origine est obscure.

Page 154

1. Ce 19 juin, Hugo écrit « *La Question sociale* » (*Toute la Lyre; Corde d'Airain*, XIX).
2. De ce jour est datée la pièce « *les Fusillés* » (*Année terrible; Juin*, XII).

Page 155

1. La pièce *les Insulteurs* (*Année terrible; Juillet*, VI) est datée, sur le manuscrit, du 23 juin 1871.
2. Sur le verso de la page précédente, Hugo a collé une petite photographie, au-dessous de laquelle il a écrit : « *Portrait de Herzen, mort, que sa veuve m'envoie. Juin 1871.* »

Page 156

1. Ce 25 juin 1871, Hugo avait écrit la pièce « *A qui la faute?* » (*Année terrible; Juin*, VIII).
2. Les vers : « *Je ne veux condamner personne...* » (*Année terrible; Juin*, XVI) sont datés du 26 juin 1871.
3. Pierre Bonaparte avait tué d'un coup de pistolet le journaliste Yvan Salmon, dit Victor Noir, dont les funérailles, le 10 janvier 1870, donnèrent lieu à une puissante manifestation républicaine.
4. Ce 27 juin, Hugo écrit la pièce : « *Sur une barricade...* » (*Année terrible; Juin*, II).
5. Le 15 juin, Hugo avait engagé sa belle-fille Alice à prendre Marie Mercier pour femme de chambre dès le départ de Louise. On voit qu'Alice Hugo n'avait point suivi ce conseil.
6. Le pasteur Coquerel et l'abbé Deguerry.
7. L'abbé Deguerry, curé de la Madeleine, avait été arrêté, par ordre de la Commune, en même temps que l'ar-

chevêque Mgr Darboy, le 4 avril; ils furent fusillés le 24 mai 1871.

8. La pièce « *Paris incendié* » (*Année terrible; Mai*, III) est datée, sur le manuscrit, du 28 juin 1871.

Page 157

1. Sur le verso de la page précédente de son carnet, Hugo a collé une coupure de journal :

> *On lit dans le* Figaro : *la lettre suivante vient d'être adressée à M. Auguste Maquet, président de la Société des Auteurs dramatiques :*
>
> > *Paris, 21 juin 1871.*
>
> *Monsieur le Président,*
>
> *J'ai l'honneur de soumettre à votre haute approbation, et à celle de vos collègues, une proposition qui me semble toucher aux intérêts les plus chers de notre dignité.*
>
> *Je demande que MM. Félix Pyat, Victor Hugo, Henri Rochefort, Vacquerie, Paul Meurice, ceux enfin d'entre nous qui, soit par leurs actes, soit par leurs écrits, ont pactisé avec les doctrines de la Commune de Paris, soient déchus de l'honneur d'appartenir à la fraternelle société des auteurs dramatiques. En effaçant leurs noms de nos listes, nous affirmerons notre indignation légitime contre les chefs et les souteneurs de la secte qui procédait par l'assassinat des otages, l'empoisonnement des soldats de notre armée, le pillage des caisses publiques, l'incendie des palais, des maisons, des théâtres. Entre de tels hommes et nous, nous creuserons un abîme. C'est assurément notre droit et c'est, je crois, notre devoir [...].*
>
> > XAVIER DE MONTÉPIN.

2. La pièce « *Falkenfels* », de l'*Année terrible* (*Juillet*, V) est datée de ce 30 juin 1871.

De « *juin 1871* » également, mais sans que le poète ait autrement précisé la date sur ses manuscrits, sont les pièces suivantes : « *A Madame Paul Meurice* » (*Année terrible; Juin*, VI); « *A ceux qu'on foule aux pieds* » (*Id.; Juin*, XIII); « *Participe passé du verbe Tropchoir...* » (*Id.; Juin*, XVII); « *Rentrée dans la Solitude* » (*Toute la Lyre; la Corde d'Airain*, XXII);

« *Oui, vous avez raison...* » (*Quatre Vents de l'Esprit,*
I, XXXVIII).

3. Un voiturier de Dinant que, l'été, quatre ans de suite,
Hugo avait pris à son service pour ses excursions dans
les Ardennes et sur les bords du Rhin.

Page 158

1. Sur la page d'en face, cette coupure, collée, sans référence :

> *Ce matin, une affiche nous a fait connaître les candi-
> dats du Comité Radical. Ce comité, dont on ignorait
> l'existence, présente aux électeurs parisiens les noms de
> MM. Victor Hugo, Gambetta, Raspail fils, E. Loc-
> kroy, Corbon, Ranc, Floquet, etc.*

2. Le billet que ce M. Dandu avait fait tenir à Victor Hugo
a été collé par le poète dans son carnet :

> « *Jules Dandu, ancien avoué, ami de Labrousse,
> ancien représentant, souhaite l'honneur d'être reçu par
> l'illustre poète Victor Hugo.*
>
> *Vianden, 2 juillet.* »

3. Ce 3 juillet, Hugo écrit les vers : « *Par une sérénade...* »
(*Année terrible; Juin,* III).

Page 159

1. En face des notes de ce jour, Hugo a collé, dans son
carnet, une coupure de journal, sans référence :

> *Paris, 1er juillet.*
>
> *La Société des Auteurs dramatiques s'est réunie hier
> pour s'occuper de la proposition d'exclure MM. Victor
> Hugo, Félix Pyat et Henri Rochefort de l'association.*
>
> *L'Assemblée a écarté la proposition en passant à
> l'ordre du jour sans discussion par 55 voix contre 37.*

2. Marie Garreau était mal renseignée.

3. Ce 5 juillet, Hugo termine la grande pièce « *Sedan* » qui
constitue, à elle seule, la section « *Août* » de l'*Année
terrible.*

4. Le scrutin du 2 juillet avait effectivement écarté Victor
Hugo de l'Assemblée. Il n'avait recueilli que 57.854
voix.

Page 160

1. Sur le verso de la page précédente de son carnet, Hugo avait collé une fleur, avec cette indication : « *Fleur cueillie le 28 juin sur la tombe de Paris (envoyée de Paris).* »

2. Du 8 juillet est datée la pièce « *Les Crucifiés* » (*Année terrible; Juillet*, IV).

3. La « pauvre vieille femme » avait envoyé au poète une supplique, qu'il a conservée, la collant sur une page de son carnet. L'écriture est très maladroite, à ce point que les derniers mots du billet sont illisibles; voici le reste, tel quel : « *Monsieur, Monsieur Victorucau, alau tel Koch. Monseur Victor permaitai si je pren la libertait devou est crir ses quelque mojevou Dirai-que je sui senrien ci quelquefois me faire la garité is vou pail* [.....]. »

Page 161

1. « *Et voilà donc les jours tragiques...* » (*Octobre*, II); « *Sept, le chiffre du mal...* » (*Octobre*, III); « *les Fusillés* » (*Juin*, XII).

2. En espagnol, « *la même* » (Marie Garreau).

3. Fils d'un notaire de Vianden, M. André avait acquis la vieille commanderie des Templiers, devenue bien national. Il était poète en langue allemande mais parlait le français comme l'allemand.

Page 162

2. Hugo avait écrit « *une* » au bas de sa page; il oublia le substantif en commençant la page suivante.

Page 163

1. En face de cette page, Hugo a collé un article de journal sur « *L'homme antédiluvien à Saint-Brieuc.* »

Page 164

1. Ce « *Post-Scriptum* » était d'abord une déclaration que le poète se proposait d'adresser aux 57.854 électeurs

qui l'avaient désigné, le 2 juillet. Mais le *Rappel* avait été suspendu par les Versaillais, et Hugo préféra garder le silence; puis, ajoutant au début de son texte une phrase brève, il en fit la conclusion du recueil de documents qu'il avait résolu de publier. Voici cette page :

De ce recueil de faits et de pièces, livré sans réflexions à la conscience de tous, il résulte ceci :

Après une absence de dix-neuf ans moins trois mois, je suis rentré dans Paris le 5 septembre 1870; pendant les cinq mois qu'a duré le siège, j'ai fait mes efforts pour aider à la défense et pour maintenir l'union en présence de l'ennemi; je suis resté dans Paris jusqu'au 11 février; le 11 février, je suis parti pour Bordeaux; le 15, j'ai pris séance à l'Assemblée nationale; le 1ᵉʳ mars, j'ai parlé contre le traité de paix, qui nous coûte deux provinces et cinq milliards; le 2, j'ai voté contre ce traité; dans la réunion de la gauche radicale, le 3 mars, j'ai proposé un projet de résolution, que la réunion a adopté à l'unanimité et qui, s'il eût pu être présenté en temps utile et accepté par l'Assemblée, eût établi la permanence des représentants de l'Alsace et de la Lorraine sur leurs sièges jusqu'au jour où ces provinces redeviendront françaises de fait comme elles le sont de droit et de cœur; dans le onzième bureau, le 6 mars, j'ai conseillé à l'Assemblée de siéger à Paris, et j'ai indiqué les dangers du refus de rentrer; le 8 mars, je me suis levé pour Garibaldi méconnu et insulté, et, l'Assemblée m'ayant fait l'honneur de me traiter comme lui, j'ai, comme lui, donné ma démission; le 18 mars, j'ai ramené à Paris mon fils, mort subitement le 13, j'ai remercié le peuple, qui, bien qu'en pleine émotion révolutionnaire, a voulu faire cortège à ce cercueil; le 21 mars, je suis parti pour Bruxelles, où la tutelle de deux orphelins et la loi qui règle les liquidations de communauté exigeaient ma présence; de Bruxelles, j'ai combattu la Commune à propos de l'abominable décret des otages et j'ai dit : Pas de représailles; j'ai rappelé à la Commune les principes, et j'ai défendu contre elle la liberté, le droit, la raison, l'inviolabilité de la vie humaine; j'ai défendu la Colonne contre la Commune et l'Arc de triomphe contre l'Assemblée; j'ai demandé la paix et la conciliation; j'ai jeté contre la guerre civile un cri indigné; le 26 mai, au moment où la victoire se décidait pour l'Assemblée, le gouvernement belge ayant mis hors la loi les vaincus, qui étaient les hommes mêmes que j'avais combattus, j'ai réclamé pour eux le droit d'asile, et, joignant l'exemple au précepte, j'ai offert l'asile dans ma maison; le 27 mai, j'ai été attaqué la nuit chez moi par une bande dont faisait partie le fils d'un membre du gouvernement belge; le 30, j'ai été expulsé par le gouvernement belge; en résumé j'ai fait mon devoir, rien que mon devoir, tout mon devoir; qui fait son devoir est habituellement abandonné; c'est pourquoi, ayant eu en février, dans les élections de Paris, 214.000 voix, je suis surpris qu'il m'en soit resté en juillet 57.000.

J'en suis profondément touché.

J'ai été heureux des 214.000; je suis fier des 57.000.

2. Ce « demi-volume » paraîtra en mars 1872.

Page 165

1. Du 19 juillet sont datés les vers « *Certes, je rends justice...* » qu'on trouve dans le Reliquat de l'*Année terrible* (p. 276).
2. Sur le verso de la page précédente, dans son carnet, Hugo a collé cette coupure de journal, sans référence :

On nous écrit de Vianden : Si les attaques du Wort *pouvaient arriver jusqu'à M. Victor Hugo et si surtout elles méritaient une réponse, il leur a fait la plus belle réplique possible.*

Dans le terrible incendie qui a sévi dans notre localité, ce chien de Hugo s'est particulièrement distingué par son courage et son acharnement au travail. Dès le premier coup de cloche, il se trouvait sur les lieux et n'a cessé de combattre l'incendie jusqu'au dernier moment. Malgré les prières qui lui furent faites, il ne quitta la chaîne que lorsque tout danger eut disparu.

Mais là ne se borna pas son dévouement. Le feu avait réduit des familles entières à la misère; le grand poète ouvrit généreusement sa bourse et, le premier, déposa une obole qui, faisant boule de neige, permettra aux malheureux de reconstruire leurs maisons.

M. Victor Hugo a noblement conquis son droit de résider parmi nous. Il s'est naturalisé Viandenois en présence de deux témoins qui s'appellent dévouement et charité.

3. Napoléon La Cécilia était né à Tours en 1835; il servit sous Garibaldi en Sicile, puis, en 1870, s'engagea dans les francs tireurs, qu'il commanda à Chateaudun. Il est nommé colonel en 1871. Rallié à la Commune, il y devient général de division. Il mourra au Caire le 25 novembre 1878.

4. Dans la lettre du 26 mai à l'*Indépendance belge*, Hugo avait mentionné, parmi les crimes de la Commune, celui de « Johannard et La Cécilia » qui firent « fusiller un enfant de quinze ans ».

Le 26 juin 1871, de Naples, le père du général La Cécilia écrivait à Hugo pour lui reprocher avec emportement cette accusation; il lui rappelait que le général Hugo avait dû, lui-même, faire exécuter des espions lors de sa campagne en Italie contre Fra Diavolo; il sommait le poète de rétracter son accusation.

Au coin de cette lettre, Hugo a écrit : « *Que La Cécilia démente le fait, je déclare le fait supprimé et j'autorise M. La Cécilia père à publier ma lettre que moi-même, en ce cas, je reproduirai (dans les réimpressions ultérieures de ma lettre du 26 mai) avec le démenti du général.* »

Après son entrevue du 20 juillet avec Victor Hugo, La Cécilia lui adressa une rectification, datée de « *Genève, 2 août 1871* » et signée « *N. La Cécilia, ex-général de division, commandant en chef la 2ᵉ armée de la Commune de Paris* ». Il faisait parvenir à Hugo le texte suivant du *Journal Officiel de la Commune* en date du 20 mai 1871 : « *Le citoyen Johannard : – Je demande la parole pour une communication. Je me suis rendu hier au poste qu'on m'a fait l'honneur de me confier. On s'est battu toute la nuit [...] On avait mis la main sur un garçon qui passait pour un espion; toutes les preuves étaient contre lui et il a fini par avouer lui-même qu'il avait reçu de l'argent et qu'il avait fait passer des lettres aux Versaillais. J'ai déclaré qu'il fallait le fusiller sur-le-champ. Le général La Cécilia étant du même avis, il a été fusillé à midi.* » La Cécilia ajoute : « L'individu que Johannard appela un garçon était un jeune homme de vingt-deux à vingt-trois ans », au surplus, « il ne m'aurait pas suffi de l'avis

de Johannard pour me déterminer à ordonner, confor-
mément aux lois de la guerre, l'exécution d'un espion.
Le rapport que j'ai adressé à ce sujet au délégué de
la Guerre témoigne que la sentence fut prononcée
après toutes les formalités d'usage en pareille cir-
constance. »

Hugo supprima le nom de La Cécilia en reprodui-
sant sa lettre du 26 mai à l'*Indépendance belge* dans
ses *Actes et Paroles*.

Page 166

1. Cf. *Actes et Paroles*, t. III, p. 137.

Page 168

1. En face, Hugo a collé la dernière page d'une lettre qu'il
   venait de recevoir de sa belle-sœur Julie Chenay :
   « *Je suis sans fortune, sans enfants, ayant un mari
   que je ne vois jamais et qui est, du reste, absolument
   obligé d'être toujours par voie et chemins pour gagner
   sa vie. Je suis donc libre et si je dépends de quelqu'un,
   c'est de toi, mon cher beau-frère, toi qui m'as recueillie,
   toi qui m'as toujours nourrie, et, ce qui est plus, consolée
   et aimée. Ce sera, quoi qu'il arrive, l'honneur de ma
   vie. Mais tout a un terme, et il me semble que ce moment
   est arrivé. Donc, si je faisais une pétition pour entrer
   dans la maison des princes d'Orléans, voudrais-tu la
   recommander?* [...] *Veuille me garder le secret.* [...] *Sur
   ce, je t'embrasse bien tendrement, ainsi que ces dames
   et les petits.*

   Julie. »

Page 171

1. Du 30 juillet 1871 sont datés les vers : « *Quand ce scribe
   visqueux...* », publiés dans le Reliquat de l'*Année
   terrible*, p. 277.
2. Sur la page d'en face, Hugo a collé une coupure de
   journal, sans référence, concernant le traitement du
   cancer par un nouveau remède sud-américain, le
   Condurange.

Page 172

1. Une lettre de Marie Mercier. Sur son carnet, Hugo a collé le *post-scriptum* de cette lettre, d'une écriture très maladroite, et que je reproduis exactement : « *Voi si mon adresse chez Madame de Casté rue ferron...* [?...] *16 à liége.* » Par transparence, on déchiffre, au verso, ces mots : « *A monsieur Français* » (ou « *François* »). Il est possible qu'il faille comprendre : François Hugo, et que le poète ait prié son fils de recevoir pour lui les lettres que ne devait pas voir Juliette Drouet.

Page 174

1. Nouvelles de Constance Montauban.
2. Sur la page d'en face, dans son carnet, Hugo a collé une coupure de journal, sans référence :

> *Le malheur purifie, mais le passé reste entier et si l'arrêt de la cour de Cassation a déclaré que M. Devienne n'avait point encouru de peines disciplinaires, cet arrêt ne saurait laver l'honneur du règne.*
>
> *Napoléon III restera ce qu'il est. Victor Hugo lui a cloué au dos un écriteau que nul ne peut lui ôter : Napoléon le Petit. Quand l'amant de Marguerite paraîtra devant le trône de Dieu, Dieu lui dira : « – Qu'as-tu sur le dos ? – C'est Victor Hugo, répondra-t-il, qui m'a cloué cette ignominie. – Eh bien, ôte-la !... – Je ne peux pas. – Ni moi non plus », répondra Dieu.*

Page 175

1. Du 9 août 1871, les vers intitulés « *Donec eris felix* » (Reliquat de l'*Année terrible*, p. 278).
2. La pièce « *Les Deux Voix* » (*Année terrible; Juillet*, I) est datée, sur le manuscrit, du 10 août 1871. Ce même 10 août, Hugo félicitait Lockroy, qui venait d'être nommé conseiller municipal de Paris (cf. *Correspondance*, t. III, p. 287).

Page 176

1. Les vers de l'*Année terrible* (*Juin*, II) commençant ainsi : « *Quoi, rester fraternel...* » sont de ce 11 août 1871.

2. De ce 12 août sont datées deux pièces : « *Les Innocents* » (*Année terrible; Juin*, XVIII) et « *Aux Calomniateurs* » (Reliquat de l'*Année terrible*, p. 288).

3. La pièce « *Flux et Reflux* » de l'*Année terrible* (*Juillet*, II) est de ce 13 août 1871.

4. Autrement dit, les pièces qui commencent ainsi : « *Participe passé du verbe Tropchoir...* » (*Juin*, XVII) et « *Une femme m'a dit...* » (*Juin*, X); ainsi que « *Les Deux Voix* » (*Juillet*, I).

Page 177

1. Après le latin *(oscula)*, l'espagnol : « *main, bouche, pied* ».

Page 178

1. Ce 18 août, Hugo écrivait à Meurice : « *J'ai reçu une lettre de la pauvre et honnête Mlle Montauban* » et il priait Meurice de la recommander à Ernest Blum.

Page 179

1. En espagnol : « *la main* ».

2. De ce 19 août 1871 sont datés les vers « *Terre et cieux!...* » (*Année terrible; Juillet*, XII) ainsi que la pièce commençant ainsi : « *Jeunes hommes...* » qui figura dans *Toute la Lyre* (*La Corde d'Airain*, XXI).

3. Le 18, Hugo avait annoncé à Meurice qu'il comptait partir le mardi 22 pour la petite ville d'eaux de Mondorf, « *pour mon éventualité de sciatique* », ajoutait-il (cf. *Correspondance*, t. III, p. 289).

Page 180

1. Ce 22 août au matin, Hugo achève et date sa grande pièce : « *De tout ceci...* » (*Année terrible; Juillet*, XI).

Page 181

1. De Diekirsch, le lendemain 23 août, Hugo écrira à Meurice : « *Je suis ici pour déposer devant le juge d'ins-*

truction de Luxembourg, délégué par commission roga-
toire du parquet bruxellois. » Sa « protestation » a été
reproduite dans *Actes et Paroles*, t. III, p. 372.

Page 183

1. Cf. *Hamlet*, acte I, scène V : « *There are more things in
heaven and earth, Horatio, than are dreamt of in your
philosophy.* »

Page 189

1. Hugo a collé dans son carnet le « reçu du percepteur des
postes »; on y voit, d'une part, le libellé, assez curieux :
« *M. Victor Hugo, de la part de M. Français* [ou « *François* »], *demeurant à Altwies* »; et d'autre part des
noms propres un peu différents de ceux qu'a notés
Hugo dans son carnet : « *Berner* » et non « *Brener* »,
« *Tour-aux-rats* » et non « *Trou aux Rats.* »
  Un album de dessins du poète porte, sur une page
blanche, les adresses suivantes, l'une au-dessous de
l'autre : « *M. Constant Montauban, 27, rue Saint-
Marcel, Metz* »; « *M. Mercier, 33, rue de la Madeleine,
Liége.* »
2. Cf. *Année terrible; Juin*, XIII.

Page 190

1. Marie Mercier reparaît donc tout à coup. Elle est revenue de Liége pour retrouver Hugo (sur sa demande?)
à Altwies. Les mots espagnols signifient : « *Marie.
Jambe. Elle a l'air amoureuse* ».

Page 191

1. L'anniversaire de la mort de Léopoldine à Villequier, le
4 septembre 1843.
2. Il faut comprendre, je crois, que Marie Mercier a trouvé
à s'établir dans une « petite boutique », où elle paraît
travailler sous un autre nom que le sien.
3. Espagnol douteux; Hugo aurait dû écrire : « *ayer* »; ces
mots signifient : « *Modeste; la même qu'hier.* » Marie
s'appelle maintenant Modeste.

4. Sur la page d'en face, une coupure de journal, collée, et sans référence :

Affaire de la Place des Barricades.

Nous avons dit, il y a quelques jours, que le baron Kervyn de Lettenhove, fils du Ministre de l'Intérieur, avait été appelé devant le juge Sheyven, deux mois et vingt-sept jours après l'attentat commis sur la personne de M. Victor Hugo. Nous apprenons aujourd'hui que M. le baron Dumesnil a été également interrogé sur le même sujet.

Les deux baronnets ont refusé de prêter le serment, à moins, ont-ils déclaré, de ne pas être interrogés sur les personnes qui les accompagnaient. Le juge d'instruction, ne pouvant admettre de serment restrictif, les a condamnés à 100 francs d'amende, les considérant comme témoins défaillants.

Page 192

1. « *Ce soir, à neuf heures, Marie comme* (sous le nom de) *Modeste.* »

Page 193

1. « *La même, seins et tout.* »
2. Citation énigmatique, de Marie Mercier sans doute. L'essentiel, je pense, d'un récit qui a intéressé, ou amusé, Hugo et que cette phrase lui rappellera.
3. Comprenons : « Juliette et moi. »
4. « *Elle m'a dit : tout ce que vous demanderez, je le ferai.* »
5. « *La même. Elle dit : prends, et je prends* »; là encore, espagnol incertain : le *x* de « *dixe* » est de trop; un *c* suffirait.

Page 194

1. « *Baisers. Je veux que vous me fassiez un enfant.* »
2. « *Maintenant, tous les jours et à toute heure, la même Marie.* »

Page 196

1. Pudique formule pour désigner Constance Montauban.
2. La pièce « *L'Orgie des meurtres* », qui figure dans *Toute la*

Lyre (*Corde d'Airain*, VI), est datée, sur le manuscrit, de ce 16 septembre 1871.

3. « *La même; mêmes choses.* »

Page 197

1. De ce 18 septembre 1871 est datée la pièce n° XXXVII des *Années funestes : « Pour l'écrivain vénal...* »

2. Pas de notes datées du 20 septembre, dans le carnet; ce 20 septembre Hugo écrira les vers : « *Soit, c'est dit...* » qu'il publiera dans ses *Quatre Vents de l'Esprit* (I, XXXVI); et il écrira, le 21, la pièce « *Les Pamphlétaires d'église* » (*Année terrible; Juillet*, IX).

3. Ce jour même, Hugo répond à L. Bochet : « *Cher Monsieur, nous recevons le télégramme. Cette condamnation de Rochefort passe tout. Elle me décide à partir sur-le-champ pour Paris. Qu'y a-t-il à faire? Je le ferai. Dites le lui. Je suis son ami.* [...] » Dès le 28 septembre, de Paris, Hugo écrivait à Thiers pour lui demander une audience, au sujet de Rochefort.

4. « *La même. Toute.* » Dans le *Figaro* du 5 mai 1893, G. Stiegler, qui avait connu Marie Mercier et recueilli ses confidences, publia, à son sujet, un précieux article; parlant du poète, Marie racontait : « *Il me vantait tout ce que nous aimions, mon mari et moi, la liberté, la République* [...]; *il me disait que les âmes sont immortelles et que nous nous reverrions au ciel.* » A ma connaissance, le nom de Marie Mercier ne reparaîtra plus qu'une seule fois dans les carnets, sous la date du 20 novembre 1872, Hugo étant alors à Hauteville-House; Marie, condamnée par contumace, s'était rendue à Guernesey; le poète la renvoya affectueusement, vers la Belgique, payant le prix de son voyage.

Page 198

1. « D. V. » = « *Deo volente* »; autrement dit : « *Si Dieu le permet.* »

Page 199

1. Avec Juliette Drouet. Hugo était arrivé à Mézières le 30 août 1840 à six heures du soir; il y avait dîné très

rapidement et était reparti à sept heures pour Givet.

2. Cailleux, peintre et littérateur, était en 1825 secrétaire général des Musées royaux.

3. De Reims, le 28 mai 1825, Hugo écrivait à sa femme : « *Notre camarade Alaux a fait un fort beau tableau qui figurera dans la salle du banquet* »; et, le 29 : « *Alaux te fait un présent dont tu le remercieras comme tu m'aimes : il t'envoie mon portrait.* »

4. Duponchel était chef du service de la scène à l'Opéra. Toute la phrase concernant Mlle Florville a été omise par G. Simon lorsqu'il a publié, dans *En voyage*, ces notes de 1871 sur Reims.

5. Hugo se trompe de date, un peu. C'est le 11 août 1838, à sept heures du soir, qu'il termine *Ruy Blas;* il quitte Paris le 15 août*;* le 17, il est à Reims et le 18 à La Ferté-sous-Jouarre; il rentre à Paris le 28 et, le lendemain 29 août, il lit *Ruy Blas*, chez lui, aux acteurs qui interpréteront sa pièce.

Page 203

1. Le 19 août 1870 Hugo écrivait, de Bruxelles, à Paul Meurice : « *Je ne veux aucune part du pouvoir, mais je veux part entière au danger.* »

Page 205

1. En travers de ce fragment, Hugo a noté : « *Transcrit le 26 septembre 1872 dans le poème* Religions *et mis à sa place, et complété.* » *Religions et Religion* parut en 1880. Ces vers n'y figurent pas. On ne les trouve pas non plus dans le manuscrit, formé de pages très disparates et dont plusieurs dataient du début de l'exil. Dans l'arrangement final auquel il procéda, Hugo n'a pas laissé subsister le texte où il avait transcrit, huit ans plus tôt, ses vers du 22 août 1870.

Page 206

1. « *Mort blême, veille pour les vivants; sois, ici, nôtre.* » C'est un hexamètre spondaïque régulier; « *pallida mors* » est emprunté à Horace. « *Vigila pro vivis* » serait plutôt du latin d'église.

2. Les lignes en italiques, et entre crochets, ont été biffées par Hugo.

Page 207

1. « *Sois l'humilité même.* »
2. Cf. l'*Appel aux Français.*
3. Suzanne Blanchard était au service de Juliette Drouet depuis plus de vingt ans en 1870.
4. Mariette était entrée au service de Victor Hugo, à Hauteville-House, en 1868.

Page 209

1. Cf. la pièce : « *Une bombe aux Feuillantines* » (*Année terrible, Janvier,* VI). Le 5 janvier, Hugo a noté qu'un obus était tombé près de lui, alors qu'il était allé voir l'emplacement de sa maison d'enfance.

Page 210

1. Le gouvernement britannique avait proposé une conférence internationale pour examiner la situation créée par la répudiation unilatérale de la neutralité de la mer Noire prononcée par la Russie, le 16 octobre 1870. Gambetta souhaitait que la France participât à cette conférence, et Bismarck y craignait notre présence. Jules Favre fit décider que la France n'y serait pas représentée.
2. Hugo orthographie « dilemne ».
3. Avant même les élections du 8 février 1871, Hugo est sans illusions sur la composition de la future Assemblée; il ne doute pas qu'elle ne soit âprement conservatrice; à peine arrivé à Bordeaux, il songera à démissionner.

Page 211

1. Presque certainement c'est à Bourbaki que songe ici Hugo; on a vu qu'il avait cru, le 6 février, au suicide du général. Suicide manqué.
2. Les mots que nous plaçons entre crochets, Hugo, sans les biffer, les avait, dans son manuscrit, encadrés de

deux traits verticaux se proposant à lui-même leur suppression.

Page 212

1. Même observation que plus haut; « *honteusement* » est placé par Hugo, dans son manuscrit entre deux traits verticaux.
2. Il s'agit de treize anciens membres des Commissions mixtes réunies, après le 2 décembre, pour juger les citoyens qui, selon la loi, avaient résisté au coup de force militaire du président. Gambetta les avait révoqués. Le décret les concernant avait paru à l'*Officiel* le 31 janvier.
3. Ce texte figure dans le carnet au verso de la page qui fait face à des notes prises les 20 et 21 février 1871.
4. A l'Assemblée nationale, le 1er mars 1871.

Page 214

1. L'abbé Jaffré, député royaliste du Morbihan, pendant le discours de Hugo à l'Assemblée, le 8 mars, s'était fait beaucoup remarquer en criant, le poing tendu vers l'orateur : « – A mort! »
2. Le vicomte de Lorgeril, le même jour, s'était écrié : « – L'Assemblée refuse la parole à M. Victor Hugo parce qu'il ne parle pas français. »
3. Projet, je pense, d'une déclaration que Victor Hugo avait songé à publier lorsqu'il quitta Paris le 22 mars 1871. Il préféra se taire.

Page 215

1. Ce texte figure dans le carnet au verso d'une page où s'inscrivent des notes du mois de mai 1871.

Page 216

1. Le décret des otages est du 5 avril 1871.
2. Le mot était de Thiers.
3. Il s'agit des communards prisonniers.

Page 217

1. Hugo avait conservé cet opuscule, intitulé : *Prières diverses. La Sainte Messe. Les Vêpres du dimanche. Cantiques* (Lille; typogr. J. Lefort, 1870, 32 p.).
2. Tout ce texte a été biffé par Hugo; plusieurs lignes, et une partie de la dernière, me sont demeurées indéchiffrables. Il s'agit, semble-t-il, comme dans les trois fragments suivants, d'une déclaration que projetait Hugo à la veille des élections du 2 juillet 1871; il ne doutait pas de son échec; il prit le parti de garder le silence.
3. Hugo a placé ces deux mots, qu'il a soulignés, entre parenthèses, au bas de son texte.

Page 218

1. Le Reliquat de l'*Année terrible* (p. 292) nous fournit un texte sans date, bien intéressant : « Allons, il faut bien que je dise, décidément j'aime l'exil [...]; pas de visites à recevoir, pas de visites à rendre, le bonheur d'être seul; la lecture paisible, la rêverie paisible, le travail paisible, la sauvagerie [etc..] »
2. Razoua, ancien chasseur d'Afrique, avait été élu député de la Seine le 8 février 1871. Commandant de l'école Militaire, pendant la Commune, il échappa aux Versaillais et se réfugia à Genève, où il mourut en 1878.
3. Le 4e Conseil de Guerre condamna à mort les « femmes » Suétens, Rétiffe et Marchais, réputées « pétroleuses ».
4. Rossel avait été délégué de la Commune à la guerre; officier de carrière, il était parvenu à s'échapper de Metz après la capitulation de Bazaine.

Page 219

1. Le texte, sur une feuille volante, commence bien par trois points de suspension, de la main de Hugo.
2. La Banque Nationale de Belgique.

Page 221

1. La même idée se retrouve dans les derniers vers de la pièce « *A l'enfant malade pendant le Siège* » (*Année*

terrible; Novembre, X); mais le manuscrit de cette pièce n'est pas daté.

Page 222

1. Juliette Drouet.

Page 223

1. Hugo se proposait volontiers à lui-même des tours de force de rimeur. Il y ajoute cette fois un jeu de mot, qu'il est sans doute inutile de souligner : « *de Spa* » = « *de ce pas* ».
2. En 1642.
3. Gustave Planche était mort en 1857. Il avait traité de haut non seulement Hugo, mais Lamartine et Balzac.

Page 224

1. On peut supposer sans imprudence que Hugo songe ici aux publicistes catholiques du type Louis Veuillot.
2. Ces lignes figurent au verso d'une page de septembre 1871. Il est probable qu'elles ont été écrites par Hugo au moment où il allait quitter le Luxembourg pour regagner la France.

Page 225

1. Idées voisines de celles que le poète a développées dans « *Paris incendié* » (*Année terrible; Mai,* III).

TABLE

ACHEVÉ D'IMPRIMER
PAR L'IMPRIMERIE FLOCH
MAYENNE

(2690)

LE 6 OCTOBRE 1953

Nº d'éd. : 3.946. Dépôt légal : 4e trim. 1953

Imprimé en France